EN UN INSTANTE

HAY DECISIONES QUE NOS MARCAN PARA SIEMPRE

SUZANNE REDFEARN

ISBN 978-607-99032-0-6

Esta es una obra de ficción. Nombres, personajes, organizaciones, lugares, eventos y los incidentes son producto de la imaginación del autor o se utilizan de forma ficticia. La semejanza con personas reales, vivas o muertas, o hechos reales es pura coincidencia.

Título original: In An Instant

Publicado en Estados Unidos por Lake Union Publishing, Seattle www.apub.com Amazon, el logotipo de Amazon y Lake Union Publishing son marcas comerciales de Amazon.com, Inc., o sus afiliadas.

Esta edición es posible gracias a un acuerdo de licencia que se originó con Amazon Publishing, www.apub.com, en colaboración con la Agencia Literaria Sandra Bruna.

Traducción: Fabiola Lozano Robledo.

Mariano Escobedo No. 62, Col. Centro, Tlalnepantla, Estado de México, C.P. 54000, Ciudad de México. Miembro núm. 2778 de la Cámara Nacional de la Industria Editorial Mexicana.

Tels.: (0155) 5565-6120 y 5565-0333

EU a México: (011-5255) 5565-6120 y 5565-0333

Resto del mundo: (0052-55) 5565-6120 y 5565-0333

informes@esdiamante.com / ventas@esdiamante.com

www.editorialdiamante.com

facebook.com/GrupoEditorialDiamante

Twitter.com/editdiamante

IMPRESO EN MÉXICO / PRINTED IN MÉXICO

Para Halle

PRÓLOGO

La Sra. Kaminski lo sabía.

Antes de que sucediera.

Hasta antes de ese día, pensábamos que era una mamá psicópata, neurótica y paranoica. Solíamos llamarla "la carcelera" a sus espaldas, y nos sentíamos mal por Mo, por tener que lidiar con una madre tan obsesiva y llena de miedos. Decir que la Sra. Kaminski sobreprotegía a su hija era un eufemismo. Las fiestas de cumpleaños en la playa o la piscina estaban prohibidas, a menos que hubiera un salvavidas en el lugar y que la Sra. Kaminski pudiera estar presente: una sombra de unos cuarenta y tantos años merodeando por la arena o en la orilla del agua, rondando vigilante junto a los alegres niños de doce años. Y ni hablar de Disneylandia. Aunque era una mujer pequeña y de pocas palabras, de apenas metro y medio de altura con una sonrisa amable y una cordialidad exagerada, resultaba difícil creer cuán inflexible era en lo relacionado al cuidado de Mo.

Nos preguntábamos en secreto si tal vez le había pasado algo traumático a la Sra. Kaminski cuando era joven y por eso era tan protectora, pero Mo nos dijo que no era así. Que su mamá simplemente creía que nadie más cuidaría de sus hijos como ella lo hacía. Mo lo aceptaba con bastante generosidad.

Su paciencia era mucho mayor que la que cualquiera de nosotros hubiéramos tenido si nuestras mamás interfirieran en nuestras vidas como la Sra. Kaminski lo hacía en la de Mo.

Fue en el campamento de Ciencias de sexto grado cuando su firmeza finalmente se suavizó, pasando del acero al granito: un poco más maleable pero no mucho. Todos los alumnos de sexto grado, excepto Mo, iríamos al viaje. La profesora habló con la Sra. Kaminski, luego la directora, y finalmente mi mamá. Fue ella quien la convenció. Papá iría como chaperón, y él personalmente cuidaría de Mo. Tal vez fue porque le creyó a mamá, o quizá porque confiaba en papá, o porque comprendió que no podría mantener para siempre su control de hierro, o porque el campamento era demasiado importante para el programa de estudios de ese año. Cualquiera que haya sido la razón, por primera vez en los doce años de vida de Mo, se le permitió dejar el nido sin su madre al lado.

Desde entonces, la Sra. Kaminski ha confiado a su hija a nuestro cuidado en repetidas ocasiones. Cada sagrado voto de confianza iba precedido por las promesas de mis padres: "Cuidaremos bien de ella", "Está en buenas manos", "Mo es como una hija para nosotros" —clichés descartables que no puedo sacarme de la cabeza últimamente, preguntándome si esas frases tan trilladas y despreocupadas influyeron en lo que pasó, o si solo eran palabras sin sentido y las cosas hubieran sucedido de la misma manera a pesar de aquellas promesas hechas irreflexivamente.

A través de los años, yo también fui confiada al cuidado de la Sra. Kaminski, pero mis padres nunca le pidieron garantías de mi custodia. Mo es hija única, por lo que solían llevarme como acompañante en todas las vacaciones de los Kaminski. He viajado a África, España, Tailandia y Alaska. Mis papás aceptaban rápidamente todas las invitaciones sin la menor vacilación o demanda de juramentos recíprocos de protección, como los que nosotros teníamos que hacer cuando cuidábamos de Mo. Quizá todos asumían que la situación era igual en ambas partes. O tal vez, muy en el fondo, mis papás sabían que la promesa no se cumpliría, y entonces hubiera sido muy extraño que me dejaran ir con ellos. Supongo que mis papás estaban conscientes de que los temores de la Sra. Kaminski eran basados en una profunda autorreflexión, que había considerado la posibilidad de la ruptura de una falla geográfica o la erupción de un volcán o el hundimiento de un barco, y sabían que, si tuviera que enfrentarse a una elección tan terrible, ella cuidaría de los suyos, y aunque Mo y yo éramos como hermanas, no me elegiría a mí.

Desde que tengo memoria, puedo recordar a mis hermanas, mis amigos y a mí misma torciendo los ojos cada vez que alguien mencionaba a la Sra. Kaminski, y todos pensábamos que estaba loca.

Nadie la llama loca ahora.

Ella lo sabía. Antes de que sucediera. Y me pregunto, ¿cómo lo sabía? ¿Acaso era una profetisa, una visionaria dotada de una premonición sobrenatural? ¿O era exactamente como Mo decía? ¿Una actitud protectora racional y bien analizada basada en el simple entendimiento de que nadie cuidará a los tuyos de la misma forma como tú lo haces, y que, en caso de elección, la vida de sus seres queridos sería puesta en segundo lugar?

Estas son las cosas que me pregunto ahora. Después de lo que pasó.

1

"¡Una discusión más sobre listones rosas o dorados, y juro que me voy a volver loca! ¡A NADIE LE IMPORTA! ¡Simplemente huyan y cásense a escondidas! Acaben con esto. ¡¡¡ME VOY A MORIR!!!".

El mensaje de texto de Mo es casi instantáneo:

"Entonces, ¿te estás divirtiendo?".

Una extracción dental sería menos dolorosa. Llevo cinco meses soportando esta tortura. Desde la noticia del compromiso de mi hermana, los pormenores de sus nupcias han sido diseccionados y regurgitados *ad nauseam*, y todavía faltan tres meses para el gran día. *Ad nauseam*. Esa es una gran palabra que no se usa lo suficiente (¿o son dos palabras?), y es muy adecuada —esta salidita es más de lo que mi estómago puede soportar.

Es viernes, hace una hermosa tarde de cielo azul y es la oportunidad perfecta para estar en la playa, sobre una tabla acuática, surfeando o pasando el rato con mis amigos. Pero en vez de eso, heme aquí, sentada en el suelo del vestidor de una tienda de novias, con mi espalda apoyada en la pared para que mi hermana pueda modelar su vestido frente a mi mamá, mi tía y yo, su reacia dama de honor. Mi otra hermana, Chloe, no está aquí. Una semana después del compromiso, dijo algo como que la institución del matrimonio era una creación patriarcal anticuada que oprime a las mujeres, provocando que fuera inmediatamente despedida de toda la cuestión y dejando el paso libre para mi ascenso.

Me pregunto dónde estará ahora. Probablemente pasando el rato con Vance, los dos besándose o caminando por el centro tomados de la mano, disfrutando este increíble día. Casi lanzo un gruñido de envidia y admiración mientras me pregunto, por milésima vez, si el comentario fue hecho intencionalmente. Chloe es muy buena para este tipo de cosas. Sabe cómo hacer que las cosas sucedan, y trabajar junto a mamá durante ocho meses es definitivamente algo que hubiera querido evitar a toda costa.

Es tan ingenioso que me causa gracia: mi hermana se las arregló para liberarse de esto sin tener que renunciar personalmente y logró pasarme a mí la responsabilidad de ser la mano derecha de Aubrey. Puedo imaginar a Chloe sonriendo burlonamente mientras tramaba su plan, sabiendo lo mucho que odio este tipo de cosas y que ocho meses de hablar sobre el tema con una sonrisa alegre y solidaria arruinarían por completo mi temperamento normalmente radiante y extra positivo.

—¿Qué opinas, Finn? —pregunta Aubrey, haciéndome despegar la mirada de la pantalla de mi teléfono, que muestra una compilación de memes sobre los animales más divertidos del mundo. En la pantalla está un gato montado sobre un husky con la pata levantada y un texto que dice: "¡Sigue a ese ratón!".

Parpadeo y mi sonrisa desaparece mientras un sorprendente nudo se aloja en mi garganta. A pesar de mi aversión por todas las cosas relacionadas con encajes, bodas y chicas, un torrente de emociones muy femeninas se agolpa en mi pecho.

Durante dos semanas, Aubrey no ha parado de parlotear sobre su vestido, diciendo una y otra vez lo perfecto que es. La mayoría de las veces la he ignorado: satén esto, seda aquello, hileras de perlas, algo sobre canalé, algo más sobre un escote con gemas. Pero ahora está aquí, parada frente a mí —gigantesca en sus zapatos de tacón altísimos— nubes de satén color marfil, suaves como líquido, resbalan por su cintura increíblemente pequeña, con hileras de perlas diminutas girando y fluyendo desde lo que supongo debe ser un escote con gemas, parece una princesa de cuento de hadas, la reina más bella de toda la tierra, me sorprende lo bonita que es e incluso siento un poquito de celos.

Detrás de Aubrey, mamá junta sus manos frente a ella, y tía Karen la abraza tomándola de los hombros. Se inclinan una sobre la otra mientras admiran a mi hermana, con sus cabezas del mismo tono rubio cenizo casi tocándose.

—Está bien —digo, como si no fuera gran cosa, y vuelvo a mirar mi teléfono: Un perro negro con los ojos entrecerrados frente a una paleta helada amarilla goteando: "congelamiento cerebral".

Sonrío y sigo desplazándome por las imágenes mientras mamá y tía Karen parlotean efusivamente y dan vueltas alrededor de Aubrey, observando el vestido desde todos los ángulos mientras ella se mueve de un lado a otro.

Tía Karen se detiene junto a mí.

—Toma una foto —grita—. Con Finn. Las dos juntas.

Me estremezco ante la idea de aparecer por todo el Facebook de tía Karen con una etiqueta ridícula como "Aubrey y Finn Miller, la futura novia y la futura novia fugitiva".

—Nop —dice mi mamá, salvándome—. No hasta que sea el gran día. Es de mala suerte tomar una foto a la novia con su vestido antes de la boda.

Suspiro aliviada y me alejo un poco más de Aubrey, preocupada de que el simple hecho de estar junto a ella pueda ensuciarla. Aubrey me sonríe y mueve los labios diciéndome "Gracias", luego se da la vuelta y regresa con las gallinas cacareadoras, quienes ya han salido de su admiración y ahora están parloteando y armando un alboroto por las modificaciones que tendrán que hacerse al vestido.

Siento cómo el calor se agolpa en mis mejillas, y me digo a mí misma que debo tranquilizarme. Aubrey ya me ha agradecido como mil millones de veces, y la verdad es que realmente no fue gran cosa. La plática que tuve con su futura suegra duró menos de cinco minutos, y la Sra. Kinsell se mostró supertranquila al respecto.

Ni siquiera habría hecho la llamada si no fuera porque Aubrey estaba tan molesta. A mí no me parecía una mala idea lo del vestido de novia de la Sra. Kinsell, y creía que era genial que Aubrey fuera la cuarta generación en usarlo: "Corte clásico, pedrería estilo *vintage*, cuello de encaje victoriano y botones de satén en la espalda". Pero Aubrey prácticamente se puso a llorar mientras repetía estas palabras, y como soy pésima para todas las otras labores de una dama de honor, supuse que esto era lo único que podía hacer. Mo dice que tengo un don para lidiar con este tipo de situaciones, un estilo directo que de alguna forma mística parece nunca ofender a nadie. Yo creo que más bien se debe a que las demás personas complican demasiado las cosas. Si dices las cosas simplemente como son, no puedes equivocarte. Una vez que la Sra. Kinsell se recuperó de su sorpresa inicial, estuvo de acuerdo. Incluso me confesó que ella también había querido comprar su propio vestido para su boda.

Debe haber llamado a Aubrey en el instante en que colgamos, porque Aubrey me llamó media hora después agradeciéndome una y otra vez. Y ahora, aquí está, cinco meses después, girando, admirándose y sonriendo, y yo estoy muy contenta de haberme decidido a hacer esa llamada.

Frente a mí, tía Karen empuja hacia arriba con las manos sus inmensos senos tamaño doble D, y dice: "Va va voom", para animar a Aubrey a mostrar más escote, mientras mamá niega con la cabeza y Aubrey asiente, diciendo que a Ben le gustaría, y es justo ahí cuando tomo la foto, aprovechando que el sonido de su risa disimula el discreto clic de mi teléfono.

Miro la pequeña pantalla, las tres riéndose con la expresión de sus caras borrosa por la alegría, el vestido reflejado en el espejo, la sonrisa de Aubrey de oreja a oreja, y mamá y tía Karen sonriendo resplandecientes junto a ella. Le envío la foto a Mo con el mensaje: "¡Se ve increíble!", acompañado de muchos corazones y caritas sonrientes.

La pantalla se desplaza hacia arriba y aparece la respuesta de Mo: "Admítelo, eres una romántica de clóset. Por cierto, ¿ya te decidiste?".

Muevo la boca de un lado a otro mientras miro fijamente la pregunta, tal vez esperando que los pixeles me ofrezcan una especie de esclarecimiento: la respuesta o el coraje que no he tenido desde que le confesé a Mo que estaba contemplando la idea de invitar a Charlie McCoy al baile. Es un baile donde las chicas invitan a los chicos, y el año pasado tuve que ir sola junto con otro grupo de chicas demasiado tímidas, orgullosas o feas para invitar a un chico. Usamos tenis Converse con nuestros vestidos; destrozamos la pista de baile con nuestros escandalosos pasos nunca antes vistos; y devoramos la mesa de chocolates mientras nos burlábamos de todas las chicas que se tambaleaban en sus incómodos zapatos de tacón, sonriendo torpemente a sus citas, y mirando anhelantes las calorías prohibidas expuestas como una mesa de tortura.

Estaba segura de que este año optaría por la misma maniobra, pero eso fue antes de que Charlie apareciera. Era como si lo hubiera conjurado de la nada. "Querido Dios, por favor, mándame un chico alto, hermoso, ligeramente bobo, que juegue futbol y que tenga ojos verdes". Y ¡tarán!, apareció Charlie el primer día del año en mi clase de primera hora.

—Tierra llamando a Finn —dice Aubrey, lanzándome mi sudadera, y de pronto me doy cuenta de que ya se ha vuelto a vestir con su ropa normal y que estamos saliendo del vestidor.

Camino detrás de Aubrey hacia la tienda. Mamá y tía Karen se detienen en la caja registradora para hablar con la dueña, mientras Aubrey y yo salimos del lugar. Aubrey saca inmediatamente su teléfono para llamar a Ben, y entre risitas nerviosas y emocionadas le cuenta todo sobre su vestido y luego le pregunta qué debería ponerse para ver a sus papás. Este fin de semana, ella y Ben volarán a Ohio para que pueda convivir con sus futuros suegros.

—Te amo —dice, y cuelga.

Se lleva una de sus manos con manicura perfecta a la boca, y comienza a mordisquear una cutícula.

—¿Estás bien? —pregunto.

—Nerviosa.

Le saco sus dedos de la boca antes de que empiece a salirle sangre.

—Sí, van a odiarte. Eres completamente intolerable —digo, poniendo los ojos en blanco, y Aubrey arruga la nariz.

—Al menos Ben y yo tenemos un pretexto para no participar en el experimento "reunión familiar" de papá.

—¿Quieres decir que tú y Ben no están completamente tristes por perderse la oportunidad de pasar tres días en una cabaña remota en medio del bosque sin televisión, radio ni internet, y con la encantadora compañía de tu familia como único entretenimiento?

—No puedo creer que realmente piense que es una buena idea —dice Aubrey.

—Ya conoces a papá; es un optimista —respondo.

—Está delirando. Eso no va a arreglar las cosas.

Me encojo de hombros y miro hacia otro lado, esperando que esté equivocada, y al mismo tiempo pienso que probablemente tiene razón. Las aguas turbulentas en casa están a punto de convertirse en una verdadera tormenta. Entre las constantes peleas de mis padres; los problemas cada vez más graves con mi hermano, Oz; los frecuentes actos de rebelión de Chloe que parecen tener como objetivo específico hacer enojar a mamá; y mis recientes meteduras de pata, creo que últimamente paso más tiempo en casa de Mo que en la mía. Igual que un volcán activo, cinco minutos juntos desatan inevitablemente una especie de erupción, y tres días juntos será como tentar al monte Vesubio a estallar.

—Bueno, al menos Mo estará allí —dice Aubrey. Mi hermana ama a Mo casi tanto como yo.

—Y Natalie —respondo.

—¿Qué? —dice Aubrey, mientras la expresión de su cara se transforma en lástima.

La represalia pasivo-agresiva de mamá al disparatado plan de papá fue invitar al viaje a la tía Karen, el tío Bob y a su insoportable hija, Natalie, lo que significa que Mo y yo tendremos que incluirla en todo lo que hagamos.

—Y Chloe traerá a Vance —comento, poniendo la cereza del pastel de este descabellado plan.

La única razón por la que Chloe aceptó venir con nosotros fue porque a Vance le encanta hacer *snowboard*, y no tiene ni un centavo. La habitación, comida y boletos gratis eran una oferta demasiado tentadora para dejarla pasar, incluso si eso significa tener que lidiar con mi familia durante el fin de semana. Casi ninguna otra cosa en el mundo hubiera podido convencer a Chloe de pasar un minuto con mamá, ya no digamos tres días, excepto su devoción a Vance —devoción que el resto de nosotros no compartimos. El tipo es un flojo de primera clase y encima arrogante, solo porque es bueno jugando al tenis y cree que se convertirá en un jugador profesional.

—Vaya, suena a que será un viaje alocado —dice Aubrey.

El fin de semana con su suegra parece cada vez mejor.

Tía Karen y mamá salen de la tienda, y mamá abre las puertas de su nuevo Mercedes, una camioneta blanca que se compró hace un mes para su cumpleaños.

—Deja que Finn conduzca —dice tía Karen "inocentemente". Tía Karen es lo que papá llama una "agitadora". Igual que a un duende, le encanta crear problemas: un pequeño diablillo travieso lleno de maldad, lo que la hace una persona muy divertida, excepto cuando tú eres el blanco de la diversión.

—Tienes tu permiso de conducir, ¿no, Finn? —dice, levantando sus delgadas cejas.

Observo cómo mamá se pone tensa, mientras su cuerpo se endurece ante la idea de que alguien más conduzca su hermoso auto nuevo.

—Me gustaría estar viva para mi boda —interviene Aubrey.

—Estoy segura de que Finn es una excelente conductora —dice tía Karen, arrebatando el llavero de las manos de mamá.

—Tal vez en otra ocasión —dice mamá, estirándose para recuperarlo.

—Tonterías —insiste tía Karen, quitando el llavero de su alcance, al tiempo que me toma por el brazo y me lleva hacia el auto—. No hay mejor momento que el presente —asegura, lanzándome un guiño y una sonrisa conspiradoras.

Normalmente, esto me hubiera encantado. Una de las cosas que más disfruto en la vida es ver a mamá retorcerse, y mi audacia y destreza atléticas son mi mayor orgullo, por lo que la idea de ponerme detrás del volante y atravesar las calles al estilo Danica Patrick mientras aterrorizo a mamá y a Aubrey y divierto a tía Karen es justo lo mío.

Si no fuera por un pequeñísimo problema.

—Entra —dice tía Karen, abriendo la puerta del conductor.

Trago saliva. Mi instructor de manejo, un hombre calvo con halitosis severa y nervios de acero, llamó a mi impedimento "dislexia del pedal", un problema ligeramente importante porque confundo el acelerador con el freno, y es algo que no he podido corregir a pesar de lo sencillo que parece.

—Realmente nunca he conducido un auto tan grande

—digo—. Tal vez sería mejor si…

—Tonterías —dice tía Karen, interrumpiéndome—. Es pan comido. Los Mercedes prácticamente se conducen solos. Vamos —dice, con una sonrisa digna del Gato de Cheshire, claramente decidida a divertirse.

Aubrey se sube al asiento trasero, y mamá empieza a abrocharse el cinturón de seguridad en el asiento del copiloto. Mamá no tiene la menor idea de mi problema. Siempre que mis papás me preguntan cómo van mis lecciones de manejo, respondo con un evasivo "Bien".

—Recuerdo cuando hice esto contigo —dice mamá, girando la cabeza para ver a Aubrey—. Eras un manojo de nervios. Te tomó varias semanas incluso la sola idea de salir del vecindario.

—Estaba siendo precavida —dice Aubrey, enseñándole la lengua—. Y fue algo bueno, porque todavía tengo un historial perfecto: sin accidentes ni multas. Eso es más de lo que tú puedes decir.

Mamá es famosa debido a sus multas por exceso de velocidad; por lo menos dos al año, y eso sin contar aquellas de las que ha logrado zafarse.

—Chloe, por supuesto, lo hizo excelentemente —contesta mamá. Fue como si hubiera conducido toda su vida. Una sola lección, y estaba lista para conducir por todo el país.

Mi parte competitiva empieza a vibrar. Eso es lo que pasa cuando tienes dos hermanas mayores: ya han hecho todo antes que tú, y eso significa que siento que debo hacerlo mejor.

Bajo la mirada para ver los pedales. El de la derecha es angosto y vertical; el de la izquierda es ancho y horizontal. "Derecho acelera, izquierdo frena". No es ninguna ciencia. Uno es para avanzar. El otro es para detener. Cualquiera puede hacerlo. O sea, la mitad de los chicos de mi salón ya tienen sus permisos de conducir, y la mayoría son un montón de idiotas.

—¿Finn? —dice tía Karen, inclinando la cabeza, desconcertada por mi renuencia.

Sonrío y me subo al auto, mientras tía Karen aplaude con alegría, cerrando la puerta detrás de mí.

—Hay mucho espacio aquí atrás —dice, y yo deslizo el asiento hacia atrás para acomodar mis largas piernas.

Jugueteo con los espejos y el volante, ajustándolos una y otra vez hasta que quedan perfectos, mientras mi mente da vueltas. "Derecho acelera, izquierdo frena. Derecho para avanzar. Izquierdo para detener. En serio, ya supéralo. Puedes hacerlo. Derecha. Izquierda. Avanzar. Alto".

—Aunque creo que voy a morir de vejez esperando —comenta Aubrey.

Sonrío burlonamente por encima del hombro, y vuelvo a girarme. Coloco cuidadosamente mi pie sobre el freno, luego aprieto el botón de encendido, y el motor cobra vida. Reviso los espejos una vez más para asegurarme de no haya nada detrás de nosotros, y entonces, para estar cien por ciento segura, giro la cabeza en todas direcciones.

—¿Es en serio? —pregunta Aubrey—. Mi vuelo sale temprano en la mañana. ¿Crees que para esa hora ya hayas logrado avanzar?

Mamá se ríe.

—Lo estás haciendo bien, Finn —dice tía Karen para animarme, tal vez con un dejo de culpa en su voz. Aunque le encanta hacer travesuras, tía Karen también tiene un corazón bondadoso, de esos que hablan en balbuceos a los bebés y cuidan a las aves caídas hasta que están listas para volar de nuevo.

No habría sugerido esto si hubiera pensado que me causaría una angustia real.

Después de cambiar a reversa, retrocedo vacilante del lugar de estacionamiento.

—Bien hecho —dice tía Karen.

—Y por fin los Miller y tía Karen pueden salir del estacionamiento —anuncia Aubrey.

Mamá vuelve a reírse.

Tomo la autopista Coast, y empiezo a recorrer el camino a casa, una cuadra, luego otra, nadie dice una palabra. Sé que, a pesar de mis esfuerzos por aparentar seguridad, pueden sentir mi estrés.

Aparece el primer semáforo, la luz roja, y con mucha precisión —"izquierdo, izquierdo, izquierdo"— muevo mi pie del acelerador al freno.

Nos detenemos suavemente, mientras exhalo por la nariz dándome una palmada invisible en la espalda.

La luz cambia a verde. Muevo mi pie al acelerador, y volvemos a avanzar.

Después de varias cuadras más y dos paradas sin incidentes, mis nudillos, blancos por la presión, empiezan a suavizarse, y comienzo a relajarme. Ya lo tengo dominado. Solo necesito concentrarme. Pensar y hacerlo, igual que en los deportes.

Ellas también se relajan. Aubrey se inclina hacia adelante para encender la radio, y mamá se gira en su asiento para comentar algún detalle olvidado que necesita comunicarle a la florista.

Y ahí es cuando sucede. Mamá está diciendo algo sobre los lirios y su falta de polen cuando el auto detrás de nosotras toca la bocina, un estruendo sobrecogedor envía una descarga directo a mi corazón que rebota en mi pie, provocando que salte hacia un lado y pise tan fuerte el freno que mamá tiene que sujetarse del tablero con la mano.

Voltea a verme rápidamente, y siento que mi piel se está incendiando. No me atrevo a mirarla, aunque la culpa irradia de mi pecoso rostro irlandés, y yo sé que ella sabe. Eso es lo que pasa con mamá: ella siempre sabe.

Aubrey y tía Karen no tienen la menor idea de lo que sucede. El conductor que tocó la bocina nos rebasa bruscamente, y Aubrey le hace una seña con el dedo mientras la tía Karen dice:

—Imbécil. Algunas personas tienen demasiada prisa. Lo estás haciendo bien, Finn. Muy bien.

Cuando avanzamos de nuevo, todo mi cuerpo empieza a temblar. Mi atención está centrada como un láser en recorrer el resto del camino a casa sin más incidentes ni recriminaciones. Mantengo la mirada fija en el camino mientras intento no pensar en mamá sentada junto a mí ni en sus juicios.

No ha pasado ni una semana desde que hice mi promesa, y su clemencia fue increíblemente generosa, especialmente tomando en cuenta que mi último incidente me llevó a la estación de policía. Todo por un reto que salió mal: la roca que lancé desde el sube y baja voló mucho más lejos de lo esperado, casi matando a uno de mis amigos y rompiendo el señalamiento del parque. Mamá hizo gala de sus excelentes habilidades de litigante para sacarme del problema en el que me había metido, riendo y bromeando con el policía que me arrestó hasta que este ya no lo consideró un crimen sino más bien el resultado de una mente joven y curiosa poniendo a prueba las leyes de la física. Y cuando llegamos a casa lo único que mamá dijo fue: "¿Sabes,

Finn?, las disculpas solo tienen valor cuando son realmente sinceras". Sus palabras me llegaron profundo. Últimamente me había estado disculpando mucho.

Le juré solemnemente que en verdad lo sentía, y que a partir de ese momento me aseguraría de mirar antes de saltar, lo que la hizo sonreír, teniendo en cuenta mi crimen del sube y baja saltarín.

No está sonriendo ahora. Inmóvil como una piedra, está sentada cual estatua mirando por el parabrisas, y me siento peor que terrible. Cinco días. Tan solo ese tiempo me tomó romper mi promesa y decepcionarla de nuevo.

Finalmente, aparece el último semáforo, y casi lanzo un grito de alegría. Una cuadra más, luego a la derecha, a la izquierda, y estaremos en casa. Cuando la luz cambia a amarillo, decidida a no causar otro sobresalto, piso el freno de la forma en que me enseñó el instructor para que la desaceleración sea suave.

Casi nos hemos detenido por completo, las llantas apenas se mueven y mi mirada está fija en la defensa del auto frente a nosotras, cuando mi teléfono empieza a vibrar. Es un mensaje de texto. Dos vibraciones agudas que empiezan en mi bolsillo trasero y recorren mi pierna hasta llegar a mi pie, y el auto se tambalea inesperadamente hacia adelante.

—¡Frena! —grita mamá.

Sus palabras se mezclan con el espantoso crujido del metal mientras nos estrellamos contra el auto que está frente a nosotras.

—¡Frena! —dice nuevamente.

Eso es lo que intento hacer desesperadamente, pero por alguna razón inexplicable seguimos avanzando, aplastando al pequeño auto contra el camión que está frente a él.

—El otro pedal —dice mamá, y en ese instante mi pie salta hacia el otro lado.

Mamá sale del auto antes de que pueda ponerlo en neutral.

—¡Mierda! —indica Aubrey detrás de mí.

—Ups —dice tía Karen.

Salgo tambaleándome desde el asiento del conductor, y siento que todo mi cuerpo está en llamas.

Mamá ya está hablando con la conductora del auto que golpeamos, con su cuerpo inclinado hacia la ventana abierta. Dentro del auto solo hay una mujer de cabello oscuro hasta los hombros, y un suéter rojo. Una cruz con cuentas cuelga de su espejo retrovisor. La mujer asiente mientras mamá habla con ella; luego gira la cabeza hacia el otro lado, y no puedo asegurarlo, pero por la forma en que sus hombros se mueven creo que está llorando.

Avanzo hacia ellas, y luego retrocedo. Mis músculos se tensan y se aflojan sin que yo sepa qué hacer.

El conductor del camión se une a ellas. Es un hombre mayor vestido con una camisa a cuadros y pantalones de mezclilla holgados. Parece un contratista o un comerciante. El hombre pregunta si todos estamos bien, mira hacia donde yo estoy, y, una vez que se asegura de que nadie está herido, rechaza la oferta del seguro de mamá, vuelve a subir a su camión, y se marcha.

Examino su defensa mientras se aleja. Está abollado y golpeado, pero se mantiene firme en su lugar, y es difícil saber si el daño fue hecho hace unos minutos o hace algunas décadas.

El auto de la mujer no tuvo tanta suerte. Es un Honda viejo, que parece como si hubiera sido doblado en dos. El cofre y la cajuela están plegados uno hacia el otro y la parte media está hundida. La mujer tiene su teléfono en la mano, y mamá igual. Yo estoy de pie mirando la escena.

—Finn, cariño, ¿por qué no regresas al auto? —dice tía Karen desde su ventana abierta.

Estiro el brazo para abrir la puerta.

—Tal vez sea mejor si tu mamá conduce el resto del camino.

Rodeo el auto y subo al asiento del pasajero.

Veinte minutos después llega una grúa. Mamá se queda con la mujer haciéndole compañía mientras enganchan su auto a la parte trasera del vehículo. Ya se ha tranquilizado, y yo estoy increíblemente agradecida. Mamá es brillante para este tipo de cosas. Por eso es una excelente abogada: es capaz de manejar cualquier situación con total calma y de caerle bien a todo el mundo haciéndole creer que es su amiga. Cuando la mujer se sube a la grúa, se detiene para darle las gracias a mamá, como si le hubiéramos hecho un favor al haber chocado su auto.

Un instante después, mamá regresa a nuestro auto y conduce las dos cuadras restantes hasta nuestra casa.

2

Nos detenemos frente a la casa, y salgo a hurtadillas del asiento del pasajero. Miro a mamá mientras atraviesa la puerta hecha una furia, sin decir una palabra y apenas mirando a papá o a mi hermano Oz, quienes están en la cochera lavando el Auto Miller, una casa rodante que papá compró cuando tenía diecinueve años y que lo ha acompañado en todas sus aventuras, desde la persecución de tornados en el Medio Oeste, hasta sus múltiples excursiones de surf, pesca y montaña.

Bingo, nuestro labrador dorado, se acerca pesadamente hacia ella meneando la cola, y luego se aleja rápido al ver que mamá lo ignora, cerrando la puerta y dejándolo afuera junto con el resto de nosotros. Esta es la prueba máxima de lo enojada que está. El único miembro de nuestra familia con el que mamá está en paz estos días, además de Aubrey, es Bingo, y a menudo los encuentro juntos: ella sentada en el césped con una copa de vino en la mano y la otra enterrada en el pelaje de Bingo.

Tía Karen aprieta mi hombro y besa mi cabeza.

—No te rindas, pequeña. Los accidentes son parte de la vida —dice.

Apenas logro asentir con desgano, mientras ella se aleja caminando hacia su propia casa, dos puertas más allá de la nuestra. Aubrey mira la parte delantera abollada del Mercedes, y dirige su mirada hacia mí, sacudiendo la cabeza como si yo fuera una idiota. Luego se acerca a papá para deleitarlo con la historia de mi torpeza monolítica.

Tal vez los accidentes sean parte de la vida de la mayoría de las personas, pero no de la de mamá. Hasta donde sé, ella nunca ha estado en un accidente, y ahora, gracias a mí, su perfecto auto, que compró finalmente después de tantos años de hablar sobre ello, está arruinado.

A unos cuantos metros de Aubrey y papá, Oz rocía el Auto Miller con la manguera, salpicando agua por todas partes. Está empapado de la cabeza a los pies, y a pesar de lo horrible del momento, sonrío, como siempre lo hago, cuando veo a mi hermano disfrutando de las pequeñas y simples cosas de la vida, inmune a las preocupaciones sobre los logros o las apariencias que parecen atormentarnos constantemente al resto de nosotros. Aunque tiene trece años, sus capacidades intelectuales son como de alguien de la mitad de su edad, y sus emociones son todavía más simples: sencillas y directas como las de un niño pequeño.

Papá empieza a reír a carcajadas cuando Aubrey le dice que tengo talento para fabricar instrumentos, pues el Accord que destrocé ahora "es un acordeón". Mientras Aubrey dice esto, junta y separa sus manos como si estuviera tocando el instrumento y empieza a imitar el sonido del metal crujiendo. A diferencia de mamá, papá es el tipo de persona que fluye con la corriente, y según su forma de ver la vida, una abolladura o golpe no es asunto serio. Su camioneta es la prueba viviente: es más vieja que yo, y tiene por lo menos cien cicatrices.

—Papá —dice Oz—, ven a lavar el A&M.

Pero papá no lo escucha. Está disfrutando demasiado la historia de Aubrey. Su sonrisa se hace cada vez más grande mientras Aubrey imita el sonido del rechinido "Whrrr", y sus manos siguen tocando el acordeón.

—Y mamá empezó a gritar: "frena", pero eso solo hizo que Finn volviera a pisar el acelerador, "whrrr"...

Quiero irme, pero no sé a dónde. Entrar a la casa con mamá está fuera de discusión, y Mo no está en casa porque salió a comprar ropa de esquí para nuestro viaje. Así que me quedo allí muriéndome de la vergüenza y furiosa, deseando que Aubrey termine de una vez su historia y se vaya.

Oz se siente igual que yo. Quiere que papá regrese y lo ayude a lavar la casa rodante. Su frente empieza a fruncirse sobre sus ojos mientras la manguera rocía un charco en el césped.

Observo cómo va creciendo su impaciencia. Su mano se aprieta alrededor de la boquilla y su rostro se enrojece.

Y yo podría detenerlo.

—Whrrr —imita Aubrey nuevamente. Pero no la detengo—. Y mamá grita: "¡El otro pedal!..." —continúa.

El agua golpea primero el cabello de Aubrey, y luego desciende rápidamente por su blusa de seda sin mangas y sus pantalones de mezclilla de diseñador antes de llegar hasta sus botas de piel nuevas. Rápido como una víbora de cascabel, papá gira para interponerse entre ella y el agua, pero ya es demasiado tarde: mi hermana está empapada de la cabeza a los pies, el cabello perfectamente planchado está sobre su cara y su blusa pegada a la piel. Gruñe y se sacude el agua de los brazos igual que un perro, y luego, sin decir una palabra, gira y se marcha furiosa hasta su auto estacionado en la calle.

—Oz, detente —dice papá, con las manos extendidas frente a él para bloquear el agua y su cabeza estirada sobre el hombro para mirar a Aubrey mientras esta se aleja conduciendo.

—¡Por Dios! —dice papá, furioso—. Maldita sea. Cinco minutos con mi hija, ¿es mucho pedir?

Papá mira a través de la avalancha de agua hacia la puerta cerrada de la casa, por donde mamá escapó unos minutos antes.

—¡Oz! ¡Suficiente! —dice, gruñendo.

Entonces la sonrisa desaparece de mi rostro, y la sangre se me congela. A medida que papá enfurece más y más, el rostro de Oz se va oscureciendo hasta llegar a un tono peligroso que termina con la diversión inmediatamente y me eriza los cabellos del cuello. En el último año, mi hermano ha crecido casi a la altura de papá, un poco menos de 1.85 m, y pesa por lo menos quince kilogramos más que él. A diferencia de papá, que tiene una complexión atlética, Oz parece gordo, aunque más bien es fuerte. Si combinas todo eso con una severa falta de control de impulsos y el temperamento de un gorila de lomo plateado, el resultado es una bomba altamente combustible con un gatillo sensible que necesita manejarse con sumo cuidado.

Papá también se percata del cambio, y se esfuerza por ocultar la ira de su rostro diciendo en un tono más ligero:

—Está bien, grandote. Lavemos a este bebé.

La expresión de Oz se suaviza, y papá y yo volvemos a respirar.

La manguera sigue apuntando a papá, el agua va y viene a través de su camiseta, pero papá reacciona igual que siempre hace con Oz, como si el agua helada que lo golpea en el pecho empapándolo completamente no lo molestara en lo más mínimo.

—Pelea de agua —dice Oz, sonriendo.

—No. No más peleas de agua —responde papá, con un dejo de cansancio en su voz.

Me deslizo lentamente hacia adelante, evitando cuidadosamente a Oz mientras intento llegar al Auto Miller.

—¡Pelea de agua! —exige Oz.

—No, ya me cansé de esta pelea de agua —dice papá, aunque es evidente que está cansado de mucho más que eso.

Tomo la esponja que está en la cubeta junto a la casa rodante, y comienzo a frotar el símbolo de la paz pintado con aerosol sobre la llanta, tallando con fuerza para crear una capa de espuma. Mientras hago esto, empiezo a silbar, y la melodía llama la atención de Oz, y tanto él como la manguera se alejan de papá. Cuando logro generar una buena cantidad de espuma, la junto con la esponja y soplo las burbujas en el aire haciendo que Bingo empiece a saltar desde el césped para morderlas, moviendo la cola alocadamente mientras intenta atrapar las nubes flotantes; un juego que hemos practicado desde que era un cachorro.

Oz deja caer la manguera y corre para unirse a la diversión. Arrebatándome la esponja, toma otro montón de burbujas y las sopla en el aire, igual que yo lo hice, para que Bingo las persiga.

—*Gracias* —dice papá, sólo moviendo la boca.

Me encojo de hombros y me doy la vuelta para marcharme.

—Oye, Finn —me llama, deteniéndome—. Cuando regresemos de las montañas, te llevaré a conducir. Vamos a resolverlo.

Sonrío débilmente. La intención está ahí, pero es algo que nunca va a pasar. Con Oz de por medio no hay tiempo para lecciones de manejo ni cosas así. Quizás Aubrey o Chloe me lleven.

3

La tarde es tan lúgubre como el estado de ánimo de la mitad de nosotros, y las espesas nubes oscurecen el sol. La otra mitad, a quienes me refiero como los Tontos del Vaso Medio Lleno, incluye a tía Karen, tío Bob, Oz, Mo y papá.

Ni siquiera Bingo está muy convencido de esta idea de viajar los diez juntos. Su cola se mueve a media asta, mientras camina de una persona a otra como para confirmar si debería sentir entusiasmo o terror.

Anoche papá y mamá pelearon como hienas, gruñendo y ladrándose uno a otro por todo, desde la marca de pretzels que papá compró hasta la típica pelea por el poco tiempo que mamá pasa con Oz. Chloe ignoró todo el asunto, con sus audífonos pegados a las orejas y una revista sobre sus rodillas. De vez en cuando levantaba la mirada y hacía una cara divertida para intentar distraerme. Si hay alguien en este mundo que comprende lo mal que se siente ser enemiga de mamá, esa es Chloe.

En cierto momento, incluso me lanzó el último pedazo de su Toblerone, un regalo que le dio Vance cuando regresó de un torneo de tenis en Washington hace una semana. No funcionó. No había nada que pudiera distraerme, y no podía ignorar lo que estaba sucediendo. Yo era la culpable: yo y mi pie disléxico. Las cosas ya estaban de por sí frágiles, y yo había dado el golpe final. Lo último que mamá gritó antes de subir las escaleras hecha una furia fue: "Aguantaré hasta la boda, Jack, por Aubrey, pero luego se acabó. ¡Tú y yo terminamos!".

No era la primera vez que surgía el tema del divorcio, pero esta vez sí lo creí.

Mamá está de pie en el césped junto a tía Karen, con los brazos cruzados, mientras observa a papá y a tío Bob guardar nuestro equipo de esquí en el Auto Miller. No me ha dicho una sola palabra desde el accidente. Ni siquiera me mira.

Me siento tan mal que me duele hasta respirar. No comprendo. No soy estúpida. Mis calificaciones son buenas. Pero es como si hubiera una gran desconexión cuando se trata de usar el sentido común. Sabía que no debería haber conducido su auto, o al menos debería haberlo sabido, pero lo hice de todas formas. Miro nuevamente la parte delantera destrozada del Mercedes: la defensa rota, la pintura dañada, el faro estrellado.

Sacudo la cabeza, mientras exhalo un pesado suspiro y vuelvo a observar los preparativos. Oz está ayudando. Bueno, más o menos. Papá lleva nuestras cosas a la casa rodante, y Oz las coloca donde cree que deberían ir: en los asientos, en el pasillo, en el volante. Antes de irnos, cuando Oz esté distraído, lo arreglaremos.

Mo está a mi lado, tan entusiasmada que casi salta de alegría. Nunca ha esquiado. El concepto de aventura de su papá es rentar un yate con una tripulación para navegar con su familia por distintos puertos de Grecia, visitar ruinas antiguas en Bangladesh con un profesor privado, o degustar vino en las bodegas subterráneas de Burdeos.

Su entusiasmo y atuendo me hacen sonreír. Lleva puesto un hermoso traje para montaña completamente nuevo: mallas negras, botas forradas de piel, un suéter de cachemir azul cielo, y una bufanda infinita que parece haber sido tejida a mano en Marruecos, lo cual es altamente probable, porque su papá viaja todo el tiempo y siempre le trae regalos exóticos. La temperatura es de unos 15 °C —fría para el condado de Orange, pero demasiado cálida para su atuendo— y una capa de sudor se ha formado sobre su labio superior y su frente.

La mamá de Mo espera junto con nosotros. Su mirada se desliza rápidamente por la escena, y me preguntó qué opina de nuestro extraño clan. Chloe y Vance (Chlance, como los llamamos con Mo, ya que sus cuerpos siempre están unidos, creando un solo ente mutado imposible de distinguir como dos personas separadas) están acurrucados en el porche, susurrándose cosas y besándose, sin duda están tramando un plan para poder escaparse en algún momento e ir a drogarse. Mis papás no tienen la menor idea de esto. Como tampoco se imaginan que mi hermana está teniendo sexo o que bebe alcohol de forma muy frecuente.

Miro a mi hermana mientras susurra algo en el oído de Vance; él le sonríe, y luego la besa suavemente, mientras sus idénticos cabellos negros se tocan. Ambos cumplieron dieciocho años el mes pasado, sus cumpleaños solo tienen una semana de diferencia, y para celebrarlos decidieron hacerse cortes de cabello combinados. Chloe se cortó sus largos mechones cobrizos, y Vance se rapó el dorado cabello a un largo de solo dos centímetros. Luego, tiñeron lo que quedaba de un tono negro índigo. A pesar del autosabotaje, los dos son bien parecidos. Él es alto. Ella es menuda. Y ambos tienen una piel perfecta y dientes blancos como perlas.

A unos metros de distancia, mamá se ríe de algo que dice tía Karen, y yo volteo hacia ellas. Tía Karen no es realmente mi tía, pero ha sido “tía Karen” desde que Natalie y yo éramos bebés. Con el paso de los años, mamá y ella han formado una amistad casi mítica, tan estrecha que han empezado a parecerse físicamente. Mamá es un par de centímetros más alta y diez kilogramos más delgada, y tía Karen tiene los labios más anchos y una nariz más angosta, pero parecen hermanas, aunque definitivamente mamá sería la mayor, a pesar de que ambas tienen la misma edad.

Tía Karen vuelve a decir algo gracioso, y tío Bob grita desde la cochera:

—Oigan, ¿qué está pasando allí? Sepárense ustedes dos.

Tía Karen le enseña la lengua, provocando que tío Bob meta la mano en la bolsa de comida que lleva cargando y saque un empaque de malvaviscos para lanzárselo. Tía Karen se agacha para evitar el ataque, mientras mamá salta hacia la bolsa, atrapándola en el aire como un misil esponjoso.

A veces olvido que mamá era una gran atleta. Es fácil olvidarlo, porque luce exactamente igual a una madre promedio. Aunque es cierto que ya no tiene la misma condición que cuando corría para la USC, sus reflejos siguen siendo rápidos como un rayo.

Tío Bob le guiña el ojo a mamá, y ella se sonroja mientras tía Karen finge no darse cuenta. Siempre he pensado que debe ser un poco difícil para tía Karen saber lo bien que se llevan tío Bob y mamá. No es que pase nada raro entre ellos, pero tienen una relación particular. Siempre se están lanzando desafíos y compitiendo uno contra el otro, y tía Karen simplemente no puede hacer eso. Mamá se esfuerza mucho para mantener la situación bajo control. Por ejemplo, sé que en este momento su instinto es lanzarle los malvaviscos de vuelta, pero no lo hace, sino que los lleva hasta donde él está y los mete a la bolsa.

—No hubieras podido lanzar ese tiro —dice tío Bob, en tono de burla.

—Si no me equivoco, todavía me debes diecisiete chocolates Snickers desde la última vez que jugamos quemados —responde mamá, sintiendo centellear en su interior su lado competitivo, lo que hace sonreír a tío Bob mientras ella regresa con tía Karen.

Natalie se acerca a donde estamos Mo, la Sra. Kaminski y yo.

—Mamá dice que vas a tener que pagar por los daños en el auto de tu mamá —dice, con una sonrisa comprensiva, pero el tono de sus palabras está cargado de regodeo.

A pesar de que Natalie y yo crecimos juntas, la mayor parte de ese tiempo lo pasamos odiándonos. Peleamos durante los primeros cinco años. Nos ignoramos los siguientes cinco. Y durante los últimos seis años, nos hemos tolerado, pero a duras penas.

—¿Es cierto? —dice Mo, con una expresión de preocupación sincera.

Trago saliva. Mamá no me ha dicho nada al respecto, pero si eso le dijo tía Karen a Natalie, entonces probablemente es cierto. No tengo idea de cuánto costarán los daños del accidente, pero supongo que será más de lo que he ahorrado para comprar mi propio auto. Mi estómago se retuerce en un nudo al pensar que todas esas horas cuidando niños y paseando perros pueden desaparecer en un parpadeo, o en mi caso, por el zumbido de mi teléfono en mi bolsillo trasero.

—Vaya, eso es como megaintenso —dice Natalie—. ¿Sabes lo que me van a comprar mis papás en cuanto tenga mi permiso de conducir?

Ni Mo ni yo respondemos.

—Un mini Cooper. Estoy tratando de decidir el color, ¿amarillo o rojo? Hay uno rojo superlindo que he visto por toda la ciudad. Tiene el techo blanco con la bandera de Gran Bretaña pintada sobre él.

—No eres de Inglaterra —dice Mo.

—¿Y qué? —responde Natalie, claramente molesta porque no estamos celebrando con su elección.

Me gustaría decir que Natalie no es bonita, pero eso sería una mentira. Es muy bonita: cabello dorado, ojos grises, pechos grandes. Solo es fea cuando abre la boca.

Volvemos a quedarnos en silencio.

—Chloe, trae otro juego de sábanas —grita mamá, pero esta la ignora y continúa besuqueándose con Vance. La señal de que Chloe sí la escuchó es que se gira ligeramente dejando ver el pequeño tatuaje negro de golondrina en su hombro izquierdo que tanto hizo enojar a mamá.

—Yo iré por ellas —dice Oz, ofreciéndose como voluntario, dejando caer al suelo la bolsa de esquí que llevaba cargando y saltando hacia la casa, desesperado, como siempre, por ganarse la aprobación de mamá.

Sacudo la cabeza. Alguien va a terminar con un juego de sábanas de Bob Esponja o, conociendo a Oz, traerá cincuenta sábanas superiores y ni una sola funda de almohada.

—No, Oz —dice mamá, deteniéndolo, con un dejo de exasperación en su voz mientras desvía la mirada hacia Chloe —. Olvida las sábanas; solo sigue ayudando a papá.

Lanzando un suspiro, mamá gira y empieza a caminar hacia nosotras. Tía Karen camina detrás de ella. Mamá le sonríe a la Sra. Kaminski, al tiempo que evita mirarme, y dice:

—Buenos días, Joyce.

—Buenos días, Ann, Karen. Gracias por invitar a Maureen. No ha hablado de otra cosa desde hace semanas.

—Sabes que nos encanta tenerla con nosotros.

Hay una pausa un poco incómoda. La Sra. Kaminski desvía la mirada hacia el Auto Miller y luego mira al suelo. No dice nada, pero puedo sentir su preocupación. El Auto Miller parece un pedazo de lata sobre ruedas. Originalmente era una casa rodante para dormir con una pequeña cocineta y una cama, pero el artista al que papá se la compró le quitó todo eso transformándola en un estudio, dejando únicamente el pequeño comedor empotrado, es decir, una mesa con un sillón tipo gabinete. Cuando nosotros fuimos llegando a la familia, papá agregó algunos asientos adicionales: un par de asientos de autobús Greyhound y un asiento de cuero rojo que pertenecía a un Bentley desmontado, creando esta increíble y extraña combinación de terciopelo azul a rayas, lujoso cuero rojo y vinilo verde brillante.

—¿Tiene cinturones de seguridad? —pregunta la Sra. Kaminski, incapaz de contenerse.

El cuerpo de Mo se tensa. Durante el último año, la frustración de Mo por la sobreprotección de su mamá ha aumentado, y sé que últimamente han discutido al respecto.

Mamá asiente.

—¿Quieres echar un vistazo por dentro? —pregunta.

La Sra. Kaminski desvía la mirada hacia Mo, y niega con la cabeza.

—No. Está bien. Confío en ti —dice.

Esas últimas tres palabras contienen una especie de invitación, que mamá acepta.

—Cuidaré de ella —segura mamá.

Tía Karen interviene:

—Todos cuidaremos de ella. Mo es como una hija para nosotros. Está en buenas manos.

Sonriendo forzadamente y agradeciendo entre dientes, la Sra. Kaminski le da un beso en la mejilla a Mo mientras le dice que se divierta, y se marcha rápidamente para seguir preocupándose en privado.

A mi lado, Mo lanza un suspiro aliviado, y le doy un codazo en el hombro.

—No estuvo tan mal. Hace no mucho jamás te habría permitido hacer todo esto. ¿Prometiste llamarla cada hora?

—De hecho, le dije que no la llamaría ni una sola vez

—contesta—. Es mejor así. Cuando la llamo, se pone completamente frenética, y empieza a preguntarme todos los pormenores, para luego obsesionarse con lo que le dije y pensar en todo lo que podría salir mal. Mientras menos sepa, menos motivos tendrá para preocuparse. Solo son tres días. Puede sobrevivir tres días sin tener noticias mías. Además, le servirá de práctica. En dos años me iré a la universidad, y habrá ocasiones en las que apenas sabrá de mí.

Ya lo creo. Mo está ansiosa por extender sus alas, por levantar el vuelo lo más lejos posible del nido. Mientras que yo estoy pensando en ir a UCLA o UCSD para poder regresar a casa los fines semana, Mo sueña con vivir al otro lado del país o incluso al otro lado del mundo. Quiere ir de excursión a la Patagonia, viajar a través del Sahara, escalar el Everest. Desde que era pequeña, se sentaba con los ojos muy abiertos mientras papá nos contaba sus aventuras de cuando era joven, y papá siempre ha dicho: "Esa Mo es una pirata de corazón".

—Vamos —grita papá desde el asiento del conductor. Su rostro irradia tanto optimismo que casi me hace creer que esto no es una idea tan mala después de todo y que incluso podría ser divertido.

Mo aplaude y avanza de un salto hacia la casa rodante. Vance toma a Chloe sacándola del porche, y ambos se acercan arrastrando los pies. Mamá suspira y camina junto a tía Karen, con la barbilla hacia adelante como si avanzara valientemente por el corredor de la muerte hacia la silla eléctrica. Tío Bob finge boxear con Oz, llevándolo hacia la puerta, mientras desliza la mirada hacia mamá para ver si ella está mirándolo.

—Vamos, Finn —dice papá.

Avanzo trotando, y me choca los cinco a través de la ventana cuando paso junto a él.

—Ponte el cinturón de seguridad —dice mamá cuando subo a bordo, pero no está hablando conmigo, sino con Mo.

Mo gruñe y se abrocha el cinturón.

Me río dejándome caer a su lado, libre y sin cinturón.

Tío Bob se sienta junto a papá, y ambos inician inmediatamente una discusión sobre el Supertazón de este año. Normalmente los escucharía y participaría, porque me encanta el futbol americano y sé más sobre los jugadores que cualquiera de ellos dos, pero no dejaré sola a Mo con Natalie. Así que saco una baraja y reparto entre nosotras tres, Chloe y Vance para una sesión maratónica de perder el tiempo que, con suerte, durará las tres horas de camino hasta Big Bear. El ganador tendrá la ventaja de elegir el mejor lugar para dormir cuando lleguemos a la cabaña: un premio por el que vale la pena jugar, ya que dormir junto a Oz es algo que se debe evitar a toda costa.

Oz está sedado gracias a una buena dosis de Benadryl que papá mezcló en su jugo unos momentos antes, y ronca pesadamente apoyado contra la ventana, mientras Bingo está acurrucado en sus pies. En la parte trasera, sentada en el asiento del Bentley, mamá está trabajando, con su computadora portátil sobre los muslos. Tiene un juicio muy importante en algunas semanas que la tiene agobiada. Tía Karen lee una revista.

Estamos en camino.

4

Las nubes empezaron a cerrar filas cuando comenzamos nuestro ascenso por la montaña. El color y la luz desaparecieron hasta que el mundo se redujo a un gris mate sin sentido del tiempo o la profundidad. Apenas empieza a caer la tarde, pero está tan oscuro que parece el crepúsculo. Nuestro juego terminó porque atraparon a Natalie haciendo trampa y Chloe no quiso ceder cuando el resto dijimos que no era importante. Todas las apuestas se cancelaron, por lo que cuando lleguemos a la cabaña la elección de camas será una batalla campal.

Oz aún ronca, mamá continúa trabajando, y tía Karen pinta las uñas de los pies de Natalie mientras su hija hace un berrinche porque ninguno de nosotros está siendo amable con ella.

Mo y yo seguimos sentadas en la mesa, con nuestras cabezas juntas sobre la pantalla de mi teléfono.

—No puedo —digo, sintiendo que mis mejillas se calientan mientras miro las palabras que Mo escribió en mi teléfono: "Hola, Charlie. ¿Tienes planes para el baile? Si no, estaba pensando que podríamos ir juntos ¿? ¿? Finn."

Tardamos más de veinte minutos en redactar el mensaje: sencillo y directo al grano. Mi dedo vacila sobre el botón de enviar, hasta que Mo, cansada de esperar, entra en acción y lo aprieta por mí, haciendo que mi corazón se acelere.

—Listo —dice, con una sonrisa de satisfacción en su rostro.

Mi estómago se retuerce nerviosamente mientras miro la pantalla en espera de una respuesta inmediata, rezando por ella y temiéndola en igual medida; y de pronto el tiempo se ralentiza, cada segundo tarda al menos el doble que antes de enviar el mensaje.

—¿Qué está listo? —pregunta Chloe, separándose de Vance y quitándose el auricular derecho de su oído. Desde la diminuta bocina se alcanza a escuchar el sonido de una música contaminante, el tipo de vibración que retumba y chillidos cacofónicos que te hacen pensar en gatos torturados, ventiladores industriales y cubos de basura.

—Nada —digo, sorprendida por la capacidad de Chloe para ignorarte cuando necesitas decirle algo y escucharte cuando no quieres que lo haga.

Chloe toma mi teléfono de la mesa antes de que yo pueda reaccionar.

—¿Quién es Charlie? —pregunta.

—Nadie —dice Mo, sonriendo burlonamente.

—Dime que no es ese chico que juega futbol americano con las enormes hebillas de cinturón y las botas —dice Chloe.

—Es de Texas —digo, para justificarlo.

—Yo creo que es lindo —dice Mo.

Chloe pone los ojos en blanco y lanza mi teléfono a la mesa.

—No puedo creer que seamos hermanas —dice.

Eso es algo que no puedo rebatir. De no ser por la habitación que hemos compartido toda la vida, nuestro amor por las palabras estupendas como *estupendo*, nuestro cabello cobrizo y nuestros ojos verdes, no tenemos nada en común. Chloe se vuelve a colocar el audífono al oído, con una sonrisa en el rostro, y sé que está feliz por mí. Desde hace tiempo me ha alentado a lanzarme al mundo del romance, diciéndome que soy bonita, aunque finja que no me importa. Ella es la única que lo dice, pero lo hace tan frecuentemente y con tanta sinceridad que a veces realmente le creo.

Cuando por fin llegamos a la cabaña, ya me he mordido todas las uñas y he revisado mi teléfono al menos doscientas veces. El Auto Miller se detiene, y todos aprovechamos para estirarnos y ponernos de pie. Ha empezado a nevar, y aunque todavía no son ni las cinco, el mundo está completamente oscuro.

Entrecierro los ojos para ver la "cabaña" a través del nebuloso velo, y una sensación de calidez me inunda el corazón. Algunos de los mejores recuerdos de mi infancia se originaron en este lugar. La cabaña, que es más bien un pequeño chalet de montaña, fue construida por el padre de mi madre cuando este se jubiló, aunque su sueño de vivir rodeado de pinos solo duró dos cortos años antes de que muriera. Pero su visión sigue en pie, una majestuosa cabaña con armazón en forma de A hecho de madera y vidrio a la que se accede por un camino privado, convirtiéndola en la única casa en kilómetros.

Salgo de la casa rodante y me olvido por un momento de Charlie y de mi teléfono. El frío me golpea mientras este invernal país de las maravillas me roba el aliento. La mayor parte del tiempo, debido a mis largas extremidades y a mi cabello brillante, suelo sentirme demasiado alta y visible, pero aquí, rodeada de una inmensidad tan impenetrable, de pronto soy pequeña y asombrosamente consciente de mi propia insignificancia.

Mo da vueltas a mi alrededor, atrapada también en la belleza del momento, y con la lengua de fuera para atrapar el rocío de nieve.

—Sí sabes que la nieve está sucia, ¿verdad? —dice Natalie.

Mo gira hacia Natalie con la lengua de fuera, y esta se marcha resoplando. Ambas nos reímos.

Papá está luchando con una hielera repleta de refrescos intentando empujarla por las escaleras de la casa rodante, y le pide a Oz que haga lo mismo con la otra hielera. Oz pone manos a la obra, cargándola sin el menor esfuerzo detrás de papá, mientras Bingo le pisa los talones.

—Gracias, amigo —dice papá por encima de su hombro, haciendo sonreír a Oz.

Yo llevo mi bolso de lona y dos bolsas con comestibles, y camino detrás de Vance, quien solo carga su propia bolsa. Avanza arrastrando los pies, con los hombros caídos y caminando de ese modo lento e irritante que lo hace parecer perezoso y arrogante al mismo tiempo.

Mi teléfono vibra en el bolsillo de mi chamarra, haciéndome saltar como si me hubieran picado con una puya para ganado.

Chloe, que camina detrás de mí, balancea la bolsa de comestibles que lleva cargando y la estrella contra mi trasero.

—¿Es tu *novio*? —pregunta.

Miro por encima de mi hombro para responder con una mueca, pero entonces veo su rostro emocionado, y me hace sonrojar.

Quiero mirar mi teléfono desesperadamente y revelar mi premio, pero Charlie tendrá que esperar, porque ya hemos cruzado el umbral de la cabaña y empieza la carrera de locos para ganar la mejor cama. Dejo la bolsa con comestibles sobre la barra y doy un salto para rebasar a Vance, quien obviamente no tiene idea de lo importante que es esto. Oz ya está en las escaleras que conducen al ático, subiendo pesadamente los escalones. Cuando Oz quiere algo, su determinación puede ser feroz, y sé que quiere la litera superior.

Esto es bueno, porque si él va a la izquierda, yo iré a la derecha. No importa cuál litera elija, yo ganaré la otra para Mo y para mí. Natalie está pisándome los talones, evidentemente decidida a sabotearnos. Sin importar la litera que yo elija, ella pedirá la otra cama para separarme de Mo.

Mi mente da vueltas tratando de elaborar una estrategia, y me decido a ir por los catres en la parte trasera. Elegiré el de en medio para quedar junto a Mo, independientemente de lo que Natalie haga.

Oz gira a la izquierda, y yo sigo corriendo hacia adelante, lanzando mi bolsa sobre el catre de en medio, luego, quitándome la chamarra, la arrojó sobre el catre de la izquierda.

Natalie cae en la trampa.

—Ese es mi catre —dice—. No se puede apartar para otra persona.

Tira mi chamarra al suelo y lanza su bolso sobre el catre menos deseable, el que está junto al calefactor y el más cercano a Oz.

Recojo mi chamarra y la lanzo sobre el catre de la derecha, el que yo realmente quería.

Vance y Chloe dormirán en el segundo juego de literas. Mis papás dormirán en el sofá cama de la sala. Tía Karen y tío Bob tendrán la habitación principal.

—Desempaquen, y luego iremos a cenar —grita papá.

Me desplomo sobre mi catre y saco mi teléfono del bolsillo. Mo se deja caer a mi lado y mira por encima de mi hombro.

"Suena bien. Me alegro de que me hayas invitado. Charlie".

Brincamos con tanta fuerza que temo que el pequeño catre se rompa.

—¡Le da gusto que lo hayas invitado! —grita Mo.

Del otro lado de la habitación, una enorme sonrisa se dibuja en el rostro de Chloe, y levanta el pulgar.

—¿Crees que llevará puestas sus botas de vaquero? —pregunta Natalie burlonamente.

Ignoro su comentario. Lo último que escuché fue que iría al baile acompañada de su primo.

—Chicas, dense prisa —dice papá desde abajo—. Grizzly Manor nos espera.

—Jack, tal vez no deberíamos salir esta noche. Parece que ha empezado una fuerte nevada —grita mamá.

—¿Y perdernos los hot cakes con salchichas de Grizzly? ¡Ni de broma! —dice papá, con voz entusiasmada.

—¡Hot cakes de Grizzly para cenar! —grita Oz, emocionado.

Y con eso queda resuelta la cuestión. Si Oz no come sus hot cakes, no se estará quieto.

—Chicas, voy a terminar de vaciar la casa rodante. Tienen diez minutos —dice papá.

Sus palabras van dirigidas principalmente a Mo, Miss Fashionista, quien ya está buscando en su gigantesca maleta el conjunto perfecto para Grizzly Manor, una cafetería con manteles de plástico a cuadros y aserrín en el piso.

Natalie, que no se queda atrás, abre el cierre de su maleta también gigantesca y hace lo mismo. Yo me siento de piernas cruzadas sobre mi catre, vestida con mi traje deportivo y mis botas UGG mientras miro fijamente el mensaje de Charlie.

—¿Rojo o negro? —pregunta Mo, sosteniendo dos suéteres igualmente hermosos.

—Rojo —digo.

—¿Rasgados o sin rasgar? —dice, refiriéndose a sus pantalones de mezclilla.

—Está helando afuera —respondo.

—Pero los que están rasgados combinan mejor con el suéter rojo —dice, volviendo a guardar en la maleta sus pantalones sin agujeros, mientras yo pongo los ojos en blanco—. Solo necesito ir del auto al restaurante y de regreso.

Mo se marcha rápidamente al baño para cambiarse, y cuando sale, parece una modelo de pasarela de Nueva York a punto de ir a un restaurante de cinco estrellas, en lugar de una adolescente en Big Bear yendo a la cafetería local para comer el desayuno a la hora de la cena.

—¿Listas? —grita papá—. El autobús se va.

Tomo mi chamarra con capucha, y Mo se pone un hermoso *blazer* de tejido de espiga y un par de botas altas de piel. Cuando Natalie se percata de la elección de Mo, empieza a hurgar en su maleta y saca un par de botas muy parecidas y un abrigo de color crema que le llega a la rodilla.

—Me gusta tu abrigo —dice Mo.

—Lo compré en Italia. Costó más de setecientos dólares —responde Natalie.

Mo se las arregla muy bien para no reaccionar. Yo, en cambio, meneo la cabeza y digo:

—Pues yo compré mi abrigo en París, y me costó ochocientos dólares.

Natalie me lanza una mueca, baja las escaleras hecha una furia y azota la puerta.

Mo se vuelve hacia mí, y soltamos la carcajada, imitando el caminar altivo de Natalie.

—Chicas —dice mamá bruscamente, terminando con nuestro comportamiento grosero.

Salimos a la noche, y el frío nos roba el aliento.

5

El mundo se transformó mientras estábamos adentro de la cabaña. La nieve se entrelazó en un velo que cae interminablemente desde el cielo, el viento hace bailar y girar a los copos de nieve antes de que tomen su lugar en el manto blanco. Me estremezo dentro de mi chamarra. La temperatura también se ha transformado, haciendo que la calidez del día sea solo un vago recuerdo.

—Vamos —dice papá, abriendo la puerta del Auto Miller.

Mo, Natalie y yo avanzamos arrastrando los pies. Mo camina resbalándose y patinando en sus botas.

—Finn, tú siéntate junto a mí —dice papá—. Te enseñaré a conducir en la nieve.

Subo de un salto al asiento delantero.

—Mo, el cinturón de seguridad —dice mamá detrás de mí.

Yo también me abrocho el mío.

Conducimos lentamente, las cadenas crujen sólidamente mientras descendemos con cautela por la carretera cargada de nieve. Los limpiaparabrisas se mueven de un lado a otro, y las luces altas apenas nos permiten ver un metro adelante de nosotros, mientras la nieve cae densamente a través de su luz.

El camino está vacío. Además de nosotros, solo el departamento de bomberos y algún intruso ocasional que quiere cortar camino desde Cedar Lake hasta las laderas utilizan la carretera de acceso.

Papá no me enseña a conducir como prometió. Su atención está completamente centrada en la carretera, y yo me entretengo pensando en Charlie y en el baile.

—¿Qué es eso? —digo, señalando un destello de color frente a nosotros.

Papá reduce la velocidad a tal grado que apenas nos movemos, y nos acercamos hasta un pequeño auto rojo. Papá detiene la casa rodante y se baja. Está a medio camino del vehículo parado cuando se abre la puerta y aparece un chico no mucho mayor que yo. Intercambian algunas palabras, y ambos empiezan a caminar hacia nosotros.

—Él es Kyle —dice papá—. Vamos a darle un aventón.

Por mí no hay ningún problema. Podemos recoger a otro Kyle en cualquier momento. Un metro ochenta de alto, hombros anchos, cabello color miel y unos ojos verdes tan brillantes que se pueden ver claramente desde tres metros de distancia.

Kyle escanea rápidamente el interior del vehículo. Oz está junto a la puerta con el cinturón de seguridad abrochado, sosteniendo a Bingo. Mamá, tía Karen y tío Bob están en el asiento del Bentley en la parte trasera. Chloe y Vance están sentados en la pequeña mesa del comedor junto a la ventana, con los audífonos a todo volumen en los oídos, mientras que Natalie está a un lado de la mesa y Mo al otro. Kyle sonríe cuando Mo cruza la mirada con él y se sienta junto a ella, demostrando que además es inteligente.

Empezamos a avanzar de nuevo, rodeando cuidadosamente el auto de nuestro invitado.

Kyle tiene mucha suerte de que hayamos aparecido. Dudo mucho que otros autos tomen el atajo esta noche, y hubiera sido una larga y helada caminata hasta la ciudad.

Detrás de mí, Mo ya está poniendo manos a la obra, y aunque no alcanzo a escuchar la conversación, sé que Kyle está perdido. Mo ha dejado una serie de chicos con el corazón roto detrás de su cautivadora estela. Es el tipo de chica que primero los ama y luego los deja devastados y aturdidos.

Echo un vistazo hacia atrás para confirmarlo, y efectivamente, Kyle está sentado de lado en su asiento, completamente cautivado mientras Mo teje su telaraña, hipnotizándolo con su belleza y sus dulces preguntas que parecen genuinamente curiosas, y escuchando sus respuestas como si fuera el tipo más fascinante del mundo.

Frente a ellos, Natalie mira la escena fijamente, sin poder decir una palabra, y experimento un mínimo sentimiento de simpatía hacia ella, alegrándome por no ser la chica atrapada frente a esos dos, haciéndome sentir completamente invisible mientras Mo hace lo suyo.

Papá pisa el freno, y mi cabeza gira encontrándose con el parpadeo de los ojos asustados de un ciervo frente a nosotros. El vehículo se tambalea, y luego se desliza. Las llantas delanteras se sujetan mientras las traseras se patinan. Todo sucede muy lentamente. Apenas nos movemos. La parte trasera golpea contra algo sólido, y las llantas delanteras pierden el control. Parecen unos cuantos centímetros, pero deben haber sido varios metros porque la defensa delantera roza contra la barandilla haciendo chirriar el metal al doblarse, y entonces nos detenemos.

Vuelvo a respirar, sintiéndome aliviada de que alguien haya sido lo suficientemente inteligente para construir una barandilla en esta franja peligrosamente estrecha. Y después de esa pequeña exhalación todo comienza. Como puntadas que se rasgan, los postes que sostienen la cinta de acero se rompen desde la ladera de la montaña: pop, pop, pop.

Y caemos.

No hay tiempo para gritar. Nos desplomamos como un misil. Mi cinturón de seguridad me mantiene suspendida sobre el parabrisas, mientras la montaña, la nieve y los árboles pasan volando. La llanta del lado de papá rebota contra algo duro, y somos lanzados hacia adelante y luego hacia abajo nuevamente, aunque ya no de forma recta. Mi hombro está atrapado en la esquina entre el tablero y la puerta.

En el siguiente segundo, la casa rodante está de lado, y observo cómo continúa deslizándose, derrapando sobre las rocas y la nieve. Miro hacia arriba, sin poder creer cuánto hemos caído. El camino arriba de nosotros se ha convertido en una cordillera lejana que ya no alcanzo a ver.

Estoy afuera pero no tengo frío, confundida pero solo por un segundo.

6

Estoy muerta.

Es tan obvio como darte cuenta de que estás sangrando. Miras hacia abajo y ves la sangre. En mi caso, miro hacia abajo y lo único que veo es la nieve y el bosque a mi alrededor, demasiado presentes y reales para ser un sueño. Siento mi cuerpo: mis extremidades, mi corazón, mi respiración, pero ya no percibo nada del mundo, ni el frío, la humedad, la gravedad o el aire.

Es impactante, pero a la vez completamente natural. "*Como cuando nacemos*". No recuerdo el momento de mi nacimiento, el dolor de entrar al mundo, sin embargo, sabía respirar, mamar, llorar. La muerte es muy parecida; no tengo ningún recuerdo del momento exacto, de la experiencia traumática de morir, pero mi comprensión de este nuevo estado es innata. Un poco difícil de aceptar y ligeramente increíble, pero reconozco intuitivamente que estoy muerta y que mi cuerpo ya no es parte de mí.

El viento aúlla, y es muy extraño escucharlo sin sentir sus efectos. Me muevo siguiendo el vehículo. No es difícil. Es como decirle a tu mano que sujete algo, mi intención es seguirla, así que lo hago. Mi alma existe, pero ya no tengo una forma física que la limite. Me muevo libremente a donde me llevan mis pensamientos. No hay ninguna luz blanca u hoyo negro invitándome a caminar hacia ellos, y hasta donde puedo ver, estoy sola. Y aunque ya no estoy viva, sigo sintiendo que soy parte del mundo, mis emociones son tan apremiantes como si estuviera viva.

La casa rodante choca contra una roca que la lanza hacia un árbol, y finalmente se detiene.

Mi sentimiento de pánico se traslada a Mo, y de pronto estoy adentro mirándola. Mo está de lado, con los ojos muy abiertos y sus manos sujetando con fuerza el asiento. Natalie está frente a ella en una posición similar, solo que ella está gritando.

Oz es sostenido por su cinturón de seguridad y cuelga de lo que ahora es el techo, mientras le grita aterrorizado a papá que se detenga. Está sujetando a Bingo, quien se retuerce para liberarse, pero sorprendentemente no muerde a Oz para que lo suelte.

Chloe, Vance y Kyle, el chico que recogimos, están apilados contra el asiento del conductor junto con todos los juegos de mesa que estaban guardados en los armarios. El dinero y las tarjetas del Monopoly y las hojas de puntuación del Scrabble se arremolinan en el aire. Mamá, tía Karen y tío Bob yacen unos sobre otros en la mitad de la parte trasera.

Papá lanza un gemido, y esto hace que me dirija hacia la cabina.

Grito llamando a mamá. Grito y grito. Papá necesita ayuda. Mi voz no produce ningún sonido.

La parte delantera del vehículo está aplastada contra él. Su cuerpo está de lado y atrapado entre la ventana lateral del conductor y el volante. Tiene la pierna rota: la mitad inferior de su fémur sobresale a través de sus pantalones, y la sangre gotea atravesando la mezclilla. Tiene varias heridas en la cara ocasionadas por los fragmentos de vidrio y está congelada a causa de los cristales de hielo. Hay sangre por todas partes.

Por favor, suplico, *por favor, ayúdalo.*

Sus ojos se abren y se cierran rápidamente, y vuelve a quejarse, estremeciéndose por el dolor y el pánico mientras sigue parpadeando para enfocar su visión. Murmura mi nombre, gira y deja escapar un grito horrible. Me doy la vuelta para mirar junto con él y vuelvo a girar rápidamente. Mi muerte no fue tan instantánea o indolora como pensé. Mis ojos y mi boca están congelados en un grito silencioso emitido por mi cabeza casi completamente desprendida, que cuelga grotescamente hacia donde está papá. Hay tanta sangre que no puedo creer que estuviera contenida dentro de mi cuerpo, y gotea creando un charco junto a papá.

Se estira para alcanzarme y lucha por liberarse, provocándose un dolor espantoso, y yo le grito para que no se mueva, le digo que estoy bien, que no me dolió. Grito todas estas cosas, las grito con todas mis fuerzas, las pienso, pero él no puede escucharme. Continúa intentando liberarse desesperadamente, mientras sus músculos se tensan y su cara se contorsiona por el dolor. Y lo único que puedo hacer es mirar y rezar, hasta que finalmente mis oraciones son escuchadas y mi padre se desmaya.

En la parte trasera, mamá ha logrado salir de entre la pila de cuerpos. Su rostro se transforma por el dolor mientras se tambalea hacia adelante, con la mano presionada contra sus costillas y su cuerpo no del todo erguido. Caminando a tropezones a través de la casa rodante volteada, echa un vistazo a Mo y a Natalie en sus asientos, y luego a Oz que cuelga sobre ella. Ignorando sus gritos y los aullidos de Bingo, se arrastra hacia los cuerpos amontonados detrás del asiento del conductor.

Kyle rueda para liberarse y se sienta, tambaleándose por el mareo, mientras sostiene su brazo izquierdo. Vance mueve el cuerpo de Chloe para quitarlo de encima del suyo y también se sienta. Hay sangre por todas partes, salpicada en la pared del compartimento, empapando los asientos, goteando por la cara de Chloe.

Vance se estremece y comienza a revisar su cuerpo para ver si la sangre proviene de él, mientras mamá aparta el flequillo de Chloe de sus ojos cerrados. Una herida de cinco centímetros a lo largo de la línea de su cabello expulsa sangre a borbotones. Mamá se quita la bufanda del cuello y la presiona contra la herida, haciendo gemir a Chloe.

—Estás bien —dice mamá.

Tío Bob se arrastra hasta llegar junto a ella.

—Ayúdala a levantarse —dice mamá, y tío Bob pone su brazo alrededor de Chloe, colocándola en el respaldo del asiento del comedor, que ahora está en el suelo, y le quita cuidadosamente la bufanda para examinar la herida.

Detrás de ellos, tía Karen ha logrado llegar a donde está Natalie. La ayuda a levantarse de su asiento y la lleva a la parte trasera de la casa rodante.

Mamá se abre paso entre Vance y Kyle para llegar a la cabina, y entonces se congela, su grito ahogado es tan agudo que, aunque apenas es más fuerte que un susurro, retumba como un trueno sobre el viento, el granizo y los gritos de Oz. Kyle cierra los ojos, y sus labios se mueven en una oración silenciosa. Vance mira a Chloe, y su piel está completamente pálida. Mo hace un esfuerzo para ver más allá de mamá, con una expresión de pánico y preocupación dibujada en el rostro. Tío Bob levanta la mirada, toma la mano de Vance y lo obliga a sujetar la bufanda sobre la herida de Chloe, y luego avanza rápidamente hacia el frente para ayudar a mamá.

—Mierda —murmura, al llegar junto a ella.

Mamá se tambalea hacia atrás, y tío Bob la atrapa.

Mi muerte es algo horrible de ver, y creo que mamá va a colapsar. Todo su cuerpo comienza a temblar y respira violentamente a través de su boca abierta, pero entonces papá lanza un gemido que, como un interruptor, la trae de regreso apartándola del borde del precipicio. Miro cómo cierra los ojos con fuerza intentando reunir algo de fuerza interna, armándose de valor antes de girar para ver a papá.

Su brazo todavía está extendido, intentando tocarme. Se arrastra sobre la consola central para llegar a él.

—Jack —dice mamá, alisando el cabello de papá hacia atrás.

—Finn —gime.

—Shhh —dice ella, intentando tranquilizarlo, y lo logra, porque papá vuelve a desmayarse.

En la parte trasera del vehículo, tía Karen y Natalie se abrazan fuertemente.

—¿Mamá? —dice Natalie, alejando la cabeza de los brazos de su madre para mirar hacia la cabina.

—Shhh, bebé. No mires. Todo va a estar bien. Solo no mires

—responde tía Karen apoyando la cara de Natalie contra su cuerpo.

Vance está sentado junto a Chloe, sosteniendo la bufanda de mamá sobre su cabeza. Mo sigue sentada en su asiento, luchando por desabrochar el cinturón de seguridad, y Oz todavía cuelga del techo, sosteniendo a Bingo y llamando a papá a gritos.

Kyle se acerca a Oz para ayudarlo.

—¡No! —grita Mo, deteniéndolo.

Kyle gira hacia ella.

—Déjalo —dice Mo.

Oz patalea y grita, pero Mo tiene razón. No es crueldad sino necesidad. No pueden lidiar con Oz en estos momentos, y es mejor que se quede donde está.

Kyle se aleja de Oz, y empieza a ayudar a Mo intentando soltar el clip de su cinturón de seguridad.

La adrenalina los ayuda momentáneamente a conservar el calor, pero en cuestión de minutos van a tener mucho frío. El parabrisas de la casa rodante ya no está, y el viento y la nieve azotan y se arremolinan a través de la cabina. Papá está cubierto de escarcha, y mi cadáver está semienterrado.

Mamá saca su teléfono.

—Mierda —dice, con una expresión de pánico en su rostro. No hay recepción. Tío Bob traga saliva, saca su teléfono, y niega con la cabeza.

—Necesitamos llevarlo atrás —dice mamá, procesando la información rápidamente y dándose cuenta, al igual que yo, de que, en ese momento, el frío es el peligro más grande.

Papá grita cuando mamá y tío Bob, con ayuda de Vance y Kyle, lo liberan llevándolo a la parte trasera. Lo recuestan sobre el revestimiento de madera encima de los asientos. Se encuentra en muy mal estado, tiene docenas de heridas en la cara y sus pantalones de mezclilla están empapados de sangre.

Mamá y tío Bob se arrodillan junto a él, Vance regresa al lado de Chloe, y Kyle sigue intentando liberar a Mo de su cinturón de seguridad.

—Mi bolso —dice tía Karen—. Tengo unas tijeras allí dentro.

Kyle se arrastra hasta el gigantesco bolso de mano de tía Karen, que salió volando hacia el frente junto con todo lo demás, y comienza a buscar en su interior, sacando una enorme colección de parafernalia típica de un bolso: maquillaje, pañuelos desechables, toallitas antibacteriales, dos paquetes de galletas saladas, su teléfono, su libreta de direcciones, un paquete de M&M'S, notas de agradecimiento y, finalmente, descubre unas pequeñas tijeras para *manicure*, arrastrándose de regreso para liberar a Mo.

En cuanto recupera su libertad, Mo comienza a gatear hacia la cabina. Kyle la sigue.

Cuando me ve, Mo lanza un grito y cae de espaldas. Kyle la atrapa y la gira hacia él, llevando su rostro hacia el pecho mientras intenta conducirla de vuelta al remolque. Pero Mo se niega. Liberándose de sus brazos, se arrastra hacia adelante nuevamente y toma mi mano. Sus labios se mueven en silencio, hablándome mientras las lágrimas caen por sus mejillas, y ya la extraño tanto que siento como si el corazón se me rompiera en dos, y lloro con ella, deseando desesperadamente que esto no estuviera pasando.

Chloe ya ha abierto los ojos, y le ha quitado la bufanda a Vance para sostenerla ella misma sobre su herida mientras observa aturdida la escena a su alrededor. Mira a papá junto a ella, luego mira hacia la cabina, y sus ojos se llenan de lágrimas. Su mandíbula comienza a temblar, y observo cómo la desliza hacia adelante para detener los temblores.

Bingo aúlla, y Chloe, mirando hacia él, se las arregla para decir:

—Vance, ayuda a Bingo.

Vance logra liberar a Bingo de los brazos de Oz, provocando que este comience a gritar todavía más fuerte, con la cara enrojecida por el berrinche y por estar colgado boca abajo.

Kyle mira fijamente a Oz, y puedo sentir cuánto desea liberarlo. Su mandíbula se aprieta y sus músculos se tensan por el deseo de ayudarlo.

—¿Qué opinas? —pregunta mamá a tío Bob, que está de cuclillas junto a papá examinando sus heridas.

Los ojos de tío Bob se mueven de un lado a otro, y es obvio que no tiene la menor idea de qué hacer con las heridas frente a él. Es dentista, no doctor. Un especialista en reparaciones cosméticas, y lo que está viendo en esos momentos no tiene nada que ver con blanqueamientos dentales o carillas. Pero después de una reveladora pausa, dice, casi de manera convincente:

—Tenemos que fijar la pierna y detener la hemorragia.

No sé si su fanfarronada es motivada por el ego o por la fortaleza: si es demasiado arrogante para admitir que no tiene idea de qué hacer, o si está protegiendo a las mujeres para evitar que se preocupen. De cualquier forma, estoy agradecida por lo segundo, porque su confianza es tranquilizadora. Incluso Oz ha dejado de gritar, y ahora simplemente está colgado y quejándose.

Detrás de ellos, Natalie y tía Karen están fundidas en un abrazo, ambas han empezado a temblar de frío. Mo también está temblando, y quisiera decirle que regrese a la parte trasera, donde está más cálido, pero ella sigue sentada junto a mí, sosteniendo mi mano y llorando.

Nada de lo que quiero que suceda está sucediendo, y lo único que puedo hacer es mirar. Es la cosa más frustrante y espantosa en el mundo. *Por favor*, suplico, *ayúdalos*. Pero si acaso hay un Dios en este nuevo mundo, es tan invisible como cuando yo estaba viva, y mi súplica no recibe respuesta alguna. *Mo, regresa a la parte trasera.*

Mo permanece donde está, pero Kyle reacciona. No sé si es porque me escucha o simplemente porque se da cuenta de que puede hacer algo útil. Por la razón que sea, afortunadamente se arrastra hacia adelante y aleja con cuidado a Mo de mi cuerpo y del viento helado y cortante.

Papá grita cuando tío Bob jala su pierna destrozada para enderezarla, provocando que tío Bob la suelte, y transformando instantáneamente su fanfarronería en pánico.

—Tal vez sea mejor si la dejamos así —balbucea, dejando al descubierto la verdad para que todos la vean: se gana la vida embelleciendo las sonrisas de las personas, y no está mejor preparado para lidiar con esto que el resto de ellos.

7

Cuando el *shock* inicial desaparece, la realidad se asienta. Están varados en una tormenta de nieve a kilómetros de distancia de cualquier tipo de ayuda. Estoy muerta. Papá está en muy malas condiciones. Tío Bob tiene el tobillo izquierdo lastimado, y Chloe necesita puntos de sutura. Estas son las heridas que están a la vista.

Pero todavía más aterrador que las lesiones es el frío y el viento abriéndose paso a través del parabrisas. Kyle y Oz están mejor vestidos para este clima, ambos llevan puestos trajes para exterior con botas y guantes. Mo es la que va peor vestida, con su delgada chaqueta de lana, sus pantalones rasgados y sus botas de diseñador que no sirven de nada contra el frío. Está temblando en la parte trasera junto a tía Karen y Natalie. Madre e hija están fuertemente abrazadas. Natalie lloriquea, y tía Karen la hace callar diciéndole que todo estará bien.

—¿Cuál es el plan? —dice Vance— ¿Quién va a ir a buscar ayuda?

Todos miran a mamá, pero es papá el que habla a través de sus dientes apretados.

—Nadie. Tenemos que quedarnos aquí hasta la mañana —dice.

El pánico los hace estremecer uno a uno. Todavía no son ni las siete. Faltan por lo menos doce horas para que amanezca.

—Ni de puta broma —dice Vance.

Tía Karen interviene:

—No creo que podamos esperar tanto tiempo. Está helando.

—Tenemos que hacerlo —dice papá, temblando más por el dolor que por el frío—. Está completamente oscuro y cae una tormenta de nieve. Si sales a caminar así, no sabrás si estás caminando hacia el norte o hacia el sur.

—El norte es lo opuesto del sur —dice Vance—. Y de ninguna maldita manera me voy a quedar aquí toda la noche.

—Vance, Jack tiene razón —dice mamá—. Tenemos que esperar hasta que haya luz.

—Tengo hambre —dice Oz, todavía colgando de su asiento.

—Oz, tienes que esperar —dice mamá, distraídamente.

—Me prometiste hot cakes —repite Oz, pero esta vez mamá simplemente lo ignora—. ¡Hot cakes! Ignorar a Oz no funciona.

—Si quieren quedarse aquí, es su problema —dice Vance, poniéndose su gorro— Voy a buscar ayuda. Chloe, ¿vienes conmigo?

La cara de Chloe está completamente ensangrentada, y todavía tiene la bufanda de mamá presionada contra su herida. Mira rápidamente a Vance, luego a los demás, y de nuevo a Vance.

—No, Chloe se queda aquí —dice mamá—. Y tú también Vance. Jack tiene razón. Tenemos que esperar hasta que amanezca.

—¿Chloe? —repite Vance en tono desafiante, con la nariz ensanchada y los ojos entrecerrados.

Chloe se pone de pie, tambaleándose ligeramente por el mareo.

—Chloe —dice mamá, con un dejo miedo entrelazado en su voz—. Necesitas quedarte aquí.

Vance jala a Chloe llevándola hacia él y la rodea posesivamente poniendo el brazo sobre sus hombros.

—Chloe, tenemos que mantenernos unidos —dice mamá, estirándose para cogerla.

Y aunque mamá no lo sabe, sus palabras empujan a Chloe a tomar su decisión. Deja la bufanda de mamá, gira y empieza a caminar tambaleante hacia el parabrisas destrozado, teniendo cuidado de no mirar mi cuerpo. Avanza titubeante y su mandíbula está apretada con fuerza. Vance camina detrás de ella casi empujándola hacia la noche.

—Ann, detenla —gime papá, pero no hay nada que mamá pueda hacer. Simplemente se queda parada en la orilla de la cabina, mirando hacia la oscuridad a través del parabrisas roto, pero la nieve ya se los ha tragado, han desaparecido.

—¡Hot cakes! —continúa gritando Oz—. Tengo hambre.

Todos actúan como si Oz no estuviera allí, excepto papá, que balbucea:

—No, Oz, no habrá hot cakes. No esta noche. Tienes que cuidar de Bingo. Bingo también tiene hambre, pero no hay comida. Va a asustarse porque no entiende, así que necesitas cuidarlo.

Después de este esfuerzo final, papá pone los ojos en blanco y se desmaya. Pero lo que hizo fue impresionante. Él es el único que entiende realmente a Oz. Mi hermano ha dejado de gritar, y su atención está centrada en una nueva tarea.

—Mo, déjame bajar —dice—. Papá me dijo que necesito cuidar a Bingo.

Me sorprende un poco que se lo pida a Mo. Pero cuando echo un vistazo a los que quedan, entiendo que ella es la mejor opción. El corazón me duele al comprender que ya he sido reemplazada.

Ni siquiera en un momento como este mamá mira a su hijo, lo evita igual que algunas personas evitan ver su propio reflejo, negándose a ver lo que el resto del mundo ve. Lo más cruel es que Oz es el más parecido a ella: piel dorada clara y ojos color avellana con largas pestañas. Pero al igual que en una casa de los espejos, Oz está distorsionado, como si fuera una versión de mamá burdamente agrandada, y desde que nació, ella se ha negado a enfrentarlo.

Mamá sigue de pie y mirando hacia la noche con los puños apretados; y sé que está analizando la decisión de ir tras Chloe o quedarse aquí. Puedo sentirla tomando la decisión. Es imposible. Una hija a la intemperie. Su esposo herido y su hijo aquí. Y Mo. Egoístamente, le suplico que se quede.

Mo se levanta. Su cuerpo se sacude con violencia el frío mientras rodea con cuidado a papá para llegar hasta Oz. Kyle se levanta de un salto para ayudarla, y entre los dos abren su cinturón de seguridad y lo ayudan a bajar.

Oz elige un lugar en la esquina detrás del asiento del conductor y llama a Bingo para que se siente en su regazo, mientras le susurra:

—Sé que tienes hambre, pero tienes que esperar. Todo está bien. Vas a estar bien. Yo te cuidaré—. Acaricia el pelaje de Bingo, y este deja que lo haga.

—Necesitamos cerrar esa ventana —dice Kyle, mirando hacia el parabrisas destrozado y sacando a mamá de su trance. Su dilema ya fue resuelto. Ha pasado demasiado tiempo, y lo único que puede hacer es esperar.

—Tiene razón —dice, parpadeando para secar las lágrimas de sus ojos—. La única posibilidad que tenemos de sobrevivir la noche es bloqueando la tormenta de algún modo.

Todos miran alrededor. El Auto Miller no es una gran fuente de suministros. No es el tipo de casa rodante que se usa para acampar. Es más bien una especie de surf móvil, una forma económica de viajar y acarrear juguetes como tablas de surf, kayaks, bicicletas y una caja de metal con algunas sillas y una mesa.

—Nieve —dice Mo—. Podemos usar los juegos de mesa y los palos si logramos encontrarlos, y luego cubrirlos con nieve, como hacen los esquimales.

Mo es brillante. Algún día hará cosas grandes. Es igual que MacGyver, dale un clip y un rollo de cinta adhesiva, y podría construir un avión supersónico.

Kyle no necesita que se lo digan dos veces. Saltando a la acción, se pone sus guantes y se arrastra hacia la abertura. Tío Bob avanza cojeando a causa de su tobillo lesionado, y mamá y Mo lo siguen.

Mamá voltea, y este movimiento le provoca una descarga de dolor que la congela. Exhalando de forma calculada, oculta la mueca de dolor de su rostro y dice:

—Mo, quédate aquí.

—Puedo ayudar —dice Mo, con los dientes castañeteando dentro de sus labios azules.

—Quédate aquí —dice mamá, con más firmeza, y Mo acepta sin discutir.

Cuando mamá se ha ido, Mo centra su atención en papá. Sus manos tiemblan sin control, pero se las arregla para desbrochar la chamarra de papá y sacar sus brazos de las mangas cruzándolos sobre su cuerpo, y luego vuelve a abrocharla, transformando la chamarra en un capullo y protegiendo sus manos desnudas.

El movimiento despierta a papá.

—¿Finn? —murmura, desorientado, intentando abrir los ojos.

—Soy yo, Sr. Miller —dice Mo, con voz entrecortada.

Y cuando papá comprende que no soy yo, las lágrimas salen de sus ojos, congelándose sobre las heridas de sus mejillas.

—Gracias —dice, y regresa a la inconsciencia.

Mo observa la pierna de papá, y se estremece al ver la herida. No es la sangre lo que la angustia; la expresión de su rostro revela la compasión que siente ante el dolor de papá, y la miro rezar para que permanezca inconsciente. Mientras su mirada viaja de regreso a la cara de papá, Mo descubre algo que sobresale del bolsillo de su chamarra: el borde de un guante, y observo cómo lo empuja para meterlo de nuevo.

8

Aunque adentro del vehículo está helando, afuera está increíblemente más frío. El viento aúlla feroz, convirtiendo la nieve en duras bolas de hielo que cortan y hieren la piel. Mamá levanta la cara hacia la avalancha, mientras sus ojos miran a través de la cortina de navajas en busca de Chloe, pero no queda ni rastro de ella o de Vance.

Kyle es el único que tiene guantes. Mamá envuelve sus manos con la bufanda. Tío Bob regresa a la casa rodante, y yo lo sigo.

—Oz, necesito tus guantes —dice, cuando llega donde está mi hermano.

Mala idea.

Oz continúa sosteniendo a Bingo mientras lo acaricia con sus manos enguantadas. Oz lleva puesta ropa contra el frío porque papá le había prometido que construirían un muñeco de nieve frente al restaurante después de cenar: una tradición que llevan a cabo siempre que comemos en Grizzly Manor.

Mo desvía la mirada hacia el bolsillo de papá, pero no dice nada.

—Oz, te los devolveré —dice tío Bob—. Pero necesito usarlos para poder bloquear el viento.

—No —dice Oz, en ese modo tajante que tiene, cruzándose de brazos y metiendo las manos debajo de sus axilas.

—Oz, dame tus guantes —le ordena tío Bob, intentando un enfoque diferente y extendiendo la mano en una actitud autoritaria.

Pongo los ojos en blanco. Tratar de discutir, razonar, exigir o persuadir a Oz para que haga algo que no quiere hacer es una completa pérdida de tiempo. Simplemente no va a suceder. Pero tío Bob, a pesar de ser tan inteligente, puede ser bastante estúpido. Y aunque conoce a mi hermano desde que nació, no comprende realmente su discapacidad.

Yo suelo describir a Oz como simple. Algunos dirían que es tonto, pero es más que eso. La mente de mi hermano funciona de manera muy rudimentaria, se basa en impulsos más que en razonamientos. Si Oz ve una galleta, se la come. Si necesita ir al baño, se baja los pantalones y lo hace. Su cognición no se extiende a pensamientos calculados ni emociones complejas como la compasión, la empatía o la solidaridad. Entiende sus propias necesidades y actúa siguiendo sus instintos básicos para satisfacerlas. Esto no significa que no sienta amor o preocupación por los demás. Su corazón es tan grande como el de un elefante, pero es necesario presentarle las cosas de cierta manera para que las comprenda. Si tío Bob le pidiera ayuda para cerrar la ventana, Oz trabajaría hasta el punto del colapso y no se quejaría ni una sola vez. O si le pidiera a Oz que "compartiera" sus guantes "uno para ti y otro para mí", Oz tal vez lo haría. Incluso podría proponerle "turnarse" los guantes. Estos son conceptos que Oz ha aprendido y que comprende.

Pero tío Bob no lo sabe. Él solo ve a Oz como un bobalicón con un par de guantes que necesita para poder cerrar la ventana. Da un paso hacia mi hermano con impaciencia. Toda su amabilidad fingida ha desaparecido y sus ojos se han puesto duros y oscuros.

Oz solo tiene trece años y, por tanto, tío Bob cree equivocadamente que puede ordenarle que le entregue los guantes. Lo cual es una tontería. Aunque tío Bob es cinco centímetros más alto, treinta años mayor, y mucho más inteligente, es como creer que por ser más alto, más viejo y más inteligente que un oso grizzly, puedes ganarle en una pelea.

Tío Bob coge la manga de Oz para acercar hacia él su mano enguantada, pero más rápido que un tiburón Oz se inclina y lo muerde. Fuerte.

Tío Bob aparta la mano de un tirón, con las marcas de los dientes de Oz impresas en su piel.

—Animal —dice furioso—. Maldito animal.

Oz vuelve a esconder sus manos enguantadas debajo de las axilas, y tío Bob se marcha cojeando, sin guantes y maldiciendo.

Encuentra a mamá y a Kyle junto al chasis. Entre los dos sacaron mi cadáver de la cabina y lo llevaron al lado de la casa rodante que está cuesta abajo, para que no quede enterrado cuando llenen el parabrisas con nieve. Me colocaron detrás de la llanta delantera, donde estaré más o menos protegida.

Mamá llora mientras me desnuda, quitándome mis botas UGG, mis calcetines y mis pantalones deportivos. Kyle me saca la chamarra y la sudadera. Contemplo la escena, agradecida de que esté oscuro y Kyle no pueda ver mi desnudez, lo cual es ridículo porque estoy muerta, pero aun así siento vergüenza.

Cuando terminan, mamá mete la ropa a través del parabrisas.

—Mo, ponte esto —dice, colocando la pila de ropa junto a mi amiga.

Mo traga saliva y se estremece, y no precisamente por el frío. Aun en la oscuridad, se puede ver la sangre en mi chamarra.

—¿Es la ropa de Finn? —pregunta Natalie con voz entrecortada, y comprendo que tal vez apenas se está dando cuenta de que no estoy allí o acaba de recordarlo, sin que su cerebro pueda procesar completamente lo que está sucediendo.

Mamá levanta la cabeza, casi sorprendida de ver a tía Karen y a Natalie, como si hubiera olvidado que estaban allí.

Los ojos de tía Karen se mueven rápidamente de un lado a otro, con las pupilas muy dilatadas.

—Natalie debería ponerse las botas —dice, mientras examina la ropa con su mirada alocada sin dejar de estrechar a Natalie contra ella.

Mamá inclina su rostro intentando procesar las palabras de tía Karen, como si estuviera tratando de redirigir sus pensamientos para incluir la información adicional. Tanto Mo como Natalie llevan puestas botas que ofrecen muy poca protección contra el frío. Los pies de mamá también están enfundados en un par de botas militares hasta los tobillos que no son mucho mejores.

Quizá sea por la ferocidad con que tía Karen está mirando a mamá, o porque no está haciendo nada para ayudar a cerrar la ventana, o tal vez porque estoy muerta y Mo es mi mejor amiga, o porque le prometió a la Sra. Kaminski que cuidaría de Mo, o incluso porque mamá no logra reprocesar la decisión. Cualquiera que sea la razón, mamá le da la espalda a tía Karen y repite:

—Mo, ponte esto.

Luego, sin decir una palabra, se da la vuelta y regresa a la batalla.

Mo apenas puede hacer que su cuerpo funcione. Sus músculos se convulsionan violentamente, y sus dedos están congelados como garras. Finalmente, logra ponerse mi sudadera y mi chamarra. Luego, desabrocha sus botas, se pone mis pantalones deportivos sobre sus jeans rasgados, y mete los pies en mis botas UGG demasiado pequeñas para ella. Utiliza mis calcetines como guantes. Finalmente, se ciñe la capucha de mi chamarra sobre su barbilla, bloqueando el viento y la mirada fulminante de tía Karen.

9

Mamá, tío Bob y Kyle trabajan valientemente para cerrar el vehículo y bloquear la tormenta —una rabieta ártica tan violenta que me hace pensar en esas historias que solía leer sobre tormentas oceánicas que se tragan enormes barcos enteros—. La fuerza de la tormenta me hace llorar por Chloe pues pienso que está atrapada en medio de esta furia, y de pronto estoy junto a ella, con la respiración entrecortada al ver el problema en que se encuentra.

Vance y Chloe cometieron un error, un terrible error. Ya están tan perdidos que les es imposible saber por dónde continuar. La oscuridad es absoluta, el viento y el frío los golpean mientras avanzan torpemente a ciegas, tropezando a través de la tundra irregular, hundiéndose en algunos lugares hasta las rodillas, y tropezando y deslizándose sobre los trozos de granito y de hielo. Vance intenta adivinar dónde está el norte y dónde el sur, pero es imposible, porque el norte se convierte rápidamente en el sur o se vuelve demasiado empinado e intransitable.

La lógica debería decirles que se detengan, que busquen refugio detrás de un árbol y esperen a que pase la noche, pero la desesperación y el frío han congelado el razonamiento y los pensamientos de Vance, así que continúa avanzando, vigilando a

Chloe constantemente, ayudándola cuando ella tropieza y asegurándole que van a estar bien.

Chloe no está bien. Su herida ha dejado de sangrar, pero algo anda mal. Ha perdido el equilibrio, y se tambalea al caminar, como si estuviera borracha:

—Sigue tú —dice Chloe en cierto momento en que uno de sus pies queda atascado y Vance regresa para ayudarla.

Antes de que Vance responda, hay un segundo de vacilación que me congela los huesos.

—No, no voy a dejarte —contesta.

Chloe gime y asiente, y ambos continúan caminando con dificultad. Chloe se tambalea detrás e intenta seguir el paso de Vance, mientras este se abre camino obstinada y valientemente a través de la tormenta, todavía creyendo que será un héroe y los salvará a todos de algún modo.

10

Mamá, tío Bob y Kyle tiemblan violentamente cuando vuelven entrar por la puerta que ahora está en el techo. Kyle baja primero, moviéndose con la gracia de un atleta. Mamá entra después de él, haciendo una mueca de dolor cuando él la toma por la cintura para ayudarla a bajar. Entre los dos ayudan a tío Bob, quien desciende torpemente y luego tropieza cuando lo ponen de pie. Su tobillo izquierdo cede bajo su peso enviándolo al suelo.

Tía Karen se levanta de un salto, lo ayuda a incorporarse y luego lo conduce a la parte trasera para sentarlo entre ella y Natalie. Frota las manos de tío Bob entre las suyas y envuelve su bufanda alrededor de las orejas enrojecidas.

Mamá colapsa junto a papá. Su cuerpo tiembla con tanta violencia que parece que está teniendo un ataque.

Kyle encuentra un sitio en la esquina, lleva sus rodillas contra el pecho, y se queda allí temblando solo.

Son las ocho en punto.

—Alguien vendrá a buscarnos —dice tía Karen después de unos minutos, cuando la verdadera realidad de su miseria se ha asentado.

Todos los ojos se vuelven esperanzados hacia Kyle y Mo, los marginados huérfanos del grupo con familias en casa que deben estar preocupadas por ellos.

Kyle niega con la cabeza, y dice:

—Mis compañeros de cuarto supondrán que fui a casa de mi novia, y ella pensará que me fui a casa.

El labio inferior de Mo tiembla cuando dice:

—Le hice jurar a mi mamá que no me llamaría, y le dije que yo no iba a llamarla. Tuvimos una gran discusión por eso.

La esperanza desaparece. Nadie va a buscarlos; ni hoy ni mañana. Pasarán al menos dos días antes de que descubran que están desaparecidos. Mamá cierra los ojos con fuerza, y sé que está pensando en Chloe. Puedo ver cómo se traba su mandíbula mientras aprieta los dientes para controlarla. Mo ni siquiera trata de ocultar sus emociones, las lágrimas empiezan a caer mientras esconde la cara entre las rodillas.

Los minutos pasan tan lentos que parecen horas, el frío y el viento traquetean a través de la vehiculo. Al principio, cada uno lidia con la situación de distinta manera. Natalie se queja y llora recargada sobre tía Karen, quien la tranquiliza y le dice que resista. Tío Bob no deja de moverse nerviosamente, intentando mantenerse caliente. Mamá y Mo forman un sándwich alrededor de papá, sentadas a cada uno de sus lados, con lágrimas silenciosas escapando de sus ojos mientras piensan en mí y se preocupan por papá, Chloe y Vance. Afortunadamente, papá permanece inconsciente; su respiración sibilante y sus quejidos ocasionales confirman que todavía está con ellos. Kyle se mete dentro de su chamarra lo más profundo que puede, y aunque está temblando, parece estar mejor que el resto, a excepción de Oz, que duerme con Bingo en su regazo, aparentemente inmune al frío y a todo el drama a su alrededor.

Yo observo la escena desde arriba, sintiendo su sufrimiento y desesperada por ayudar, pero sin poder hacer nada.

Así es como permanecemos durante las primeras horas, hasta que, cerca de la medianoche, el mundo se vuelve increíblemente más frío, y las diferencias entre las distintas formas de lidiar con el sufrimiento disminuyen hasta que todos lo soportan en un estado uniforme de supervivencia. Ya nadie se mueve, ni se queja ni llora. Todos tienen los ojos cerrados, las barbillas pegadas contra su pecho y sus cuerpos hechos un ovillo apretado mientras rezan para que llegue la mañana y para poder soportar esta situación tan desdichada.

Cuando ya no puedo contemplar su sufrimiento ni un segundo más, regreso con Chloe, ofreciendo una oración para que algún tipo de guía divina haya intervenido conduciéndolos milagrosamente a ella y a Vance hacia la salvación y que la ayuda para los demás llegue muy pronto.

11

Dios es cruel, o no está escuchando.

Chloe y Vance continúan avanzando con mucha dificultad a través de la helada y vasta oscuridad, que es completamente indistinguible de la helada y vasta oscuridad que han recorrido durante las últimas seis horas. La distancia entre ellos se ha hecho más grande, Chloe pierde fuerza a cada paso que da y Vance mira hacia atrás con menos frecuencia.

Permanezco con Chloe mientras avanza tambaleante, su fuerza se ha desvanecido casi por completo y su cuerpo vacila peligrosamente. Pisa una deriva de nieve, y tropieza cayendo de rodillas y sin poder levantarse.

Chloe, levántate.

Tiene las manos metidas en los bolsillos y la cara inclinada hacia abajo, por lo que su barbilla está pegada a su pecho. Vance mira hacia atrás, la ve y da un paso, hundiéndose hasta la pantorrilla. Haciendo un enorme esfuerzo, logra liberar su pie y volver a tierra firme. Se queda allí parado durante un largo momento, mirándola a través del velo de nieve, y puedo sentir el conflicto en su interior, su vacilación y su miedo. Hay unos treinta metros de distancia entre ellos: un verdadero océano por la cantidad de esfuerzo que se necesitaría para cruzarlo.

Las lágrimas se congelan en sus mejillas llenas de ampollas, hasta que finalmente las seca con el dorso de sus manos congeladas, se gira y se aleja tambaleándose. Y aunque lo odio por eso, una parte de mí también lo entiende. Solo es un chico que está perdido en una tormenta de nieve y no quiere morir. Si se queda, eso es lo que va a pasar. Ambos morirán. Y entonces da un paso y luego otro.

Después de unos cuantos pasos, se detiene y observo cómo se da cuenta de lo que ha hecho y la vergüenza cae sobre él con todo su peso. Voltea, con una expresión de pánico en el rostro mientras entrecierra los ojos en la oscuridad giratoria intentando desesperadamente descubrir el camino de regreso para poder volver y recuperar a ese hombre que creía ser. Pero como sucede con tantas cosas que nos gustaría poder deshacer, simplemente es demasiado tarde: sus huellas han sido borradas, y Chloe ha desaparecido.

Vance cree poder distinguir el camino y comienza a seguirlo, pero está alejado por unos cuantos grados: cerca, pero demasiado lejos para que ella pueda escucharlo y para que él pueda verla. Puedo verlos a ambos y quisiera guiarlo, pero aunque estoy con él, él está solo y no tiene idea de lo cerca que está.

Finalmente, derrotado y entumecido, se da por vencido, y lo observo mientras se tambalea de regreso en la dirección que según él es la correcta. Ahora, su única esperanza de salvación es encontrar alguna forma de que los demás puedan regresar y salvarla.

Mientras contemplo la escena, pienso por un momento que quizá esto sea el infierno, una existencia invisible y silenciosa donde eres incapaz de ayudar a los que amas, y eres forzado a verlos luchar y sufrir. Cuando estaba viva, no rezaba, mi familia no iba a la iglesia, y me pregunto si esta es la razón de mi condenación, el castigo por no haber ofrecido el culto que debía o el arrepentimiento por mis pecados.

Lo ofrezco ahora. Rezo con todo mi corazón, suplicando a Dios que libre a mi familia y a Mo, a tía Karen, a tío Bob, a Natalie, a Vance y a Kyle de más sufrimientos y que me libere de este mundo, si no para ir al cielo, al menos a un lugar donde pueda encontrar paz, aliviar mi angustia y no tener que seguir presenciando la destrucción de todo lo que amo.

Chloe está igual que cuando la dejé, arrodillada en la nieve, con las manos todavía metidas en los bolsillos y su respiración resoplando frente a ella.

Lucha, Chloe, suplico. *Por favor, Chloe. Tienes que hacerlo. Tienes que intentarlo.*

Y lo hace. Con un esfuerzo heroico, se pone de pie, avanza tambaleándose hasta un gran pino que está a su derecha, y se desploma contra él, deslizándose en un hueco que hay en su base y acurrucándose para poder descansar.

12

Finalmente, la noche eterna empieza a aclararse pasando del negro al gris, y cuando hay suficiente luz para que mamá pueda ver el vapor de su respiración frente a ella, gira su cuerpo rígido apartándose de papá y obliga a sus músculos congelados a desdoblarse.

Papá está tan pálido que me preocupa que esté muerto, y el dolor empieza a apoderarse de mí, pero entonces Mo también se levanta, y papá se queja. Contengo las lágrimas y veo que mamá hace lo mismo.

Las heridas del accidente se han asentado durante la noche, y esta mañana es evidente que mamá está sufriendo mucho dolor. Su cuerpo está doblado por la cintura a causa de sus costillas lesionadas. La cara de papá está hinchada y tan llena de moretones que es irreconocible. Sus pantalones de mezclilla están negros por la sangre y su respiración es poco profunda. Tío Bob saca los pies de Natalie de las mangas de su abrigo, una idea creativa para evitar que se congelen sus dedos, y se estremece por el dolor cuando levanta su pie herido, con el tobillo hinchado al doble de su tamaño normal. El lado izquierdo de la cara de Kyle está amoratado, y gira su hombro para aliviar el dolor. Fuera de eso, parece estar bien. Los otros: tía Karen,

Natalie, Mo y Oz, están bien, de no ser por el agotamiento, la sed, el hambre y el frío.

Tío Bob salta hacia la puerta, escala al borde del tablero y logra abrirla, dejando entrar un torrente de aire frío. Es lo suficientemente alto para poder asomar su cabeza a través de la abertura, pero con una sola pierna no tiene la fuerza necesaria para impulsarse. Comienza a moverse nerviosamente, es obvio que necesita vaciar su vejiga.

Kyle se sube al costado del banco que está a su lado, forma un estribo con sus manos e impulsa a tío Bob hacia afuera.

—¿Necesitas ir al baño? —pregunta Kyle a Oz. Este último asiente, y Kyle dice:

—Vamos, entonces.

—Bingo también —dice Oz.

—Bingo también —repite Kyle.

Mo observa la escena, con los ojos llenos de lágrimas por la amabilidad de Kyle.

Oz no necesita que lo impulsen. Sube al borde del tablero, y logra salir fácilmente. Kyle levanta a Bingo, y Oz se estira agachándose para poner al perro sobre el vehículo. Entonces Kyle sale detrás de ellos y cierra la puerta.

Mamá examina a papá. Mira su pierna herida y revisa su pulso, y luego, con una ternura que nunca la había visto expresar con él, roza sus labios con los de papá.

—Voy a buscar ayuda —susurra, mientras busca en los bolsillos de papá, saca sus guantes y los mete debajo de su abrigo.

Por un breve instante, me pregunto cómo sabía sobre los guantes y por qué no los usó durante la noche, pero la respuesta está en su mirada que se desvía hacia Mo, quien mira fijamente hacia la puerta por donde desaparecieron tío Bob, Kyle y Oz hace un momento. *Confianza*. Mo le dijo a mamá sobre los guantes. Confían una en la otra, pero ninguna de las dos confía completamente en los demás.

Los chicos están de vuelta. Kyle entra primero y extiende los brazos para recibir a Bingo, que es bajado por Oz, y luego ambos ayudan a tío Bob.

—Quédate ahí afuera, Oz —dice Kyle—. Es el turno de las chicas, y necesitas ayudarlas a subir.

Kyle impulsa a cada una de las mujeres, y Oz las saca por la puerta. Todas las veces, Kyle dice: "Buen trabajo, amigo", y Oz sonríe con orgullo.

La tormenta de nieve es mucho menos terrible de lo que fue anoche, y aunque sigue siendo tempestuosa y fría, es posible ver los árboles y distinguir el norte del sur.

Tía Karen y Natalie terminan sus asuntos rápidamente y vuelven al vehiculo. Mamá sujeta a Mo de la manga para evitar que se vaya. Oz está de pie junto a ellas, esperando para ayudarlas a entrar.

—Voy por ayuda —dice mamá.

Mo se muerde el labio inferior para detener el temblor mientras lucha por mantener las lágrimas en sus ojos, y mamá la toma en sus brazos, provocando que la presa explote. Mo llora contra su hombro, y es extraño para mí presenciar la escena, ver la forma en que mamá la abraza y acaricia su cabello. No puedo recordar ni una sola vez en que mamá me haya abrazado así o haya sido tan tierna. Hasta donde sé, tampoco lo ha hecho con Chloe o con Aubrey, y una punzada de celos me golpea, mientras me pregunto si sería igual de gentil si se tratara de mí. Mamá le dice casi en un susurro:

—Necesitas cuidar de Oz y de Jack. Debes cuidarlos hasta que regrese con ayuda.

Sus palabras tienen un tono de advertencia.

Mo se aparta y seca las lágrimas de sus mejillas, y entonces hace algo extraordinario, tan increíblemente típico de Mo que me hace extrañarla aún más.

—Tienes que usar las botas —dice, dejándose caer en la nieve y sacándose las botas UGG de un tirón, manteniendo los pies en el aire para que no se mojen.

—Mo… —dice mamá.

—No está a discusión. Necesitas buscar ayuda, y las botas de Finn van a permitirte hacerlo —interrumpe Mo, eligiendo cuidadosamente sus palabras.

Mamá asiente con la cabeza y se sienta junto a ella para poder cambiar sus botas. Mis UGG le quedan perfectamente a mamá. Hemos usado la misma talla de zapatos desde hace dos años.

—¿Qué está pasando allí afuera? —dice Kyle asomando la cabeza.

—A pesar de lo divertido que ha sido pasar juntos el rato en medio del frío —dice mamá, valientemente, por el bien de Mo — creo que es hora de llamar a la caballería. Voy a buscar ayuda.

Sin dudarlo, Kyle se impulsa a través de la puerta y dice:

—Voy contigo.

Mamá asiente, y eso es todo el preámbulo antes de que emprendan el camino de regreso hacia la dirección en que cayó el vehículo. Oz ayuda a Mo a entrar, y luego trepa detrás de ella, y miran juntos hasta que mamá y Kyle se desvanecen en la vaporosa película blanca. Solo yo me doy cuenta de que mamá no se despidió de Oz.

13

—¿A dónde van? —pregunta Oz.

—A buscar ayuda —responde Mo.

—Tengo hambre.

—Yo también tengo hambre —dice Mo, y sorprendentemente este simple entendimiento común funciona, y Oz asiente.

Tía Karen, tío Bob y Natalie miran desde su grupo en la parte trasera de la casa rodante cuando Mo y Oz regresan.

—¿Dónde está Ann? —pregunta tío Bob.

—Fue a buscar ayuda —dice Mo.

—Ay, gracias a Dios —interviene tía Karen, mientras una expresión de preocupación se dibuja en el rostro de tío Bob, y su mirada se desvía hacia la ventana de la caravana cubierta de nieve.

Tío Bob flexiona su tobillo con una mueca de dolor, confirmando para sí mismo o para los demás la razón por la que él no es el héroe.

—¿El chico fue con ella? —dice, con voz tensa por la preocupación.

—Kyle —responde Mo, mientras se agacha junto a papá, mordiendo su labio para intentar controlarlo. Oz regresa a su esquina y pone a Bingo en su regazo.

Tío Bob continúa mirando la nieve mientras tía Karen observa a Mo cuando esta se quita las botas militares demasiado pequeñas de mamá y las remplaza con sus propias botas heladas, con los dedos congelados luchando por sujetar el cuero rígido. Un dejo de resentimiento provocado al recordar que Mo recibió mis botas UGG en vez de Natalie atraviesa el rostro de tía Karen.

La expresión de Natalie es más difícil de descifrar. Hay una ligera arruga en su frente, y no estoy segura, pero si no me equivoco, más allá de la expresión exterior de desprecio que imita a la de su mamá, hay una sombra de respeto, tal vez porque sabe que, si mamá le hubiera dado las botas a ella en vez de a Mo, Natalie no se hubiera ofrecido a regresarlas.

Cuando Mo termina de abrochar sus botas, gatea hasta la cabina. Los bolsos de mamá y de Chloe todavía están donde aterrizaron, arrojados contra el asiento del conductor junto con los naipes, las fichas y las letras del Scrabble. Tía Karen ya recuperó su propia bolsa, y la tiene a su lado.

Mo revisa primero el bolso de mamá: unos cuantos cientos de dólares en efectivo, tarjetas de crédito, lentes de sol, maquillaje, un cepillo para el cabello, un montón de recibos, seis bolígrafos, tampones, y un menú de nuestro restaurante tailandés local. El bolso de Chloe tiene un contenido más generoso: además de todo el maquillaje inservible y las envolturas vacías de dulces, hay una copia gastada de *Orgullo y prejuicio*, un par de mallas negras y un encendedor BIC. Mo se guarda las medias disimuladamente y aparta el libro, el encendedor, los recibos y el efectivo. Continúa avanzando por la cabina, desvaneciéndose levemente cuando ve los asientos empapados de sangre, y comienza a rebuscar en la consola encontrando algunos mapas, el gorro de papá, y una zanahoria que probablemente puso allí para el muñeco de nieve que iba a construir con Oz. La zanahoria va al mismo bolsillo que las mallas, y lleva el gorro y la leña de regreso al vehículo.

El rostro de tío Bob se oscurece cuando ve el gorro; su propia cabeza está descubierta, y mi piel se eriza por la preocupación. El sutil cambio en la dinámica ahora que mamá y Kyle no están es inquietante. Tío Bob, tía Karen y Natalie en un mismo bando. Papá, Mo y Oz en el otro. Miro hacia donde estaba el bolso de tía Karen y descubro que lo ha empujado un poco más debajo del asiento para ocultarlo.

Mo desata la capucha de papá, y miro la reacción de tío Bob como si alguien hubiera apretado un interruptor. Sacude la cabeza como si despertara de un sueño, y se pone de pie.

—Déjame ayudarte —dice.

Manteniendo su tobillo en el aire, salta para ponerse de cuclillas junto a ella y levanta la cabeza de papá para que Mo pueda poner el gorro sobre su cabello.

—Gracias —dice Mo, mientras ata nuevamente la capucha.

—Aguanta, Jack —dice tío Bob, apoyando la mano sobre el pecho de papá. Luego regresa cojeando con su familia mientras Mo permanece acurrucada junto a la mía.

14

Mamá y Kyle comprenden rápidamente que subir en línea recta por donde caímos no es una opción. La helada capa de granito ofrece muy pocos puntos de apoyo y ninguna protección contra el feroz viento que golpea contra su cara en cuanto se elevan por encima de la arboleda y que muy fácilmente podría provocar la muerte incluso de los escaladores más experimentados.

Entonces, mamá y Kyle deciden atravesar en ángulo, mientras mamá se asegura cuidadosamente de mantener el brillo del sol detrás de ellos para cerciorarse de que se dirigen hacia el norte, en dirección a la ciudad. Cuando es posible, se desplazan hacia arriba, pero la mayoría de las veces, llegan a un punto muerto que los hace retroceder a un terreno más bajo.

Al principio, mamá camina al frente, pero pronto queda claro que Kyle tiene mejor tracción, y toma la delantera. En las partes más empinadas, encaja sus botas en la nieve y usa la bufanda de mamá para ayudarla a subir.

Avanzan lenta e irregularmente, y puedo ver que esto los está acercando cada vez más a la carretera, pero ellos no lo saben. Los labios de mamá están llenos de ampollas y sus mejillas en carne viva, pero el esfuerzo parece mantenerla caliente, y solo sus pies parecen doloridos por el frío.

Kyle no parece estar tan afectado, o quizá no es de los que se quejan. Avanza estoicamente, abriéndose paso y mirando hacia atrás con frecuencia para asegurarse de que mamá está bien. Y mientras más lo miro, más crece mi admiración y mi curiosidad sobre él: quién es, quién es su familia, su novia, cómo terminó viviendo en Big Bear, qué piensa en estos momentos, ¿tiene miedo? Parece tan extraño que sea parte de esto y que sepamos tan poco de él.

Mamá mira hacia todas partes mientras camina, escaneando el lugar como un halcón, y puedo sentir que alberga la esperanza de encontrar de algún modo a Chloe y a Vance. Solo yo sé que no están ni remotamente cerca, y que los separa un gigantesco bosque de nieve, rocas y árboles, que Chloe sigue acurrucada en el hueco del árbol con el que tropezó anoche, y que Vance continúa tambaleándose y adentrándose cada vez más en la espesura.

15

—Oz, ¿puedes ayudarme otra vez a salir? —dice Mo.

—¿A dónde vas? —pregunta tío Bob, con un dejo de sospecha entrelazado en sus palabras. Un nuevo trasfondo de desconfianza aumenta entre ellos con cada minuto que pasa.

—Voy a conseguir un poco de agua —dice Mo.

—Natalie se incorpora animadamente, y tía Karen pasa la lengua por sus labios. Nadie ha comido ni bebido nada desde que salimos de la cabaña hace quince horas.

Tío Bob parpadea, y su mirada de desconfianza es remplazada por un destello de vergüenza.

—¿Necesitas ayuda? —pregunta.

Mo niega con la cabeza, quizá con demasiada rapidez, y dice:

—Solo necesito conseguir un poco de nieve.

Mi hermano forma un estribo con sus manos, igual que Kyle lo hizo, e impulsa a Mo a través de la puerta.

Mo cierra la puerta al salir y parpadea ante el resplandor cegador del día, que ahora está deslumbrantemente brillante. Se desliza sobre la puerta, que no está cubierta de nieve porque ha sido abierta y cerrada varias veces, y me estremezco cuando la veo quitarse mis pantalones deportivos y los suyos para ponerse las mallas de Chloe. Su genialidad me hace sonreír, porque sé que esperó intencionalmente a que pasara el tiempo suficiente y que los demás no se preguntaran qué otras cosas había recuperado de los bolsos y la consola.

Vuelve a vestirse rápidamente, y ambas nos sentimos culpables de que ella esté usando la ropa que Chloe necesita tan desesperadamente. La miro mientras cierra los ojos en una oración silenciosa, y rezo con ella, esperando que Chloe pueda sentirme.

Cuando termina de vestirse, le da dos mordidas rápidas a la zanahoria, vuelve a colocarla dentro de su bolsillo, y toma la nieve de la parte superior de la caravana metiéndola al bolso de Chloe. Baja de nuevo por la puerta, y Oz la ayuda a entrar.

Tío Bob, tía Karen y Natalie observan con curiosidad mientras Mo se arrastra hasta el asiento junto a la ventana lateral del remolque que ahora está en el suelo. Rompe el estuche de los lentes de sol de mamá, retira el forro de fieltro y quita el pegamento lo mejor que puede. Utilizando las páginas de *Orgullo y prejuicio* y el encendedor BIC, enciende una pequeña fogata, que usa para derretir la nieve en el estuche. Este es poco profundo y apenas le caben unas cuantas onzas, pero su método funciona, y después de una docena de páginas quemadas, tiene un pequeño plato lleno del precioso líquido.

Mo vierte el agua a través de los labios resecos de papá, y me alegro cuando lo veo tragar.

La siguiente tanda se la da a Oz, quien la traga vorazmente y dice nuevamente que tiene hambre.

—Yo también —contesta Mo.

El siguiente contenedor es para Natalie, quien le da las gracias.

—Bingo —dice Oz, mientras Mo regresa al fuego con otro pequeño montículo de nieve.

Tío Bob y tía Karen observan en silencio esperando a que Mo tome la decisión de quién será el siguiente en recibir las preciosas gotas, ellos o el perro. Mo tampoco ha bebido nada todavía.

Cuando la nieve está casi completamente derretida, Mo mira a Oz, y dice:

—Oz, Bingo es un perro. Puede pasar mucho más tiempo que las personas sin beber agua.

—No —dice Oz, apretando con más fuerza a su querido Bingo—. Tiene sed.

Mo le ofrece el estuche a tía Karen, quien lo toma cuidadosamente de las manos temblorosas de Mo.

No, grito. *Es el turno de Mo. Ella es la otra NIÑA.* Mi odio hacia tía Karen es instantáneo y abrumador. De todas las cosas que ha hecho, o no ha hecho, desde el accidente, esta es la que más me hace enfurecer. Se lleva el estuche a los labios, pero es demasiado lenta. Oz arremete y le arrebata el estuche. Tía Karen lucha contra él y se inclina en un intento por sorber el agua.

Y ahí es cuando sucede. Cuando sobra menos de un cuarto de taza de agua, Oz la golpea. Es más un garrotazo que un puñetazo. Su puño le golpea lateralmente la mejilla, pero la fuerza es suficiente para voltear la cara de tía Karen hacia el otro lado.

Dando un grito, tía Karen suelta el estuche y la mitad del agua se derrama.

Oz no se da cuenta de esto. Lleva con cuidado el agua restante a Bingo, que la bebe ansiosamente.

Tío Bob rodea con sus brazos a tía Karen y mira horrorizado a mi hermano.

—Más —dice Oz en tono exigente, extendiendo el estuche hacia Mo.

Todo el cuerpo de Mo tiembla mientras cumple la demanda de Oz. Sus dedos, blancos por el frío, llenan el estuche de lentes con nieve, y luego arranca más páginas de la novela y les prende fuego.

—Vamos a morir por su culpa —dice lloriqueando tía Karen apoyada sobre el pecho de tío Bob—. Va a matarnos, o vamos a morir por su culpa. Igual que cuando lastimó a ese perro.

La sangre se me congela cuando escucho hablar sobre el perro. Hace tres meses, a Oz se le metió en la cabeza que Bingo estaba solo y que necesitaba un amigo, así que decidió encontrarle uno: un cachorro beagle que pertenecía a uno de nuestros vecinos. Cuando el vecino salió y encontró a Oz en su patio trasero, lo enfrentó, entonces Oz se asustó y apretó con demasiada fuerza al perro, dislocando el hombro del pobre animal y rompiéndole varias costillas. Presentaron una demanda, la asociación comunitaria emitió una advertencia a nuestra familia, y mamá enloqueció. Dijo que Oz era demasiado para nosotros y que había llegado la hora de empezar a buscar soluciones alternativas, lo que hizo enloquecer a papá. Colocó cerraduras a prueba de niños en todas las puertas, instaló monitores en todas las habitaciones y pasó dos semanas durmiendo afuera de la puerta de Oz. Fue algo horrible, trágico y extremadamente angustiante.

Mo mira a tío Bob, y luego a Oz, mientras la preocupación por lo que pueda pasarle a mi hermano y por lo que este pueda hacer se dibuja en su rostro. Mi preocupación es exactamente la misma. Oz nunca lastimaría a nadie deliberadamente, pero eso no significa que no sea peligroso.

Mo le entrega el estuche a Oz, quien se lo ofrece a Bingo, y el perro empieza a beber. Luego vuelve a llenarlo con nieve, y tío Bob dice:

—Oz, ¿crees que me puedas ayudar para ir al baño? Tal vez Bingo también necesita ir.

Sonrío al escuchar su plan. *Bien hecho, tío Bob.* Distraer a Oz es una excelente manera de lidiar con él.

Cuando los tres salen todos exhalan un suspiro de alivio, y Mo utiliza más páginas del valioso libro para hacer crecer la llama y que la nieve se derrita más rápido. Le entrega la siguiente ración a tía Karen, quien la engulle ávidamente, mientras yo salgo para ver si a tío Bob se le ha ocurrido algo para retrasar unos minutos el regreso de Oz y que Mo tenga tiempo para preparar un poco de agua para ella.

—Finn —dice Oz, al descubrir mi cuerpo junto a la llanta. La nieve ha caído sobre mí, así que estoy completamente enterrada, excepto por mi cara.

—Está dormida —dice tío Bob, saltando sobre su pie sano para protegerse del frío, con las manos metidas en los bolsillos y su barbilla enterrada en su abrigo.

Oz entrecierra los ojos. Mi hermano no es inteligente, pero es extrañamente perceptivo y, por lo general, mentirle no suele ser una buena idea. Su rostro se endurece, y empujando su labio inferior hacia afuera mueve la cabeza hacia adelante y hacia atrás.

—Mi Finn —dice, rompiéndome el corazón.

Y entonces hace algo extraordinario. Sin decir una palabra, camina hasta donde estoy, se arrodilla junto a mí, y cubre mi cara con la nieve.

—Buenas noches, Finn —dice al terminar.

Cuando se pone de pie, tío Bob dice:

—Oz, estoy preocupado. —Y hay algo en el tono de su voz que me eriza los cabellos.

Oz inclina la cabeza hacia un lado.

—Tu mamá se fue hace mucho tiempo, y me preocupa que se haya perdido —dice tío Bob.

Oz arruga el entrecejo, y mi pulso se acelera.

—Creo que alguien debería ir a buscarla —dice, y Oz asiente —. Yo iría, pero mi tobillo está muy lastimado.

Sacudo la cabeza. La incredulidad hace que mi pánico se ralentice.

—Yo puedo ir —se ofrece Oz con entusiasmo, como si se tratara de una idea brillante.

¡NO! Me interpongo entre ellos, directamente frente a tío Bob, de modo que mi nariz casi toca la suya. *No hagas esto.*

—¿Crees que podrías encontrarla? —dice tío Bob, levantando la ceja como si estuviera impresionado por el ofrecimiento de Oz.

—Bingo puede ir conmigo —dice Oz—. Él puede encontrar a cualquiera. Cuando Finn y yo jugamos a las escondidas, Bingo siempre la encuentra, y Finn es muy buena en ese juego.

—Esa es una buena idea —responde tío Bob.

Por favor, suplico. *Por favor, tío Bob, piensa en lo que estás haciendo.*

—Si Bingo te acompañara —continúa tío Bob— también podría ayudarte a ti y a tu mamá a encontrar el camino de regreso.

Volteo para ver a Oz, que asiente con seriedad. Su rostro imita al de papá cuando está teniendo una conversación seria.

¡Mo, ayuda!, grito.

Pero Mo no se entera de nada. Está adentro, derritiendo agua lo más rápido que puede y esperando que Oz no regrese demasiado pronto.

—Antes de que te vayas —dice tío Bob— , tengo una propuesta.

Oz, que todavía tiene dibujada en su rostro la expresión de papá, asiente de nuevo, y mi pánico se congela. No puedo imaginar cómo podrían empeorar las cosas, pero estoy segura de qué está a punto de suceder.

—Tú y Bingo van a necesitar comida para que tengan fuerza suficiente mientras buscan a tu mamá —dice.

—Tengo hambre —dice Oz.

—Exacto. Entonces, este es el trato. Tengo dos paquetes de galletas saladas —dice tío Bob sacando de su bolsillo las galletas envueltas en celofán que estaban en el bolso de tía Karen—. Te las cambio por tus guantes.

Ya no me molesto en lanzar otra súplica. Lo único que puedo hacer es contemplar con horror incrédulo mientras Oz acepta el trato sin dudarlo ni un segundo. Se quita los guantes y se los entrega a tío Bob mientras él le da las galletas como si acabara de hacer el mejor trato del mundo.

—Ayúdame —dice tío Bob, y Oz forma un estribo con sus manos desnudas para ayudarlo a entrar.

Tío Bob no mira atrás ni le desea buena suerte a Oz. Al abrir la puerta, se desliza al interior de la caravana, dejando afuera a Oz y a Bingo con la misión imposible de atravesar la nieve para encontrar a mamá.

16

El viento se hace cada vez más fuerte. Lo sé por la forma en que tira de la piel de la cara de mamá y por cómo ella se inclina contra él obligándose a avanzar. Su fuerza está desvaneciendo, y también su confianza en el éxito de la misión. Son las primeras horas de la tarde, y han caminado todo el día sin poder saber si se están acercando o alejando de la civilización, por lo que es difícil no perder la esperanza. Mamá ha tenido cuidado en avanzar con el sol a sus espaldas, pero se han desviado tantas veces que ya no está segura de si la ciudad sigue estando hacia el norte o si ya la han pasado por completo.

Cuando llegan a un barranco de nieve profunda que se adentra como una serpiente blanca por la montaña dentada, comienzo a gritarles para que lo sigan. El camino está arriba. Le envío a mamá hasta mi último gramo de energía, deseando que se dé la vuelta.

Mi sugerencia no es necesaria.

—Kyle —dice, con voz ronca y seca por la deshidratación y el cansancio. Mamá señala hacia la serpiente. El sol está demasiado hacia la derecha. Para poder mantener el rumbo, deben dar la vuelta.

Sin protestar ni hacer preguntas, Kyle cambia la dirección, abriéndose camino hacia la profunda y serpenteante deriva.

Forman un equipo curiosamente genial. Kyle tiene un buen sentido para escalar y elegir los caminos más indulgentes, y mamá para mantener el rumbo. Han hablado menos de una docena de palabras desde que salieron, sin embargo, una sinergia natural los ha impulsado mucho más lejos de lo que cualquiera de ellos hubiera logrado solo. Con cada paso a través de la grieta llena de polvo, los pies de mamá se hunden y las holgadas botas UGG se llenan de nieve. Ya no se inmuta por el hielo que quema su piel, y creo que es porque su carne debe estar congelada y entumecida.

Kyle avanza firmemente frente a ella, deteniéndose cada pocos metros para esperar a que mamá se abra paso con uñas y dientes, resbalando ocasionalmente, y luego teniendo que recuperar el terreno perdido.

En cierto punto, la pendiente se vuelve demasiado empinada haciendo que mamá pierda por completo el equilibrio y se deslice cuesta abajo casi seis metros. Se queda tumbada en la nieve durante algunos segundos, mientras su cuerpo respira agitadamente, y luego, con fuerza sobrehumana y sin tener otra opción, logra ponerse de pie y vuelve a avanzar tambaleándose.

Kyle desciende para encontrarse con ella a medio camino.

—Deme su bufanda —dice Kyle.

Mamá se quita la tira de lana envuelta sobre su garganta y se la entrega a Kyle, quien ata uno de los extremos a la muñeca derecha de mamá. Luego extiende su mano derecha para que ella haga lo mismo con el extremo opuesto. Apenas queda espacio suficiente entre ellos para que mamá pueda caminar, pero treinta metros más adelante, cuando ella vuelve a resbalarse,

Kyle hunde sus zapatos en la nieve mientras sostiene con fuerza la bufanda, y mamá solo cae al suelo.

Avanzan muy lentamente, y su esperanza aumenta con cada paso que los acerca a la dirección en la que quieren ir y que no los envía de vuelta al comienzo.

Sucede de repente. Han recorrido más de la mitad del camino hacia la cima, y mi corazón celebra cada centímetro que avanzan. Entonces Kyle rodea una roca y el suelo cede, porque el pedazo de tierra que creyó sólido no era más que un trozo de hielo y nieve.

Observo cómo se desploma. Su pie derecho se precipita hacia el aire tirándolo hacia un lado. La bufanda lo atrapa, deteniendo su caída y balanceándolo como un péndulo hacia la cara de la montaña y lanzando a mamá al suelo de un tirón. Mamá se sacude violentamente mientras el peso de Kyle la jala hacia la cresta, con su mano derecha sujetando la bufanda mientras busca con la izquierda algo de qué sujetarse.

Su hombro está al borde del precipicio cuando logra cogerse de un pequeño retoño que brota de debajo de la roca. El árbol mide menos de sesenta centímetros, pero sus raíces ya son fuertes veo cómo se detiene bruscamente y luego sus miembros tiemblan mientras lucha por no soltarse. Gira su cabeza desde la mano enguantada que está sujetada al árbol hasta la otra que sostiene a Kyle, y observo cómo da vueltas su mente, haciendo un cálculo increíblemente rápido: su peso contra su fuerza.

Kyle también se percata de esto, y su boca se abre, junto con mi propio grito silencioso, mientras la mano derecha de mamá se abre.

Kyle cae, pero solo un par de centímetros. El nudo alrededor de su muñeca se aprieta en lugar de aflojarse, y antes de que mamá pueda soltarlo, Kyle ya está trepando por la lana, y la decisión se invierte con la misma velocidad que fue tomada. Mamá se inclina estirándose para volver a cerrar su mano, sujetando la bufanda con todas sus fuerzas mientras el peso de Kyle tira literalmente de todos sus miembros.

Un segundo después, Kyle se impulsa sobre el borde y colapsa junto a mamá, con su respiración congelada frente a él y los ojos abiertos como platos por la conmoción de haber estado a punto de morir.

Mamá rueda sobre su espalda, y la miro mientras levanta su mano frente a ella abriendo y cerrando los dedos, como si no tuviera la menor idea de cómo funciona el mecanismo, y su barbilla no para de temblar.

—¿Lista? —dice Kyle, poniéndose de pie y evitando mirar a mamá.

Mamá abre la boca para decir algo, pero no salen las palabras. ¿Cómo te disculpas por haber elegido dejar morir a alguien para que tú pudieras salvarte?

Siguen estando atados a la bufanda, pero ahora Kyle elige su camino por el sendero con más cuidado, comprobando cada paso antes de darlo y haciendo más lento su avance, como gateando.

17

Oz no caminó en la dirección correcta. Vio la casa rodante y se alejó de las luces traseras, quizá olvidando que no habíamos llegado conduciendo hasta ese lugar o creyendo equivocadamente que las luces traseras son una especie de brújula que siempre apunta a casa.

Al principio llamó a gritos a mamá. Pero al llegar a lo profundo de los árboles y estar completamente perdido, comenzó a llamar a papá.

Bingo ha caminado fielmente junto a él durante dos horas, pero ahora puedo ver cómo el perro gime y se detiene, sentándose y luego desplomándose boca abajo sobe un pedazo de granito sin nieve.

—¿Estás cansado, Bingo? —dice Oz, bajando la cabeza para mirar a Bingo.

Bingo esconde la cabeza entre las patas y mira a Oz como si estuviera arrepentido.

—Está bien —dice Oz, mientras se sienta junto a él—. Vamos a descansar un poco.

Bingo tiene casi once años. Un psiquiatra recomendó que consiguiéramos un perro para hacerle compañía a Oz, y desde ese momento el perro ha sido un compañero ferozmente devoto de mi hermano.

Oz saca los dos paquetes de galletas de su bolsillo. Le da uno de los paquetes a Bingo, y él se come el otro. Luego pone la cabeza de Bingo sobre su regazo, mete las manos heladas a sus bolsillos, y le repite al perro que todo va a estar bien.

18

Mo se ha quedado completamente sola.

Continúa sentada junto a papá, temblando, obligándose cada pocos minutos a mover sus dedos de pies y manos, estremeciéndose por el dolor. Su mirada se desliza continuamente hacia la puerta mientras los minutos pasan, y su pánico aumenta a medida que comprende que algo ha salido horriblemente mal y que Oz no regresará.

Tío Bob, tía Karen y Natalie continúan acurrucados en el sitio donde han estado desde que mamá y Kyle se fueron, y Natalie ahora lleva puestos los guantes de Oz.

Natalie evita nerviosamente la mirada de Mo, primero deslizando las manos debajo de sus muslos, y, un instante después, metiéndolas en sus axilas, mientras tío Bob le lanza una mirada desafiante a Mo.

Mo mira hacia otro lado y se muerde el labio inferior, un hábito que tiene cuando está en problemas o ha sido sorprendida en una mentira. Culpa. Dolor. Miedo. Todas las anteriores.

Mo siente un cariño especial por mi hermano. Oz siempre ha estado enamorado de ella y suele hacer cosas dulces y torpes para demostrarlo. El verano pasado estuvo más de tres horas y gastó la mesada de un año en la feria lanzando aros a unas botellas para ganar un gigantesco guepardo de peluche con manchas en forma de corazones. El juego estaba amañado y era casi imposible ganar, pero Oz estaba locamente decidido porque sabía que a Mo le encantan los guepardos. Finalmente, el chico a cargo del juego se compadeció de Oz y empujó uno de los aros hacia las botellas cuando no estaba mirando. La sonrisa de Oz cuando le dio a Mo el guepardo no tuvo precio.

Mo sorbe las lágrimas y vuelve a mover los dedos de sus pies. El dolor detiene temporalmente las emociones que amenazan con desbordarse y destruirla. Mientras tanto, la culpa de tío Bob crece. Está sentado furioso junto a tía Karen, mientras su inquietud aumenta. Puedo ver que su vergüenza lo consume como un ácido antes de convertirse en ira. Mo sabe que hizo algo, y él sabe que Mo sabe. Veo cómo trabaja su mente. Si logran salir de esto, cuando salgan de esto, otros lo descubrirán, porque Mo lo sabe. No tomó eso en cuenta cuando engañó a Oz, pero ahora está consciente de ello. Se sienta junto a su hija y su esposa sin tener otra cosa que el tiempo miserable para contemplar lo que sucederá cuando sean salvados.

Mo ha derretido suficiente agua para saciar la sed de todos. Todavía sobra la mitad de la novela y los mapas en caso de necesitar más. Es sumamente triste darse cuenta de que, si hubieran conservado la calma, habría habido suficiente agua para todos, incluidos Bingo y Oz.

La tarde se transforma en una insoportable monotonía de espantosa existencia, y la esperanza de ser rescatados antes del anochecer comienza a desvanecerse. Mamá y Kyle se fueron desde el amanecer. Si hubieran tenido éxito, la ayuda ya estaría aquí.

Cada uno conserva su fe menguante de distintos modos. Mo se preocupa por papá, tranquilizándolo con promesas de que la ayuda está en camino. Papá no responde. No se ha movido desde hace horas, ni siquiera para quejarse. Natalie mira fijamente al frente, sin pensar nada en absoluto, confiando en que sus padres se harán cargo de ella. La mente de tía Karen da vueltas interminables sin llegar a ningún lado. Abrumada ante la idea de quedar atrapados otra noche, balbucea interminablemente:

—Tenemos que salir de aquí. Tal vez deberíamos iniciar un incendio. No, necesitamos conservar nuestros suministros. Tal vez alguien debería buscar a Oz. Necesitamos quedarnos aquí. Alguien va a encontrarnos. Dios mío, no vamos a sobrevivir otra noche...

Cada media hora, le quita las botas a Natalie y frota los dedos de los pies de su hija, murmurando algo sobre la circulación y el flujo sanguíneo. Me gustaría que se callara. Creo que todos desean lo mismo. Tío Bob ha dejado de responderle y simplemente la deja parlotear. Su mente está ocupada con el futuro que cambia a cada instante, la realidad inminente de enfrentar otra noche en el frío y las decisiones difíciles que deberán tomarse. Observo cómo sus ojos se deslizan hacia papá, deambulando por su chaqueta North Face, su gorro de lana, sus pantalones de mezclilla y sus botas para la nieve.

Mo se mueve ligeramente, bloqueando su vista.

—¡Tenemos que salir de aquí! —chilla tía Karen.

Tío Bob no le responde. Ya le ha explicado mil veces que irse no es una opción. Cinco lo han intentado, y ninguno ha regresado. Tío Bob es un hombre inteligente. Cinco de los diez que sobrevivieron al accidente siguen allí, su esposa e hija incluidas.

Los minutos avanzan hacia otra noche infernal, y los factores y probabilidades de supervivencia cambian constantemente. La mirada de tío Bob vuelve a desviarse hacia papá, su rostro parece indescifrable mientras examina la fina niebla que brota de sus labios, la única prueba de que sigue estando vivo.

19

Nadie celebra cuando Kyle y mamá finalmente llegan a la carretera. Solo hay una breve pausa compartida y un temblor de alivio.

Ahora que están en tierra firme, se desatan la bufanda que los une, y aceleran el paso. De vez en cuando, mamá saca su teléfono para revisar si tiene señal, y veinte minutos después, aparece en la pantalla una sola barra, y brotan de sus ojos lágrimas de agradecimiento. Después de eso, las cosas comienzan a moverse rápido. En cuestión de minutos, un coche de policía los encuentra y se transmiten los detalles del accidente a distintas agencias. El alguacil quiere llevar a mamá y a Kyle al hospital, pero mamá insiste en que los lleven al sitio del rescate. Kyle accede, asegurándoles que se encuentra bien.

El área de preparación, un estacionamiento al lado de un parque de trineos, es impresionante. Ya se encuentran reunidas una docena de ambulancias, patrullas y *jeeps* de guardabosques, junto con por lo menos cincuenta personas ataviadas en distintos uniformes. Mamá y Kyle son llevados a una ambulancia estacionada, donde los envuelven con mantas térmicas y les dan botellas de agua. Un paramédico sube con ellos para evaluar su estado.

Observo mientras el hombre examina primero a mamá. Tiene congelación leve en los dedos de las manos, en varios de los dedos de sus pies y en algunas zonas de sus pantorrillas donde la nieve y el hielo entraron a través de sus botas y congelaron su piel. Envuelven compresas calientes alrededor de las áreas dañadas, y sumergen sus pies en una tina con agua tibia. El paramédico también sospecha que mamá tiene varias costillas rotas, y le sugiere que vaya al hospital para que le tomen radiografías. Mamá niega con la cabeza y le pregunta nuevamente si puede llamar al capitán por su radio para preguntarle si hay algún avance en la búsqueda.

El paramédico llama al capitán, cuelga y niega con la cabeza. Luego voltea hacia Kyle, quien bebe pacientemente su agua y come una hamburguesa con queso de McDonald's que le compraron. Mamá también tiene una bolsa con comida, pero no ha probado ni un bocado.

Kyle hace a un lado su comida y se quita la chamarra y la camiseta.

Lanzo un grito ahogado, y mamá hace lo mismo mientras contempla la escena con ojos desorbitados. Todo el lado izquierdo del cuerpo de Kyle, desde su hombro hasta su cadera, es un gigantesco hematoma hinchado, y su piel tiene un tono azul violáceo moteado y enfermizo.

—Auch —dice Kyle, con una sonrisa irónica, cuando el paramédico levanta su brazo.

Estoy abrumada por su heroísmo. Su cuerpo estaba hecho papilla, y nunca dijo una sola palabra.

Mamá traga saliva. No tenía idea de lo que sucedía. Nunca le preguntó. Un chico de la misma edad que su hija en un horrible accidente, y ni siquiera le preguntó si estaba bien. A mí tampoco se me ocurrió hacerlo. Solo en retrospectiva parece algo completamente incomprensible. Quisiera decirle que está bien, recordarle todo con lo que estaba lidiando. Pero sé que, aunque pudiera escucharme, no importaría. El arrepentimiento es una emoción difícil de sobrellevar, es imposible dejarlo atrás, porque lo hecho, hecho está. Solo el engaño puede protegerte de él, cambiar de algún modo la historia transformándola en algo más fácil de aceptar, y mamá es incapaz de autoengañarse.

—¿Está bien? —le pregunta el paramédico, percatándose de su palidez.

Mamá asiente y se da la vuelta, bloqueando el futuro que a partir de ahora será atormentado por este momento, y enfocándose en el horrible presente, mientras reza para que no haya más cosas de las que arrepentirse.

—Tienes que ir al hospital —dice el paramédico a Kyle—. Necesitan revisarte esos hematomas, y creo que te dislocaste el hombro. Volvió a ponerse en su lugar, pero quizá necesites un cabestrillo.

Kyle asiente y se encoge de hombros como si lo que el paramédico le está diciendo fuera una molestia, pero nada del otro mundo; y luego, en un tono extrañamente cotidiano, dice:

—¿Crees que alguien pueda llevarme?

—Hay otra ambulancia afuera —dice el paramédico.

—Un aventón demasiado costoso —dice Kyle, ruborizado.

El paramédico abre la puerta y grita hacia la parte trasera:

—Oye, Mary Beth, ¿crees que podrías darle al chico un aventón gratis al hospital?

Una voz de mujer responde:

—Por supuesto, hoy tenemos una tarifa especial para héroes: los viajes a la sala de emergencias son gratuitos.

Kyle se sonroja mientras se pone la chamarra y se levanta.

—Gracias —dice al paramédico.

A mitad de la puerta, vacila y se vuelve hacia mamá.

—Espero que estén bien —dice, con voz grave.

Su amabilidad casi destruye a mamá, y observo cómo se tensa la expresión de su rostro y sus músculos luchan contra sus emociones. Se las arregla para asentir mientras su mano derecha se abre y se cierra sobre su pierna, mueve la boca para decir algo, pero es demasiado tarde. Kyle ya se ha ido, y creo que habría sido más compasivo si no se hubiera dado la vuelta. Mamá deja escapar un sollozo y se muerde los nudillos para detenerlo, empujándolo hacia lo profundo para evitar que la presa explote.

Miro a Kyle desaparecer en la otra ambulancia, y me pregunto si alguna vez volveré a verlo. Lo dudo. Igual que soldados que luchan uno al lado del otro, una vez que la guerra termina, regresan a sus vidas separadas y su único vínculo es un trágico recuerdo en común que todos preferirían olvidar.

20

Mo es la primera en escucharlo. Levanta la cara, mira hacia el techo e inclina la cabeza. Tump, tump, tump. Son ruidos demasiado consistentes como para que sea el viento. Su postura se endereza a medida que el zumbido se acerca, y la observo mientras escucha con atención. Se levanta de un salto, pero vuelve a caer al suelo porque sus pies están demasiado congelados para sostenerla. Comienza a gatear apoyada sobre sus manos y rodillas, arrastrándose hasta el costado del asiento debajo de la puerta.

—¡Auxilio! —grita débilmente, con voz entrecortada.

Su intento de grito hace que tío Bob, tía Karen y Natalie se percaten de lo que está pasando. Sus cabezas agachadas se levantan, y entonces sus oídos también captan el sonido de un helicóptero. Tío Bob se levanta de su asiento, se acerca cojeando al lado de Mo y se las arregla para abrir la puerta.

A través de la abertura, un hombre que desciende por el helicóptero les hace señas para que no se muevan. Mo se arrastra hasta papá.

—Ya llegó la ayuda —llora—. Va a estar bien. La ayuda está aquí.

Papá no responde, y yo rezo para que Mo tenga razón, que la ayuda haya llegado a tiempo y que papá se salve.

El hombre está en la puerta. Tiene unos treinta años y parece un infante de marina. Está en cuclillas, y puedo ver que su cuerpo es tonificado y musculoso. Su cabello está casi rapado y es muy lacio. Escanea el interior, y luego baja para introducirse. Tío Bob estrecha la mano del hombre mientras este examina la escena.

—Cinco —dice en sus auriculares—. Cuatro conscientes, uno inconsciente.

—Asegúrate de que son cinco. Se supone que eran seis y un perro —responde alguien.

Tío Bob desliza la mirada hacia el suelo, y vuelve a levantarla rápidamente.

—El sexto y el perro se fueron esta mañana —dice—. Fue a buscar a su mamá.

Mo dirige la mirada rápidamente hacia las manos enguantadas de Natalie, pero ella no dice nada.

Tía Karen y Natalie están tan locas de alegría por haber sido rescatadas que hacen caso omiso de todo lo demás. Se abrazan y lloriquean, jurando que nunca más volverán a ir a ningún lado con nieve. Quisiera que se callaran. *¡CÁLLENSE!*

En cuestión de minutos, despejan la pared de nieve que mamá, Kyle y tío Bob construyeron para cerrar el parabrisas, y otros dos rescatistas introducen una camilla en la caravana. Unos minutos después, sacan a papá y lo elevan hacia el cielo. El helicóptero no espera a que todos suban para partir. Tan pronto como papá está a bordo, se aleja rápidamente rumbo a un centro de urgencias nivel tres en Riverside, donde un equipo de médicos lo espera.

Un momento después llega un segundo helicóptero. Primero sacan a Natalie, y luego tía Karen da un paso adelante, pero tío Bob la detiene y le dice:

—Cariño, Mo tiene que ir primero.

El rostro de tía Karen se pone carmesí, y da un paso atrás.

Una vez que todos están a bordo, el helicóptero sale rumbo al hospital. Hubo una breve discusión sobre si debían llevar mi cuerpo también, pero decidieron que regresarían por él.

Me alegro de que haya sido así, porque Mo ya ha tenido suficiente. Lo último que necesita es volar a un lado de mi cadáver congelado y mutilado.

Durante el vuelo, Mo mira por la ventana, entrecerrando los ojos a través de la nieve hacia el bosque interminable. Las lágrimas se deslizan por su rostro mientras contempla la inmensidad y la desesperanza de avistar a Chloe, Vance u Oz.

21

Mamá está sentada a solas en la ambulancia, esperando recibir noticias.

El Departamento de Policía del Condado de San Bernardino está a cargo de la operación de rescate, y al mando está un sujeto llamado Burns. Es el tipo de hombre que quisieras al mando. De complexión mediana, con la rapidez de un atleta y una firme asertividad que es reconfortante, especialmente a la hora de lidiar con mamá. Hace media hora, le ordenó que permaneciera en la ambulancia y que no interfiriera, y cuando mamá abrió la boca para protestar, su mirada severa la detuvo. Burns dirige la operación desde la parte trasera de una camioneta de policía, espetando órdenes a su equipo con una urgencia que transmite el sentido del tiempo, pero sin llegar al pánico. De vez en cuando, sale de la camioneta para mirar el horizonte, calibrando la oscuridad y la tormenta inminente, que se acercan con demasiada rapidez.

Cuando recibe la noticia del rescate, cruza apresuradamente el estacionamiento rumbo a la ambulancia y entra en ella.

—¿Qué sucede? —pregunta mamá al ver la sombría expresión de su rostro.

—Encontramos el vehículo. Su esposo va camino al Centro Médico Inland Valley en Riverside. Está vivo, pero su estado es grave.

Mamá cierra los ojos con fuerza y suspira aliviada al saber que papá todavía está vivo. Cree que estas son las malas noticias que Burns vino a darle, y le toma un minuto comprender que aún no ha terminado.

—Maureen y los Gold: Bob, Karen y Natalie —continúa — están siendo transportados en un segundo helicóptero al Centro Médico Big Bear.

Mamá asiente. Burns hace una pausa, y ella inclina la cabeza a un lado.

—Su hijo no está con ellos. No estaba en la casa rodante cuando llegamos. Según lo que nos dijeron los otros, tanto él como el perro se fueron por la mañana.

Mamá abre los ojos confundida.

—Debe ser un error. Oz no se marcharía. Simplemente no lo haría. No es algo que él haría. Mi hijo es…

Mamá siempre lucha con esto, nunca sabe cómo describir a Oz.

—Tiene una mente simple —dice finalmente—. No piensa por sí solo de esa manera.

La mandíbula de Burns se contrae nerviosamente, una señal ligera pero que revela sus emociones.

—Lo siento —dice—. Pero no está con ellos. El equipo de búsqueda ha recibido instrucciones para buscarlo también a él.

Mamá mira fijamente sus manos rojas y agrietadas, moviendo la cabeza hacia adelante y hacia atrás en un estado de negación, desconcierto o saturación.

—Las unidades caninas llegarán en cualquier momento —dice Burns—. Y todavía tenemos una hora, más o menos, antes de tener que detenernos, con suerte…

—¡Una hora! —grita mamá, interrumpiéndolo—. ¿Qué quiere decir con "una hora"? Mi hija y mi hijo están allá afuera. No pueden detenerse.

Mamá no menciona a Vance.

—Sra. Miller, estamos haciendo todo lo posible para encontrar a Chloe, Oz y Vance —dice.

Mamá se estremece al recordar que sus hijos no son los únicos chicos que están perdidos. No la culpo por no pensar en Vance. Yo no he pensado en él desde anoche. Mis pensamientos estaban ocupados con Chloe, Mo, Oz, papá y mamá; consumidos totalmente con los míos, los míos, los míos, sin espacio para preocuparme por los otros.

—Necesito ayudar —dice mamá, mientras intenta ponerse de pie.

—Sra. Miller, la mejor forma de ayudarnos es dejar que hagamos nuestro trabajo y estar aquí en caso de que la necesitemos. Y lo que necesito de usted en este momento es que me ayude a entender mejor a su hijo; cualquier cosa que pueda ayudarnos a encontrarlo, a averiguar hacia dónde pudo haberse dirigido mientras trataba de encontrarla.

—¿Estaba tratando de encontrarme? —pregunta.

—Según lo que nos dijo Bob, por eso se marchó. Así que, en este momento, necesito que me cuente un poco más sobre Oz.

La cara de mamá está escondida entre sus manos, y sus codos apoyados sobre sus rodillas.

No sé si es una distracción, o si Burns realmente necesita la información, pero es una buena idea asignarle una tarea a mamá. De este modo, tiene algo en lo que enfocar su atención y evita que se vuelva loca. Se queda pensando por un segundo, y entonces empieza. Yo me quedo atónita.

Mamá nunca mira a Oz, o parece que nunca lo hace, sin embargo, su descripción es espeluznantemente detallada. De algún modo, sin que nadie lo supiera, lo ha estudiado. Sus ojos están cerrados mientras describe el lunar debajo de su oreja izquierda, la marca de nacimiento en su muñeca que parece el estado de California, la cicatriz en su sien de cuando se cayó de la bicicleta hace dos años, el remolino en el nacimiento de su cabello que empuja su cabello hacia la izquierda. Sabe que lleva puestos unos calcetines de lana: uno gris y uno café porque su pie izquierdo es más grande que el derecho y el calcetín café es más delgado porque le gusta que sus zapatos se sientan uniformes. Está segura de que caminó hacia el sur en lugar de hacia el norte, porque eso es lo que habría tenido sentido para él, así como también está segura de que se esconderá si los rescatistas se acercan.

Mamá comienza a llorar cuando habla sobre lo fuerte que es y cuando le advierte a Burns que no se acerquen a Bingo a menos que Oz les dé permiso. Oz protege ferozmente a sus seres queridos. Su descripción es tan vívida que puedo verlo en sus palabras. Su voz tiembla con orgullo cuando habla sobre su corazón generoso y luego se suaviza al hablar de su lealtad, y mientras escucho, desearía que papá pudiera oírla o que Oz lo supiera.

22

Observó cómo el valiente equipo de rescate, ataviado con chamarras de color naranja brillante, espera a orillas del lugar del accidente la orden de descender en rapel y comenzar la búsqueda. Una docena de ellos están de espaldas al viento, mientras las ráfagas de granizo los acribillan y el viento ahoga sus voces. Ninguno se queja ni muestra señal alguna de rendición, y cuando les dicen que la operación se ha suspendido a causa de la tormenta puedo sentir su desesperación. Todos ellos tienen fotos de Vance, Chloe y Oz en sus teléfonos, y ninguno quiere dejarlos allí afuera otra noche. A regañadientes, regresan a los *jeeps* que los trajeron hasta aquí.

Cuando Burns le da la noticia a mamá, hacen falta tres oficiales para impedir que salga corriendo al bosque a realizar ella misma la búsqueda.

—¡Haldol! —grita Burns al paramédico que llega corriendo para ayudarlo. Mamá se agita violentamente, con los ojos desorbitados.

El paramédico saca una jeringa y la clava en el muslo de mamá antes de que ella pueda patearlo. Casi inmediatamente se desploma en sus brazos, y los hombres la cargan a la ambulancia, donde la amarran y la llevan al hospital.

Me siento aliviada. Han pasado más de treinta y seis horas desde que mamá durmió por última vez.

23

Me dirijo al hospital de Big Bear para ver cómo está Mo.

Entumecimiento. Esa es la palabra que dicen una y otra vez los médicos.

—Sentirás hormigueo, y es probable que no tengas sensación durante algunos días…

Quisiera que esa palabra solo se limitara a los dedos de pies y manos de Mo. Pero Mo tiene entumecido absolutamente todo, por dentro y por fuera. Mo asiente a las preguntas del médico y obedece las órdenes sencillas que le da, pero no dice nada. Tiene las pupilas del tamaño de la cabeza de un alfiler, y su cuerpo se hunde como si fuera una muñeca de trapo cuando el médico la pincha y la toca mientras la ausculta en busca de lesiones. Una de las enfermeras propone darle Valium, pero el doctor niega con la cabeza. Tal vez después, si es necesario. Prefiere que permanezca sin medicamentos mientras su cuerpo vuelve a aclimatarse.

Las lesiones de Mo se limitan al daño causado por el frío. Sus labios están hinchados y en carne viva, sus orejas están llenas de ampollas, sus manos y pies están entablillados y envueltos en gasas para tratar el congelamiento, y al principio, su temperatura corporal estaba unos pocos grados debajo de lo normal. A pesar de todo eso, sigue luciendo hermosa, y verla sentada sana y salva en el hospital, envuelta en una manta térmica, proporciona un alivio increíble.

La Sra. Kaminski irrumpe por la puerta, y Mo levanta la mirada lentamente.

—Mami —balbucea, y todo su cuerpo se estremece. El temblor comienza en los labios y se extiende hacia afuera hasta que todo su cuerpo se sacude. Pero ya está en los brazos de su madre, y la Sra. Kaminski la sostiene, absorbiendo la conmoción mientras besa a Mo en la cabeza y le dice que está aquí y que va a estar bien.

—Shhh, cariño —dice la Sra. Kaminski, ayudando delicadamente a Mo a recostarse con delicadeza. Mientras envuelve la manta térmica alrededor del cuerpo acurrucado de su hija, empieza a cantar una canción de cuna polaca que recuerdo que cantaba cuando Mo y yo éramos pequeñas. En cuestión de minutos, los ojos de Mo se cierran y su respiración se tranquiliza. La Sra. Kaminski no para de cantar. Toma una silla de la pared y la coloca junto a la barandilla de la cama, se sienta en ella, y canta y canta y canta.

Una hora después, Mo se mueve, pero no se despierta, y cuando grita mi nombre entre sollozos, es demasiado para soportar y me marcho de la habitación.

24

Están operando a papá.

Hay por lo menos doce personas alrededor de él, todos ataviados con batas y mascarillas. Su cabeza está envuelta en gaza, y hay un respirador en su boca. Un cirujano a su izquierda parece estar trabajando en su pecho, mientras que el de su derecha está concentrado en una incisión abierta por encima de su cadera. La pierna derecha de papá está sobre un soporte ortopédico, y la enorme herida donde el fémur rompió la piel está limpia, pero expuesta. Igual que los de Mo, sus pies y manos están entablillados y envueltos en gasa.

No se necesita tener un título médico para comprender que se halla en muy mal estado. Han pasado cuatro horas desde que fue trasladado en helicóptero, y parece como si apenas hubieran empezado. Les espera una larga noche.

25

Decido visitar a Burns para obtener una actualización de los planes para la búsqueda de mañana, y me sorprendo cuando descubro que estoy en una habitación con tío Bob, tía Karen y Natalie.

Desde su cama, tío Bob estrecha la mano del capitán mientras Burns se presenta con él.

—¿Cómo están los demás? —pregunta tío Bob.

Tía Karen está en la cama junto a la ventana. Tiene las manos envueltas en compresas calientes, pero no están entablilladas, y supongo que sus lesiones por congelamiento no son tan severas como las de papá y Mo. Natalie está acurrucada sobre un sillón reclinable en la esquina. La piel de sus dedos está agrietada pero fuera de eso se encuentra ilesa. Ambas están dormidas.

El tobillo de tío Bob está en una bota de neopreno y elevado sobre un bloque de espuma.

Si yo fuera una buena persona, me alegraría de que no tienen lesiones severas, de que sus dedos de pies y manos, sus costillas, pulmones y piernas están bien. Pero, por el momento, no soy una buena persona. Soy un espíritu enojado de alguien que está muerta y cuya familia y mejor amiga están sufriendo, y odio el hecho de que ellos tres estén tan condenadamente bien.

Burns le da a tío Bob un resumen sobre lo que ha pasado con mi familia y con Mo. El rostro de tío Bob palidece completamente cuando Burns le dice que la búsqueda fue suspendida y que Oz, Chloe y Vance siguen allí afuera.

Por la forma en que Burns dice el nombre de Chloe, me doy cuenta de que ella es la que más le preocupa. Quizá tiene una hija, o tal vez se debe a la descripción hecha por mamá, siendo Chloe la menos atlética y la que lleva más tiempo afuera. Tiene todos motivos para estar preocupado. Chloe no está bien; se está congelando lentamente en el hueco del árbol mientras pasan los segundos, tan lentos que no puedo seguir presenciándolo. Cada tictac es una daga en mi corazón.

—Trajeron a la Sra. Miller hace unos minutos —dice Burns.

—¿Ann está aquí? —pregunta Bob, enderezándose—. ¿En el hospital? ¿Está bien?

—Tuvimos que sedarla —dice Burns—. No es nada grave, pero por el momento, los médicos recomiendan mantenerla sedada hasta la mañana para que pueda descansar un poco. Por eso estoy aquí. Como Ann está sedada, no hay nadie de la familia disponible para hablar con la prensa, y estaba pensando que tal vez usted pudiera hablar en su nombre. Mientras más interés generemos en el público, más apoyo recibiremos para la búsqueda.

Tío Bob casi salta de la cama, tambaleándose luego por el mareo provocado al haberse levantado demasiado rápido.

—Tómese su tiempo —dice Burns—. Vístase, recupere fuerzas y reúnase conmigo en el salón cuando esté listo.

Tío Bob asiente, y Burns camina hacia la puerta. A mitad de camino, se detiene y voltea.

—Una cosa más —dice—. Hay algo que no me queda muy claro. El chico, Oz… Su mamá estaba segura de que no se habría marchado por sí solo. Usted le dijo al guardabosques que el chico había ido a buscarla. ¿Por qué haría algo así?

La mirada de tío Bob va de un lado a otro, mientras las distintas opciones de respuesta pasan por su cabeza.

—Oz es… Bueno, estoy seguro de que Ann se lo dijo… Es extraño.

¡Extraño!, grito. *¿Qué diablos significa "extraño"?*

—Y cuando se enoja, se pone emocional y ya no se puede razonar con él.

El rostro de Burns se mantiene impasible, y sus penetrantes ojos miran fijamente a tío Bob.

—Creo que la situación fue demasiado para él, y cuando se puso violento…

—¿Violento? —interrumpe Burns.

Tío Bob asiente, y dice:

—Sí, golpeó a Karen —dice, señalando con la cabeza hacia su esposa dormida—. Era su turno de tomar un poco de agua, pero Oz quería darle el agua al perro, así que se la disputó a Karen, y cuando esta no la soltó, Oz la golpeó.

Burns lanza una mirada a tía Karen, cuyo lado izquierdo de la cara está expuesto y completamente pálido, blanco y sin marcas.

—Fue entonces cuando lo llevé afuera. Le pregunté si quería ir al baño para alejarlo de los demás, con la esperanza de que eso lo tranquilizara. Pero cuando salimos, se le metió en la cabeza que necesitaba encontrar a su mamá. Intenté detenerlo, pero no pude hacer nada.

Burns asiente y comienza a voltear, pero entonces vacila.

—¿Cómo regresó al vehículo? —dice.

—¿Cómo hice qué? —pregunta tío Bob.

—¿Cómo regresó al vehículo? Ann dijo que Oz y Kyle eran los únicos suficientemente fuertes para subirse y volver a entrar. Le preocupaba que Oz fuera el único que quedaba para impulsarlos, pues creía que tal vez entraría sin recordar ayudar a los demás.

El breve titubeo antes de la respuesta de tío Bob es toda la confirmación que Burns necesita para comprender que hay algo mal en esa historia.

—Yo nunca me bajé de la caravana —dice. Como ya dije, Oz estaba enojado, y cuando Oz está enojado, es mejor mantenerse alejado. Así que cuando él y el perro se bajaron, yo permanecí encima.

—Bien —dice Burns, asintiendo—. ¿Entonces el chico se marchó cuando usted todavía estaba sobre la casa rodante?

Tío Bob asiente.

—Eso podría sernos útil. ¿Hacia dónde caminó? —pregunta Burns.

Trago saliva. Espero que tío Bob no responda enviando al equipo de rescate en la dirección equivocada. No tiene idea de hacia dónde caminó. Oz impulsó a tío Bob para que pudiera entrar en la caravana, y tío Bob ya estaba adentro antes de que Oz eligiera su camino.

—Se fue hacia la misma dirección que Ann y Kyle.

El pánico y la ira enrojecen mi visión. Oz caminó completamente en sentido contrario, cuesta abajo como dijo mamá, en la misma dirección que las luces traseras.

—Esa es información útil —dice Burns—. Lo veo en unos minutos.

El sonido de la puerta al cerrarse despierta a Natalie, quien se incorpora adormilada.

—Cariño, ¿puedes darle una mano a tu viejo? —dice tío Bob.

Entre los dos se las arreglan para vestirlo, y luego ella lo ayuda a ponerse de pie y le da sus muletas. Tío Bob sonríe al no poder descifrar cómo usarlas. En su favor, Natalie no se ríe con él. De hecho, parece como si estuviera a punto de vomitar. Si no es eso, entonces es un dejo de desagrado en la expresión de su rostro al mirar a su papá divertirse mientras este practica su caminata con las muletas para sus quince minutos de fama.

26

La Sra. Kaminski continúa sentada junto a Mo cantándole su canción de cuna, suavemente, casi como es un zumbido. Estoy a punto de irme a la conferencia de prensa cuando suena un teléfono, un único mugido de vaca, la señal de mi iPhone que me avisa cuando he recibido un mensaje. Mo debe haber tomado mi teléfono del lugar del accidente. Está en la mesa auxiliar junto al suyo.

Me desplazo hacia donde está para mirar la pantalla. Aunque *desplazarme* es la palabra equivocada, porque implica movimiento, aire y sensaciones, y aquí no hay nada de eso. No me muevo realmente; simplemente existo donde elijo, invisible y en silencio: un testigo o una conciencia, nada más.

La pantalla brilla.

"Mi mamá quiere saber de qué color es tu vestido para comprarme una corbata a juego. Espero que estés teniendo un lindo fin de semana. Te veo el martes. Charlie".

Trago saliva, y mis ojos se llenan de lágrimas. Sé que no debería sentir lástima por mí misma cuando hay tantos otros por quienes sentirla, pero no puedo evitarlo. Quiero ir al baile. Con Charlie. Quiero sentarme junto a Mo y distraerla hablándole de mi vestido y del color que debería usar, porque a Mo le interesan ese tipo de cosas. Quiero ayudar a Burns a buscar a mi hermano, a mi hermana y a Vance. Quiero decirle a mamá que siento haber destrozado su auto y lo que tío Bob le hizo a Oz. Quiero que encuentren a todos y que todos vayamos a casa. Quiero regresar a la escuela, ir a la universidad, y luego convertirme en la primera mujer entrenadora de las grandes ligas de beisbol. Quiero todas estas cosas.

Miro fijamente la pantalla de mi teléfono, que ahora está en blanco, mientras pienso en el vestido que debí haber elegido, tal vez verde porque combinaría con los ojos de Charlie. Pienso en él tomándome de la mano y llevándome a la pista de baile, y en cómo yo me río tontamente mientras Charlie me rodea por la espalda y me devuelve la sonrisa. Sé que nos reiríamos porque es gracioso. Sus amigos siempre se ríen de las cosas que Charlie dice.

Mo se mueve, se queja y dice mi nombre.

Estoy aquí, digo sollozando, aunque no estoy.

Mo se mueve otra vez, su rostro hace una mueca como si le estuviera doliendo algo. Me marcho de la habitación, pues me preocupa que sea mi angustia la que la está perturbando.

27

La habitación es del tamaño de un salón de clases y está repleta de reporteros y camarógrafos. Cerca de la puerta hay un podio con un micrófono. Burns está parado detrás de él, emitiendo una declaración. Es la primera vez que lo veo incómodo, y comprendo que, aunque es muy seguro de sí mismo cuando se trata de dirigir a su equipo, ser el centro de atención no es lo suyo.

Explica la situación rígidamente, junto con el plan de búsqueda para mañana, mientras tío Bob y Natalie están de pie a sus espaldas. Tío Bob se ha rasurado, y Natalie cepilló su cabello y lleva puesto brillo de labios y rubor.

Burns finaliza su declaración, y luego presenta a tío Bob, quien avanza con ayuda de las muletas.

—Señor Gold —dice una reportera con cabello rubio brillante—, ¿qué puede decirnos sobre la pesadilla que han experimentado usted y su familia?

Tío Bob parpadea varias veces, cegado por las luces y por la linda mujer que le está hablando.

—Eh, mmm, bueno, nuestra prioridad, eh… era sobrevivir la noche.

—¿Entonces decidieron quedarse allí?

Tío Bob asiente con la cabeza y dice:

—Habíamos caído desde muy alto, y estaba completamente oscuro y nevando. Encontrar una salida por la noche hubiera sido imposible.

—Pero... —dice la reportera, mirando sus notas— ¿Chloe Miller y Vance Hannigan decidieron intentarlo? ¿Fue una decisión grupal enviarlos a buscar ayuda?

Tío Bob traga saliva a causa de su tono ligeramente acusador, y sus ojos se entrecierran como si fueran un escudo de autopreservación.

—No, esa fue su decisión —dice—. Una decisión que tratamos de impedir, pero Vance estaba determinado a ir, y Chloe a acompañarlo.

Tío Bob hace una pausa y sacude la cabeza.

—No había nada que pudiéramos hacer —continúa, levantando la mirada nuevamente, y agrega con angustia genuina —: Solo son niños. Daría lo que fuera por tenerlos aquí y a salvo con nosotros.

La reportera asiente con solidaridad, y el resto de la gente a su alrededor asiente también.

—¿Y el tercer chico perdido? —pregunta—. Oz, ¿también intentó detenerlo?

—Sí —dice tío Bob con una seguridad impresionante —. Le supliqué que me escuchara, pero quería a su mamá —hace una pausa cuando sus emociones se apoderan de él, y luego, inhalando profundamente, continúa—: Oz tiene una discapacidad intelectual. Su determinación es fuerte, pero su mente no lo es tanto. Rezo para que los rescatistas lo encuentren. Sus padres son mis mejores amigos, y dejaron a su hijo a mi cargo. Si algo le pasa, nunca me lo perdonaré.

Mira hacia otro lado mientras las lágrimas llenan sus ojos, y suena tan convincente que yo misma casi le creo. Y cuando miro a los reporteros, con expresiones de profunda solidaridad y comprensión en sus rostros, sé que ellos también le creen, y quisiera poder aplastarle la cabeza con un Oscar por su actuación digna de un premio de la Academia.

—Sr. Gold —continúa la reportera, ahora con voz suave—, en una nota más positiva, su familia, Jack Miller y Maureen Kaminski fueron rescatados.

Tío Bob asiente y, haciendo lo mismo que ella, cambia el tema.

—Sí. Escuchar esos helicópteros sobre nosotros fue la respuesta de Dios a nuestras plegarias —dice.

—El equipo de rescate mencionó que, además de las lesiones sufridas durante el accidente, ustedes cinco estaban en un muy buen estado gracias a que tomaron algunas decisiones inteligentes para sobrevivir. ¿Es cierto que cubrieron el parabrisas con nieve para bloquear la tormenta?

—Sí, lo hicimos. La nieve actuó como aislante. Es la misma técnica que usan los esquimales.

Se me eriza la piel cuando escucho que no menciona a Mo ni le da crédito por su idea.

—¿Y también derritieron la nieve para convertirla en agua?

—pregunta la reportera.

—Teníamos un encendedor, un estuche para lentes de sol y la novela *Orgullo y prejuicio* —dice, todavía sin mencionar a Mo—. Gracias a Dios que Jane Austen escribía novelas tan largas.

La audiencia suelta pequeñas risitas.

—Muy ingenioso —dice la mujer—. Es un Indiana Jones de la vida real.

—No realmente —responde tío Bob sonrojado—. Cuando estás en una situación desesperada, tienes que arreglártelas para resolver las cosas. No hay alternativa.

Detrás de tío Bob, Burns frunce el ceño, pero sorprendentemente es Natalie quien da un paso al frente y dice:

—Papá, debemos irnos. Estoy cansada.

Tío Bob vuelve a la realidad, y una sombra de vergüenza atraviesa su rostro.

—Claro, cariño —dice, sin cruzar directamente la mirada con ella mientras pasa el brazo por su hombro y le da un beso reconfortante en un costado de la cabeza. Luego reajusta su muleta y por fin hace algo bien. Girándose hacia las cámaras, dice:

—Hay tres chicos que siguen allí afuera. La búsqueda se reanuda mañana. Por favor, envíen sus oraciones y cualquier apoyo que puedan brindarnos para encontrarlos.

Se aleja cojeando con Natalie a su lado. Los siguen las miradas de admiración de todos los presentes, excepto la de Burns. Sus ojos no dicen nada, pero su boca está cerrada con fuerza, y las comisuras hacia abajo indicando una expresión de sospecha y desconfianza.

28

Paso la noche con Chloe. Fui a ver a Oz, pero no pude quedarme, sus gritos llamando a papá eran demasiado para soportarlos. Sigue en la roca donde se detuvo a descansar con Bingo, pero este ya se ha ido. Aunque las huellas de sus patas se están desvaneciendo, indican que regresó a la casa rodante.

Chloe continúa acurrucada en el hueco del árbol, su cabeza encapuchada está apoyada contra sus rodillas. No hace ningún ruido. Puedo sentir su frío, su dolor y su miseria, y sé que se ha dado por vencida. Si dependiera de ella, haría que su corazón dejara de latir y que sus pulmones dejaran de respirar. Pero a pesar de su deseo, su sangre sigue bombeando y el aire continúa fluyendo.

Me siento a su lado y rezo para que mi alma tenga energía suficiente y pueda darle algo de calor. Mientras espero con ella, hablo. Le cuento qué se siente estar muerta y lo que le pasó a los demás. Le habló sobre la estúpida entrevista de tío Bob con los medios y lo imbécil que es incluso estando en una situación desastrosa como esta. A Chloe nunca le ha caído bien tío Bob, así que esto le gustará.

Cuando se me terminan los temas serios, empiezo a contarle sobre el mensaje de texto de Charlie. Le confieso que estaba pensando en usar un vestido verde porque combinaría con los ojos de él, sonrojándome al admitir mi cursilería. *No se lo digas a nadie*, le advierto. *No quiero arruinar mi reputación de chica ruda ahora que he llegado a la recta final.*

Le cuento que esperaba que Charlie usara sus botas de vaquero; las negras con costuras rojas, no las que son de color marrón. Luego me disculpo por todas las cosas que hice que no fueron amables. Le digo que lamento haberla acusado con el director cuando la vi fumando marihuana detrás del gimnasio, e inmediatamente la increpo para que deje de hacer eso, —le digo que es estúpido y que ella es demasiado genial para hacer cosas de ese tipo. Le confieso que los lentes de sol que creía perdidos están en mi cajón inferior debajo de mis camisetas de entrenamiento. Una de las micas se rompió cuando los tomé prestados sin decirle y me senté encima de ellos por accidente.

Hablo y hablo y hablo, y luego me detengo súbitamente. Escucho voces, que no son mías, seguidas del ladrido de un perro. Chloe no escucha. No se mueve. No comprende que está siendo rescatada.

¡Por aquí!, grito. *¡Aquí, aquí, aquí!*

Un husky o pastor o algún tipo de bestia asombrosa con el pelo largo y gris mete el hocico en su capucha, haciendo que Chloe lance un quejido. El perro saca la nariz y aúlla. Un par de minutos después, dos hombres vestidos con chamarras de color naranja están acuclillados junto a nosotras. Uno de ellos habla por un *walkie-talkie.*

—La encontramos. Tenemos a la chica —dice, con voz entrecortada por la emoción.

El otro presiona sus dedos contra el cuello de Chloe y levanta el pulgar.

—Está viva —dice el que habla por el *walkie-talkie.*

—Entendido. El helicóptero está en camino —responden desde el otro lado.

Aplaudo, celebro, giro, brinco y chillo, y no me importa que nadie pueda escucharme. Han encontrado a Chloe. Mi hermana va a estar bien.

29

Voy a donde está mamá. Quiero estar ahí cuando reciba la noticia. No me sorprendo cuando descubro que estoy en el área de preparación en vez del hospital. Mamá está sentada en el mismo lugar de ayer, en la parte trasera de una ambulancia, inmóvil y con la mirada perdida. Tío Bob está a su lado, sosteniendo su mano roja y agrietada.

La petición de ayuda de tío Bob funcionó. Más de cien voluntarios y personal de distintas agencias se unieron a la búsqueda. Hay ambulancias, camiones de bomberos, patrullas y un montón de *jeeps* y camionetas del Servicio Forestal.

A lo lejos, amenazan las nubes oscuras cargadas de nieve, pero por el momento no expulsan su cargamento.

Sobre el valle, dos helicópteros dan vueltas. Tengo pocas esperanzas de que localicen a Oz. Está escondido debajo de un espeso conjunto de árboles, y debido a la información errónea de tío Bob, la búsqueda se centra en la dirección opuesta a la que caminó Oz.

Burns abre la puerta de la ambulancia y una ráfaga de viento entra con él. Mamá se levanta de un salto, mientras sus ojos intentan descifrar la expresión de Burns.

—Encontramos a Chloe. Está viva —dice, y una sonrisa se dibuja en su rostro curtido.

—Gracias. ¡Ay, Dios mío, gracias! —dice, abrazando a Burns—. ¿Dónde está?

—El helicóptero la está llevando al mismo hospital donde se encuentra su esposo —responde.

—¿Está bien? —dice mamá.

Burns hace una pausa demasiado larga, y su vacilación succiona todo el aire de la ambulancia.

—Tiene una conmoción cerebral bastante grave, y todavía no están seguros del estado de sus manos y pies —responde.

Mamá se lleva los dedos a la boca y tropieza con tío Bob, que la atrapa. Su cabeza se sacude de un lado a otro como si tratara de borrar las noticias igual que un dibujo mal hecho en un pizarrón mágico, y tío Bob la ayuda a volver a su asiento.

—¿Debería ir con ella, o debería quedarme aquí? —pregunta aturdida a nadie en particular.

Creo que nunca había escuchado a mamá pedir consejo. Es una clara señal de lo consternada que está.

Burns toma la palabra.

—Le dieron un sedante a su hija, y estará dormida por varias horas. Así que debería quedarse aquí por el momento.

Una vez dada la noticia, Burns gira para salir de la ambulancia. La voz de mamá lo detiene.

—¿Y Vance? —dice.

Burns voltea y niega con la cabeza, y mamá esconde la cara entre sus manos. Tío Bob frota su espalda y le dice que todo va a estar bien. Pero no es así, porque cuando Burns sale de la ambulancia, escanea con la mirada el horizonte oscuro, y su boca se frunce profundamente mientras examina las nubes plomizas rodando hacia ellos y la nieve que ya ha empezado a caer.

30

Espero con mamá y tío Bob. La tormenta ha comenzado, y el granizo golpea el techo metálico como una escobilla de tambor. Un recordatorio constante de que ellos están secos y calientes mientras Oz y Vance están a merced de la tormenta.

Es difícil creer que hoy sea el Día del Presidente, el tercer día del fin de semana que tanto estaba esperando. Pienso en lo feliz que se suponía que debía estar ahora mismo: mi última mañana en las pendientes, tal vez haciendo *snowboard*, pero más probable esquiando. Se suponía que debía estar divirtiéndome como nunca, volando montaña abajo, pasando junto a Mo en la pista para principiantes, compitiendo contra Vance, subiéndome a los teleféricos con papá… todo esto mientras daba por sentado el día, la diversión y el momento, igual que hacen todos los mortales.

Tío Bob se comporta increíblemente gentil mientras espera junto a mamá. Le frota la espalda, no parlotea como suele hacer, y vigila por la ventana en espera de cualquier señal de cambio.

—¿Cómo está Karen? —pregunta mamá en un momento en que la tormenta de granizo es particularmente fuerte.

—Está bien —responde tío Bob—. Los doctores quieren mantenerla en el hospital un día más solo para estar seguros, pero está bien.

La boca de mamá se tensa formando una línea delgada, haciendo desaparecer sus labios. El dolor se mezcla con todas las otras emociones con las que está lidiando. Tía Karen no la ha llamado, y no está aquí. Las lesiones de mamá son más graves que las de tía Karen, y su pesadilla es mil veces peor, pero tía Karen ni siquiera le da hado el pésame.

—Ella no es como tú —dice tío Bob—. Karen no es fuerte. Ya se le pasará. Solo necesita procesar las cosas.

—¿Se le pasará? ¿Procesar las cosas? —sisea mamá, mientras su dolor se transforma rápidamente en resentimiento—. ¿Qué diablos se supone que significa eso? Que yo sepa, ella aún tiene viva a su su hija.

—Está molesta —dice tío Bob—. Y está preocupada por Natalie. Ya sabes cómo se pone. Se obsesiona.

Mamá rodea su propio cuerpo con sus brazos.

—Dale tiempo —dice tío Bob.

Mamá no responde nada. Hay algunas cosas que el tiempo no puede sanar. Ella y tía Karen han sido amigas por veinte años, pero este momento no se olvidará ni en toda una vida.

Mary Beth, la conductora de la ambulancia, se gira desde la cabina para mirarlos.

—Encontraron a Vance —dice—. Los helicópteros lo localizaron cerca del Campamento Pineknot. Todavía estaba caminando, lo cual es una buena señal.

Tío Bob besa a mamá en la cabeza y la abraza con más fuerza, ambos toman esta noticia como una señal prometedora para encontrar a Oz.

Unos minutos después, su renovada esperanza se desvanece cuando Mary Beth voltea nuevamente y dice:

—Los helicópteros han dejado de buscar por hoy. El clima es demasiado peligroso.

Mamá apenas reacciona, un latigazo más después de haber recibido otros mil. Ya no puede dar más.

—Resiste —dice tío Bob—. Oz es fuerte, y los equipos de búsqueda a pie continúan buscando.

Es mediodía cuando Burns camina hacia la ambulancia. El viento golpea su cara obligándolo a esconder la barbilla en el cuello de su abrigo.

Tío Bob le da un codazo a mamá cuando ve a Burns por la ventana, haciendo que levante la cabeza. Esta vez no espera a que Burns llegue hasta ellos. Saliendo de la cálida ambulancia, se apresura hacia adelante con el rostro tan esperanzado que la crueldad de la situación me destroza el corazón.

Burns desvía la mirada hacia la izquierda, y luego hacia algún lugar en el suelo junto a ella. Mamá se detiene abruptamente. Su respiración se entrecorta y llevándose la mano a la boca sacude la cabeza, mientras la otra posibilidad de por qué Burns ha venido a hablar con ella se apodera de su mente.

—Encontramos al perro —balbucea, antes de que mamá pueda terminar de sacar la conclusión equivocada, impidiendo que su esperanza se aniquile por completo… Al menos no todavía.

Mamá parpadea varias veces rápidamente mientras asimila la noticia, y luego, sin decir una palabra, voltea y regresa a su vigilia. Encontraron a Bingo. Oz sigue allí afuera.

31

—¿Qué opina? —pregunta un ayudante acercándose a Burns. El hombre lleva las manos metidas en los bolsillos y los hombros pegados a las orejas para proteger su rostro de la nieve que ahora cae de lado.

—Veinte minutos más —dice Burns—. Le daremos un poco más de tiempo.

Una hora después, cuando el blanco de la tormenta lo cubre todo, Burns toma la decisión que esperaba no tener que tomar y ordena suspender la búsqueda por ese día.

Es una sentencia de muerte para mi hermano, y todos los saben: el equipo de rescate, Burns, mamá. Se acerca otra tormenta, y pasará un día, tal vez dos, antes de que la búsqueda se reanude. Nadie podría sobrevivir tanto tiempo.

Es el peor resultado posible, peor que si lo hubieran encontrado muerto. Observo mientras el equipo de búsqueda regresa a sus autos, con las cabezas inclinadas en señal de derrota y modificando sus plegarias, ya no esperan que Oz siga vivo, sino que esté muerto y ya no sufra más. Oz no está muerto. Está acurrucado sobre la roca donde Bingo lo dejó, ya no llama a mamá ni a papá. Está solo, aterrorizado y temblando, y verlo así me destruye.

Aunque sé que no puede escucharme, le digo que lo amo y que Bingo está a salvo, y luego me marcho, profundamente avergonzada por ser demasiado cobarde para quedarme.

Cuando Burns le da la noticia a mamá, ella apenas reacciona. Le da las gracias por haber mantenido afuera a la tripulación tanto tiempo, luego recoge sus cosas de la ambulancia y camina con tío Bob hacia la patrulla que los espera. Esta la llevará al centro de urgencias en Riverside donde están tratando a papá y a Chloe.

Está conmocionada, me digo a mí misma, ahuyentando la otra impresión que me golpeó cuando mamá recibió la noticia: *alivio.*

¡No!, grito. *Es resignación.* Mamá sabía lo que sucedería y, por tanto, ya lo estaba esperando; la noticia no fue una revelación y por eso no fue tan devastadora como habría sido si hubiera seguido guardando la esperanza o si la hubiera tomado por sorpresa. Su único crimen es no tener la energía suficiente para fingir, para aparentar que está destruida como todos esperan que lo esté, yo incluida.

—¿Quieres que te acompañe? —pregunta tío Bob mientras abre la puerta de la patrulla para que mamá entre.

—No, Karen y Natalie te necesitan —dice mamá negando con la cabeza.

Tío Bob la abraza, y mamá se derrite contra él, con la cabeza apoyada sobre su pecho y la barbilla de Bob recargada en el cabello de ella.

—Estoy aquí si me necesitas —le susurra, y la ternura entre ellos me hace preguntarme si acaso existe algo más que una simple amistad. El cariño de tío Bob por mamá es evidente. Siempre lo ha sido. Pero los sentimientos de ella hacia él no están tan definidos.

32

Mamá se sobresalta al ver a Chloe en la cama. Su cabello está revuelto alrededor de su frente, y un trozo de gasa le cubre la herida. Tiene los ojos cerrados. Está cubierta con una sábana blanca, y sus manos vendadas han sido colocadas encima de su cuerpo. La luz de la luna entra a raudales por la ventana, rebotando en su pálida piel y haciéndola brillar. Parece un ángel herido, y siento cómo el pecho de mamá se relaja aliviado al verla, tanto que apenas se percata de las orejas ampolladas de Chloe o de los huecos azules alrededor de sus ojos o de las puntas negras de los dedos de sus pies y manos que sobresalen por las tablillas.

Me siento junto a mamá mientras esperamos a que despierte. Las enfermeras entran a la habitación frecuentemente para ver cómo está y cambiar sus vendajes mientras las máquinas zumban y giran a su alrededor. El pitido constante y las líneas serpenteantes son tranquilizadores. Aunque tiene una fiebre altísima y su respiración es a veces errática, su pulso mantiene un ritmo estable y reconfortante.

Aubrey llega un poco antes de las ocho. Es extraño, su apariencia es exactamente la misma de antes, y resulta desconcertante verla. Es como mirar directamente al sol, duele verla y al mismo tiempo se siente increíble.

Mamá se levanta, y ambas se funden en un abrazo.

Aubrey es la niña de mamá. Ama a papá, y papá la ama a ella, pero Aubrey es la niña de mamá. Tienen una de esas relaciones madre-hija tierna, divertida y sencilla. A ambas les encanta ir de compras, las películas cursis, y podrían pasar todos los días en un spa dejándose consentir, y todas las tardes visitando los últimos restaurantes del Condado de Orange. Siempre bromeábamos con ellas diciéndoles que deberían convertirse en una dupla de críticas gastronómicas madre-hija. Serían excelentes. Aubrey sería generosa, y mamá sería quisquillosa y exigente.

Se sientan una al lado de la otra, como si fueran un reflejo, con los pies en el suelo y las manos cruzadas sobre sus muslos. Aubrey ha estado llorando. Lo sé porque tiene los ojos rojos y no lleva rímel, señal de que sus sensibles conductos lagrimales están inflamados.

Pero ahora, al estar sentada junto a mamá, su actitud es estoica. No habla mucho, la preocupación se dibuja en su rostro mientras observa a Chloe y piensa en mí, girando distraídamente el anillo de compromiso en su dedo y contando las gemas en silencio. Cuando recibió el anillo, nos dijo orgullosamente que tenía veintidós diamantes pequeños alrededor de la piedra central para simbolizar cada uno de los meses que ella y Ben habían estado juntos antes de que él le propusiera matrimonio. Yo miré el anillo, y solo para molestarla, le dije que había únicamente veintiún diamantes. Aubrey debió haberlos contado como cien veces después de lo que dije, y se convirtió en una broma recurrente, donde todos se burlaban de ella y le preguntaban si estaba segura de que había veintidós diamantes.

—Pusieron a papá en un coma inducido médicamente

—dice después de un tiempo— para ayudar a que su cerebro se desinflame.

Mamá asiente. Los doctores le informaron sobre el estado de papá antes de que Aubrey llegara. La cirugía salió bien. Volvieron a unir su pierna y le extirparon el bazo, pero no sabrán el grado del traumatismo cerebral hasta que despierte, lo que esperan que ocurra en una semana aproximadamente.

—Va a estar bien —dice Aubrey—. Chloe también.

Aubrey no menciona a Oz, ni habla de que él sigue allá afuera y que todavía hay esperanza, y mamá tampoco lo hace. Y mientras más espero a que lo hagan, más molesta me siento, hasta que, incapaz de soportarlo un segundo más, me marcho.

33

Llego a la habitación de Mo cuando la puerta se abre y tía Karen entra, haciendo que la Sra. Kaminski se aleje de su vigilia junto a la cama. Se levanta rápidamente y lleva a tía Karen de regreso al pasillo.

—¿Cómo está? —pregunta tía Karen con rostro preocupado cuando la puerta se cierra.

Tía Karen sufrió congelación de primer grado en sus dedos y una conmoción leve. Pero después de pasar un día en el hospital, está casi completamente recuperada. Su cabello está peinado y su maquillaje aplicado perfectamente, y de no ser por el ungüento brillante que lleva en sus manos, se ve exactamente como antes del accidente.

La Sra. Kaminski la examina durante un largo rato antes de responder a su pregunta con otra pregunta:

—¿Natalie no está herida?

—No —dice tía Karen—. Tuvo suerte.

Los ojos de la Sra. Kaminski permanecen fijos en los de tía Karen mientras dice:

—Maureen también tuvo suerte, aunque quizá no tanta como Natalie, cuyos dedos de manos y pies están bien, ¿cierto?

Tía Karen asiente, mientras su preocupación por Mo se endurece. La Sra. Kaminski continúa mirándola un largo rato antes de decir:

—Me estremezco solo de pensar en el frío que debe haber hecho ahí afuera, y en lo asustada que mi hija debe haber estado.

Tía Karen cambia de posición.

—¿Has visto los dedos de los pies de Maureen? —dice la Sra. Kaminski.

Tía Karen traga saliva mientras niega con la cabeza.

—Están mucho peor que los dedos de sus manos —dice, mirando los pies de tía Karen—. Sus pies no pueden soportar su propio peso, como lo haces tú.

Siento que tía Karen dobla los dedos de sus pies dentro de sus zapatos.

El abrigo de setecientos dólares de Natalie resultó valer cada centavo. El largo y grueso abrigo no solo protegió a Natalie del frío, sino que también salvó los pies de sus papás. Tía Karen y tío Bob pudieron meter sus pies debajo de él.

—Sus dedos siguen estando casi blancos —continúa la Sra. Kaminski—. Me dicen que eso es una buena señal. La palidez significa que solo la piel estaba congelada. El color negro es malo: significa que la circulación se interrumpió para conservar el calor para los órganos vitales.

Tía Karen vuelve a tragar saliva, y el color desparece de su rostro.

—Los dedos de los pies de Maureen están prácticamente negros. Como piedras. Como si estuvieran hechos de lava endurecida y no de carne y hueso.

La Sra. Kaminski se detiene, sus ojos se mantienen fijos en los de tía Karen por un segundo completo antes de continuar:

—Es difícil imaginar el frío que causó eso. Pero sí, como dices, nuestras hijas tuvieron suerte. Necesito recordarme eso, lo *suertudas* que fueron.

Tía Karen abre la boca intentando decir algo, pero la Sra. Kaminski no ha terminado. Sus palabras son afiladas como dagas cuando dice:

—Cada segundo que paso en esa habitación, me recuerdo a mí misma que mi hija está aquí mientras que Finn está muerta y que tuvimos suerte. Pero cuando miro los dedos de los pies de Maureen y pienso en el frío, no puedo evitar pensar en Natalie y preguntarme por qué los dedos de los pies de mi hija están tan negros y los de tu hija no. Y pienso que, si fue suerte, entonces la suerte es cruel e injusta. Ambas estaban en ese vehículo, ambas tenían miedo y estaban asustadas, ambas llevaban puestas botas que no las protegían y, sin embargo, solo mi hija está en peligro de perder los dedos de los pies, y es difícil para mí entender por qué tu hija tuvo tanta *suerte*, y la mía no.

Sin esperar a recibir una respuesta, la Sra. Kaminski se da la vuelta y regresa a la habitación, dejando a tía Karen sola y temblando en el pasillo. La observo mientras intenta alcanzar la pared para sostenerse. Respira agitadamente intentando aspirar aire por la boca abierta y sacudiendo la cabeza como si intentara despertarse de un sueño.

Siempre me pregunté cómo era posible que Mo fuera hija de la Sra. Kaminski. Cómo una mujer tan afable podía ser la madre de un espíritu de fuego. Ahora lo sé. Las apariencias son engañosas, y las personas no son lo que parecen. Tía Karen no volverá a mirar los dedos de los pies de Natalie sin pensar en

Mo, ni volverá a verse en un espejo sin escuchar las palabras de la Sra. Kaminski: “Es difícil para mí entender por qué tu hija tuvo tanta *suerte* y la mía no”. La Sra. Kamisnki no es débil, y tía Karen no es bondadosa ni generosa, aunque si le preguntas a mil de las personas que las conocen, casi todas pensarían lo contrario.

34

Si Mo no tuvo tanta suerte como Natalie, Chloe estaba completamente maldita.

Los doctores tienen cuidado de no decir la verdad a los seres queridos, reservando su honestidad para cuando discuten entre ellos. Chloe va a perder algunos dedos de los pies y tal vez también de las manos. No se sabe cuántos exactamente, pero no podrán salvarlos todos. También están preocupados por sus orejas, y han llamado a un cirujano plástico para consultarlo.

Dejo a los doctores en el pasillo y regreso a la habitación de Chloe para ver por mí misma cómo está. Ha pasado un minuto solamente cuando de pronto se sacude abriendo los ojos. Sus pupilas se mueven de un lado a otro y su rostro se contrae por el pánico, y se desploma nuevamente sobre la almohada, yéndose otra vez.

—¿Qué fue eso? —pregunta Aubrey.

—Miedo —balbucea mamá, acercando más su silla y tomando la muñeca de Chloe por encima de su mano vendada para hacerle saber que está allí. La toca con mucha delicadeza, como si fuera a romperse, y bien podría suceder. La piel de Chloe es tan blanca que luce como un cristal y su cuerpo pequeño debajo de la sábana parece tan quebradizo como un montón de ramitas. Chloe murmura algo, y mamá frunce el ceño. Solo yo entiendo lo que dijo, y eso hace que mis ojos se abran desmesuradamente y que mi corazón se acelere. Dijo claramente: “Botas negras, costuras rojas”.

Chloe gime, despertándose de nuevo, esta vez más lentamente y retorciéndose de dolor.

—Ve por la enfermera —ordena mamá a Aubrey, quien se levanta de un salto y sale corriendo de la habitación. Luego le dice muy suavemente a Chloe. —Estoy aquí, cariño. Mamá está aquí.

Chloe retira su muñeca de la mano de mamá y cierra los ojos con fuerza, suplicando poder volver a la inconsciencia, y afortunadamente una enfermera entra en la habitación e inyecta algo en su vía intravenosa que responde a su súplica.

35

Voy a donde está Oz. Chloe me escuchó: "Botas negras, costuras rojas". Me escuchó en sus sueños.

Me acurruco junto a él y le digo que estoy aquí. Le cuento que ya encontraron a Chloe y que va a estar bien. Le digo que papá está en el hospital y que ha estado preguntando por él, y que Bingo está a salvo. Le digo que se portó muy bien y que fue de mucha ayuda. Le digo que, gracias a él, encontraron a mamá y que su rastro llevó a los rescatistas hasta ella. Le digo cuán especial, fuerte y valiente es. Le digo cuánto lo amamos y lo mucho que lo vamos a extrañar. Le cuento sobre el cielo y que es un lugar hermoso donde no hay reglas y nadie se enoja contigo si cometes un error. Le cuento que puede poner malvaviscos en toda su comida, incluso en un bistec, si quiere, y que todos los ángeles son tan hermosos como Mo, con hermosas alas doradas, y que les encanta tener peleas de agua y construir muñecos de nieve. Continúo hablando hasta que la oscuridad se vuelve gris y el horizonte empieza a brillar.

Todavía estoy hablando cuando de pronto sus temblores se detienen, su muerte es tan tranquila que apenas me doy cuenta. Su pecho se eleva y desciende por última vez, y luego su boca se abre y Oz se queda inmóvil.

Rezo por su alma, suplicándole a Dios que lo lleve rápidamente a un cielo como el que le prometí, un lugar amable y comprensivo, un lugar más tolerante y menos confuso para un niño especial como Oz.

Cuando mi dolor se transforma en odio, voy a la fuente del mismo, deseando también un infierno que castigue a tío Bob por lo que hizo.

36

Es engañoso. Crees que los que sobrevivieron son los que están bien.

Ha pasado una semana desde el accidente, seis días desde que mamá salió a pedir ayuda, cinco desde que encontraron a Chloe y a Vance.

A Oz nunca lo encontraron. La búsqueda se reanudó en el instante en que la tormenta se disipó, y luego fue suspendida dos días después.

Dos muertos. Los otros se están recuperando y podrán reanudar sus vidas, retomarlas donde las dejaron.

Eso es lo que uno pensaría, ¿cierto? Pues no es así.

Como un manto de espinas, las terribles repercusiones se han asentado sobre los supervivientes. La urgencia de mantenerse con vida se ha transformado en algo completamente distinto. Las glándulas suprarrenales ya no trabajan a marchas forzadas; el agotamiento y la conmoción ya no adormecen el cerebro; y la realidad de la vida después del accidente se ha filtrado en la conciencia como una lenta hemorragia, un silencioso embrujo del frío y del sufrimiento que los desagarra a todos con cada respiración.

El terror retuerce mi estómago en un dolor constante a

medida que comprendo que lo peor está por venir. La negación y el arrepentimiento, el agradecimiento lleno de vergüenza y la culpa, el dolor y la desesperanza se arremolinan en los pensamientos y sueños de mamá, Chloe y Mo; cada una tan aterrorizada por lo que pasó que evitan dormir por temor a recordar.

Pienso en ese ciervo en el camino, en su ojo marmoleado asustado parpadeando a través del parabrisas, y me pregunto si es consciente del daño que causó, o si no lo sabe, y continúa su vida ignorando por completo lo caro que costó haber salvado su vida.

Tío Bob, tía Karen y Natalie han regresado a su hogar en el condado de Orange. Me alegro de que se hayan ido. Aunque la presencia de tío Bob era reconfortante para mamá, a mí me enfurecía. Me parece sumamente injusto que la misma falta de conciencia que le permitió hacer lo que hizo, también lo proteja de los efectos postraumáticos que afectan a los demás. Su tobillo ya está prácticamente curado, su familia está sana y completa, está siendo aclamado como un héroe, y duerme tranquilo por la noche.

Si pudiera mostrarle el sufrimiento de mi hermano, lo haría. Cada vez que cerrara los ojos, lo torturaría con una grabación interminable de los llantos de Oz, de su confusión y sus gritos llamando a papá, a mí, a Mo; la banda sonora completa de su muerte solitaria, terrible y lenta. Algunas veces esperaría en silencio, permitiéndole creer que ya ha sido perdonado, y entonces pondría la grabación a todo volumen, atormentándolo sin piedad hasta que el simple hecho de pensar en dormir le causara terror.

Pero no puedo reproducir el sufrimiento de Oz y, por tanto, igual que el ciervo, tío Bob sigue con su vida, inmune y sin arrepentirse. Sus pensamientos nunca se remontan a esa noche espantosa ni al momento en que echó a Oz, nunca reflexiona en el papel que desempeñó en esa cadena de eventos desafortunados, y por eso no sufre las consecuencias de lo que hizo y no experimenta el menor sentimiento de responsabilidad o remordimiento.

Los demás no han sido bendecidos con la misma falta de introspección. Sus conciencias braman constantemente, mientras los *debería* y los *hubiera* resuenan en sus cerebros. No soportan verse tal y como son en estos momentos: los reflejos son demasiado claros, muy poco favorecedores, sumamente brutales y honestos, y comprendo que no estamos destinados a vernos a nosotros mismos tan claramente, sin el disfraz del ego y la ignorancia, con nuestras verdaderas personalidades reveladas.

Mamá, Mo y Chloe sufren por distintos arrepentimientos, aunque la causa principal es la misma: un ferviente deseo de regresar el tiempo, invertir el destino y ser mejor de lo que eran.

Mamá piensa principalmente en Oz. "¿Me despedí de él?", murmura en voz alta frente al espejo.

No lo hizo, pero ella no está segura, y yo deseo desesperadamente que logre convencerse a sí misma de que sí lo hizo.

También se tortura pensando en lo que le pasó a Chloe. Lloró incontrolablemente cuando se lo contó a Aubrey, y no importó que esta le dijera más de mil veces que no era su culpa, nunca logró convencer a mamá. Tío Bob también le recordó que ella trató de detenerla. Se lo dijo enérgicamente, casi con enojo, asegurándole en términos inequívocos que no había absolutamente nada que ella pudiera haber hecho.

Lo odio, pero me alegro de que haya dicho eso.

Desafortunadamente, Chloe no siente lo mismo. Odia abiertamente a mamá, irradiando culpa cada vez que está cerca de ella. Mi hermana pasó casi treinta horas acurrucada en el hueco de un árbol, y eso es mucho tiempo para estar a solas con tus pensamientos y tu perspectiva de las cosas puede distorsionarse. No estoy segura de cómo recuerda Chloe las cosas, solo sé que en su versión alterada no hay lugar para el perdón.

Es difícil saber qué piensa Chloe, porque no habla. Desde que la rescataron, la única vez que dijo algo fue para preguntar por Vance, y sus ojos se llenaron de lágrimas cuando escuchó que estaba vivo. Luego su corazón quedó destrozado cuando le pidió a una enfermera que lo llamara por teléfono, y la mamá de Vance le dijo que no quería contestar la llamada.

Desde entonces, Chloe no ha dicho una palabra, y no ha hecho mucho. Pasa todo el día acostada sobre su costado, con la cara mirando hacia la ventana. Algunas veces sus ojos están abiertos, aunque la mayor parte del tiempo están cerrados. Se niega a comer o a ir al baño. Una sonda intravenosa la alimenta, y utiliza pañales, e incluso cuando se ensucia se niega a moverse.

Es una cosa horrible de ver, y creo que el olor debe ser repugnante: carne gangrenada, orina y heces. Mamá debe haberse acostumbrado porque no reacciona, pero todos los demás hacen una mueca cuando entran a la habitación y se apresuran a terminar lo que tienen que hacer para poder escapar.

Ya le han amputado un dedo del pie izquierdo y dos del derecho, junto con el tercio superior de su dedo meñique izquierdo. Un cirujano plástico retiró varias ampollas infectadas de sus orejas, y sus lóbulos ahora están torcidos y deformados. Los dedos restantes de los pies están negros y parece como si fueran a caerse en cualquier momento, aunque los doctores tienen la esperanza de poder salvarlos.

A pesar de todo, mamá permanece con ella, sentada vigilante a su lado, casi sin parpadear. Solo yo puedo ver el trabajo que le cuesta entrar en la habitación cada mañana, lo profundo que respira antes de abrir la puerta.

Pero una vez que está adentro, sentada en la silla junto a la cama, su actitud es estoica: silenciosa e inmóvil mientras observa respirar a Chloe, con una mirada tan devota en su rostro que me estremece el corazón y me hace preguntarme cómo puede alguien amar tanto a otra persona, y sin embargo desear desesperadamente no estar cerca de ella. Así era también antes del accidente, ambas tenían la costumbre de evitarse mutuamente, escuchando la dirección que tomaba la otra para evitar el camino. "Agua y aceite", dijo papá una vez, pero Aubrey meneó la cabeza corrigiéndolo: "Aceite y aceite. ¿No ves lo parecidas que son?". Creo que ambos tenían razón: las dos son completamente opuestas por fuera, pero tienen el mismo temple obstinado por dentro, haciendo imposible que se lleven bien.

Algunas veces mamá piensa en Kyle. Lo sé porque veo su mano derecha abrirse y cerrarse mientras su rostro se estremece. Y muchas veces también piensa en mí. Las lágrimas llenan sus ojos y sus labios tiemblan.

Y es lo mismo una y otra vez, un ciclo interminable de dolor y tortura mientras espera a que papá y Chloe se recuperen: arrepentimiento por Oz, Chloe y Kyle, preocupación por papá, dolor por mí.

El sufrimiento de Mo es distinto: perdió tanto tan rápidamente que no logra comprenderlo. Su burbuja de cristal se hizo añicos y ahora el mundo es un lugar incomprensible. Su vida perfecta, su mejor amiga perfecta, sus dedos de manos y pies perfectos. Su intrepidez, su bendita ignorancia, su espíritu indomable. Su fe en la bondad, en el optimismo, en el bien y el mal. Su fe en sí misma y en cómo se veía a sí misma. Todo se destruyó en un millón de esquirlas afiladas que no tienen sentido y que la paralizan impidiéndole superarlo.

—Me alegré de que hubiera sido Finn —se lamentó con su madre la mañana que despertó en el hospital—. ¿Cómo… cómo pude haber pensado eso? Finn estaba muerta, y mi primer pensamiento cuando la vi fue sentirme aliviada de no ser yo.

—Shhh, cariño —la tranquilizó la Sra. Kaminski—. No podemos controlar nuestras reacciones, solo nuestras acciones.

—Bueno —respondió Mo—. Oz no volvió con Bob, y yo no hice nada. Nada. Inacción. NO HICE NADA.

Al escuchar esto, la Sra. Kaminski solo pudo asentir, mientras sus ojos se llenaron de lágrimas. Mo llora todo el tiempo. Rara vez duerme, y cuando está despierta, llora. Su doctor ha dado autorización para que la transfieran al Hospital Mission en Laguna Beach, donde deberá permanecer hasta que los dedos de sus pies ya no corran peligro de sufrir una infección: por lo menos otras dos semanas.

Los doctores dicen que sus pies están mejorando, aunque se ven peor. Igual que una cebolla podrida, la capa superior de la piel tiene motas de color marrón y dorado con manchas negras, y está agrietada y ampollada. Los trozos de carne muerta comienzan a caer revelando la piel tierna y rosada debajo.

Mo se niega a mirar sus pies o su nueva vida, incapaz de aceptar que esas partes grotescas son suyas.

37

Los doctores han decidido que es hora de despertar a papá. La inflamación en su cerebro finalmente ha disminuido, y sus signos vitales son estables. Son las últimas horas de la tarde: una hora elegida por su cercanía a la noche, ya que recuperar la conciencia puede tomar tiempo, a veces horas, y la tranquilidad y oscuridad ayudarán a minimizar el estrés.

Su pierna derecha está en un complicado aparato con correas, tornillos, resortes y un montón de tubos y cables salen de sus brazos como enredaderas salvajes. La vista de todo eso me maravilla, dejandome asombrada por la medicina moderna y los brillantes doctores que pudieron salvarlo.

Su cara está oculta detrás de una espesa barba de una semana, y ha perdido mucho peso, sus mejillas están hundidas y su cuerpo, normalmente robusto, parece casi frágil bajo las sábanas. Pero sigue siendo él, con esa fortaleza noble en la forma de su mandíbula y un vestigio de risa en las líneas alrededor de sus ojos, y al verlo, lo extraño tanto que quisiera gritar a los doctores que se den prisa. Mamá está de pie junto a la cama, sosteniendo su mano, la expresión de su rostro es una mezcla de terror y preocupación, y me pregunto qué estará pensando.

El anestesiólogo introduce una jeringa en su vía intravenosa.

Pasan los minutos, y finalmente el pulso en las máquinas se acelera, y papá empieza a agitarse. Su pierna sana se mueve debajo de la sábana, y la mano que mamá no sostiene se cierra. La vena en su cuello empieza a palpitar, y su boca se arruga cuando dice mi nombre. Luego llama a Chloe, y el anestesiólogo mira con preocupación al doctor de papá.

—Está bien, Jack —dice mamá para tranquilizarlo, acercándose a él y poniendo su otra mano en la de papá, y como si sus palabras estuvieran mezcladas con cloroformo, papá vuelve a desplomarse sobre las sábanas. Absorbo mis lágrimas, porque comprendo completamente el dolor que enfrentará cuando se despierte de nuevo y descubra lo que sucedió.

Todos exhalan, porque también se dan cuenta, y unos minutos después, cuando vuelve a agitarse, el anestesiólogo tiene lista una jeringa en sus manos. Pero esta vez no es tan mala como la primera, y observo cómo se mueven sus ojos frenéticamente mientras mamá dice su nombre, y cuando la encuentran se fijan en ella.

—Está bien —dice mamá—. Estamos bien.

Es mentira, pero es la mentira perfecta.

—¿Chloe? —dice, con voz rasposa.

—Está aquí. Está bien.

Papá cierra los ojos profundamente aliviado. No sabe que también debe preguntar por Oz. Da por sentado que Oz está bien, que mi hermano fue rescatado junto con él.

—Señor, Miller —dice el doctor, dando un paso adelante y haciendo que mamá retroceda.

El doctor le hace una serie de preguntas para evaluar si hay daño cerebral, y afortunadamente parece no haberlo.

—Eres un hombre con suerte —dice el doctor cuando termina.

No creo que papá esté de acuerdo. Intenta contener sus emociones, pero el esfuerzo lo hace temblar. No escucha cuando el doctor le dice que ya no tiene bazo, que su pierna tardará de cuatro a seis meses en sanar, que tendrá una cojera permanente, que estará en el hospital dos semanas más y que tendrá que usar una silla de ruedas por otras cinco, que necesitará recibir terapia física varias veces a la semana por lo menos durante un año.

Papá no escucha nada de esto, sus ojos permanecen fijos en mamá, sosteniendo su mirada y ofreciéndole toda la fuerza y el valor que no pudo cuando estaban en la montaña. Su culpa es gigantesca; puedo sentirla. No tanto por el accidente, porque papá es un firme creyente de que no controlamos nuestra suerte, sino más bien por no haber podido detenerlo una vez que comenzó, cambiar las cosas o arreglarlas y proteger de algún modo a su familia.

Finalmente, el doctor se marcha, y cuando el pestillo se cierra detrás de él, mamá empieza a llorar, exhalando grandes sollozos que fluyen sin control. Sus hombros se estremecen mientras el dolor la sobrepasa.

Haciendo una mueca de dolor, papá se mueve unos centímetros a la derecha y extiende su mano, y como una niña pequeña, mamá trepa a la angosta cama junto a papá. Su cuerpo se amolda al de él, su pierna izquierda cae sobre la pierna sana de papá y su brazo le rodea el pecho. Papá toma la mano de mamá entre las suyas y apoya la barbilla sobre su cabeza.

Así permanecen toda la noche, entrelazados juntos, papá recuperando y perdiendo la conciencia, y mamá durmiendo profundamente por primera vez desde hace una semana.

38

Aubrey está sentada en la habitación de Chloe hojeando un ejemplar de *Novia Moderna*. Cuando la puerta se abre, esconde la revista debajo de su silla.

No culpo a Aubrey por su distracción. Han pasado diez días desde el accidente, y la vida continúa. Faltan tres meses para su boda, y es mucho mejor pensar en eso que en la muerte y el sufrimiento a su alrededor. Así que la entiendo. Y también me siento mal por ella. Toda la alegría que se arremolinaba en torno a ella y su gran día ha sido absorbida y reducida a una indulgencia culpable que debe ocultar a todo el mundo.

La mujer que entra en la habitación es la psiquiatra que la trabajadora social del hospital le asignó a Chloe. No me gusta. Es una mujer corta y ancha con cabello marrón esponjado y ojos pequeños como de pájaro. Habla con Chloe como si esta fuera una niña de cinco años, y ha intentado todo, desde sobornos hasta amenazas, para lograr que mi hermana responda. Un método desesperado de la psiquiatría que tiene cero probabilidades de éxito. Para decirlo suavemente, la mujer es malísima, y sé que Chloe piensa lo mismo.

—¿Puedo hablar contigo afuera? —le dice a Aubrey.

—Eeeh, claro —responde Aubrey caminando detrás de ella hacia la puerta.

En general, Aubrey no ha estado involucrada en las secuelas. Está aquí porque anoche despertaron a papá, y mamá no quería que Chloe estuviera sola, pero después de su primera visita inmediatamente después del accidente, ha estado en casa. Ella y Ben han cuidado de Bingo y de la casa mientras mamá está aquí cuidando de Chloe y de papá.

—Me gustaría que me contaras un poco sobre tu hermana

—dice la mujer.

—¿A qué se refiere? —pregunta Aubrey, frunciendo el ceño.

—A las cosas que le gusta hacer. ¿Cuáles son sus pasatiempos, sus intereses? Me gustaría comprenderla mejor para encontrar una manera de conectar con ella.

Aubrey mueve los ojos de un lado al otro mientras piensa, y al mirarla comprendo lo poco que podría saber sobre Chloe. Aunque Aubrey y yo nos llevábamos muy bien, y Chloe y yo también, nunca hubo una conexión entre ellas dos. Hay una diferencia de cinco años, y cuando Aubrey se fue a la universidad, se desconectó prácticamente de todos, excepto de mamá. *Vamos, Aubrey,* digo, para animarla. *Es Chloe. Le gusta escuchar música y caminar por la playa. Colecciona conchas y discos de rock and roll de los años setenta. Le gusta todo lo que tenga canela y le encanta cocinar. Los panes Snickerdoodles son sus favoritos porque están hechos de canela y es divertido decir su nombre. Le gustan las palabras de ese tipo y siempre las mete en sus oraciones: "chanchullo", "desenfreno", "flebotomista", "Zimbabue". Tiene una debilidad por todo lo patético e indefenso: gatos callejeros, conejitos, lagartijas. Y le encantan esos "reality shows" tan ridículos como "The Biggest Loser" o "Love in the Jungle". Es una romántica empedernida y estaba locamente enamorada de Vance hasta que él la abandonó en la nieve. ¡Vamos, Aubrey, piensa!*

—Lo siento —dice Aubrey, negando con la cabeza y mirando a la mujer con una disculpa genuina en su mirada—. No sé.

La psiquiatra frunce el ceño, provocando que Aubrey se retuerza, y movida por la desesperación de decir algo importante, exclama:

—Escucha música horrible, de esa con guitarras estridentes y mucha batería, y hace un mes se cortó el cabello y se lo tiñó de negro.

—Entonces, ¿está enojada? —dice la psiquiatra, con el rostro iluminado como si acabara de descubrir algo importante —. ¿Crees que estaba deprimida?

—Mmm… Eh… Yo… —balbucea Aubrey.

No, Chloe no estaba deprimida. Estaba más feliz que nunca. Iba a graduarse en cuatro meses, estaba completamente enamorada y se rebelaba abiertamente contra las convenciones, la sociedad y mamá. Era una rebelde sin causa, gótica, sarcástica que amaba la vida.

—Tal vez —dice Aubrey.

La frustración me hace gruñir. *Por Dios, Aubrey, ¿es en serio? ¿Estás bromeando?*

—Sí —dice Aubrey—. Ahora que lo pienso, tal vez sí lo estaba.

39

Cuando mis papás se despiertan, todavía entrelazados, el día es tan hermoso que me provoca ganas de llorar. A través de la ventana, el cielo azul se extiende hasta el horizonte, las nubes errantes se desplazan perezosamente, y el sol brilla con arrogancia.

Mamá se separa de papá sin decir una palabra, y la desesperación que los unió se evapora en el resplandor brillante de la mañana y en la terrible realidad frente a ellos. Como una fuerza magnética, aun cuando todavía están tocándose, una energía oscura los repele, y en cuestión de minutos, han regresado a los aislados reinos a los que se han acostumbrado a estar durante los últimos años.

Mamá se espanta el sueño de los ojos con las palmas de las manos, luego estira los brazos por encima de su cabeza para despertar su cuerpo y se pone de pie, haciendo una mueca de dolor por sus costillas lesionadas.

—¿Dónde está Oz? —pregunta papá, mirando a mamá con los ojos entrecerrados a través del resplandor.

Durante los últimos dos años, únicamente papá se ha hecho cargo de mi hermano. Yo solía relevarlo por breves periodos, como cuando necesitaba tomar una ducha o cuando iban a la peluquería y era el turno de papá de cortarse el cabello, pero de no ser por eso, papá era el que lo cuidaba. Oz se había vuelto demasiado fuerte para que cualquier otro pudiera controlarlo.

La falta de libertad que esto causó creó una brecha del tamaño del Gran Cañón entre mis padres, y peleaban constantemente por ello. Mamá quería buscar una solución a largo plazo: un lugar donde internarlo, o al menos una atención a tiempo parcial. Papá se negó.

—¿Quieres que lo droguen y lo encadenen? —solía decir papá—. Porque eso es lo que le harán, Ann. Eso es lo que estás sugiriendo.

—Estoy sugiriendo que al menos los fines de semana, lo llevemos a algún lugar donde esté seguro para que podamos tener una vida.

—Tenemos una vida, y Oz forma parte de ella.

—Lo entiendo, Jack, pero Oz se está convirtiendo en toda nuestra vida. No podemos salir. No podemos hacer nada juntos. Y se está volviendo peligroso.

—No es peligroso.

—Lastimó a ese perro.

—No era su intención.

—Pero lo hizo. Fuera o no su intención, lastimó al animal. No está consciente de su propia fuerza, y está atravesando la pubertad. Piensa en lo peligrosa que puede ser esa combinación.

Eso era cierto. Yo misma lo había visto. Oz tenía esa mirada loca de amor siempre que veía a una chica, especialmente chicas rubias con senos grandes. La expresión de su rostro se transformaba en deseo y en un inquietante anhelo de tocar.

—Yo lo vigilaré —dijo papá.

—No puedes vigilarlo a cada segundo.

Sus voces eran apagadas pero acaloradas. Así eran siempre sus discusiones: palabras enojadas que cortaban y azotaban y llenaban la casa con una tensión que duraba varios días, hasta que la tensión se desvanecía en un silencio ensordecedor que casi te hacía extrañar las peleas.

Mamá no lo sabe, pero una vez papá y yo llevamos a Oz a ver una de las casas que ella había mencionado, un establecimiento en Costa Mesa. No logramos cruzar la puerta principal. Oz echó un vistazo a los inquilinos que caminaban por el lugar, meciéndose sobre el césped y murmurando para sí mismos, y se aterró. Papá tuvo que atajarlo en el estacionamiento para evitar que corriera hacia la calle.

Nunca le dijimos a mamá, y papá jamás volvió a contemplar la idea. Yo tampoco. Oz era nuestro; no pertenecía en un lugar así.

—¿Está con Aubrey? —pregunta papá, sin sonar particularmente preocupado. Solo si era absolutamente necesario Chloe o Aubrey podían cuidar a Oz, siempre y cuando estuviera sedado con Benadryl o algo parecido.

Mamá se balancea levemente y sujeta la barandilla de la cama para no perder el equilibrio.

Papá inclina la cabeza a un lado.

Mamá abre la boca para decir algo, pero las palabras no salen. Finalmente, niega con la cabeza y baja la mirada.

Observo cómo se transforma el rostro de papá, pasando de la duda a la confusión y la preocupación y comenzando de nuevo.

—Salí a buscar ayuda —balbucea mamá—. Y Oz fue a buscarme.

—¿Lo dejaste? —dice papá, y su angustia se transforma en algo completamente distinto: el color sube por sus mejillas y sus rasgos se estrechan. Hay tanta furia en su rostro que no puedo soportar verlo, y cuando me marcho me pregunto qué hicimos para merecer este sufrimiento.

40

Estamos en casa. Papá y Chloe fueron transferidos en ambulancia esta mañana y ahora están en el Hospital Mission, que queda a menos de cinco kilómetros de nuestra casa.

Miro a mamá mientras entra a nuestra casa vacía, con Bingo a su lado. Ver a Bingo me pone extraordinariamente feliz. Sobrevivió ileso, y casi no puedo creerlo. Aubrey y Ben se han hecho cargo de él, y por el aspecto de su barriga redonda, diría que Ben lo ha estado consintiendo demasiado.

El silencio es impactante, tan impropio de nuestra casa que parece como si no fuera nuestra. La sala sigue siendo un desastre a causa de todos los preparativos para nuestro viaje hace trece días. Los contenedores donde estaba almacenada nuestra ropa de esquí yacen abiertos en la sala. Mi mochila de la escuela está tirada a un lado de la escalera. Los soldados de plástico de Oz están alineados en el suelo preparados para la guerra. Las botas militares de Chloe están arrumbadas junto al sofá.

Miro fijamente las botas, recordando la decisión de último minuto de Chloe de cambiarlas por sus viejas botas Sorels forradas de fieltro. Una elección que, en retrospectiva, probablemente le salvó la vida.

Mamá avanza ignorándolo todo y sube tambaleándose hasta su habitación. Se quita la ropa en la que ha vivido durante los últimos diez días, la arroja a la basura, y luego toma una ducha que se prolonga hasta que el agua se pone fría. Envolviéndose en una gruesa bata, se unta crema hidratante en las manos irritadas, luego regresa abajo y se sirve una copa de vino. Luego otra. Después de la tercera, vuelve a subir las escaleras, se acurruca en su cama, y casi se queda dormida.

Mañana es mi funeral.

41

No sabía que era tan popular. Escaneo la habitación, observando el numeroso grupo de dolientes. Las bancas están repletas, al igual que los pasillos. La iglesia está completamente llena. Están presentes todos los miembros de mi escuela: padres, maestros, estudiantes, cientos de vecinos, compañeros de equipo de muchos años de practicar deportes y miembros de la familia de todo el mundo. Solo la mitad de los rostros me son familiares, y conozco bien a menos de una cuarta parte.

Afortunadamente es un ataúd cerrado. Ya no soporto mirar mi frío cadáver y no deseo que nadie más lo vea. No es mi *look* más atractivo. También agradezco que papá y Chloe no estén aquí. Odiarían esto, ser el centro de atención en un espectáculo tan grande y tener que exhibir su dolor. Mamá también lo odia. Está sentada rígidamente en la primera banca entre Aubrey y Ben, con la mirada fija en mi ataúd mientras el público la examina para evaluar qué tan bien está soportándolo. Sus ojos están secos y su expresión es ilegible. No va a llorar, no aquí frente a todas estas personas. Solo yo sé que esta mañana lloró incontrolablemente, un dolor espantoso, tan violento que temí que se desmayara. Sujetaba las sábanas con tanta fuerza que yo estaba segura de que se rasgarían. Nadie aquí lo sabe. Para ellos, mamá parece una reina de hielo, inexpresiva mientras espera a que comience el servicio para la inimaginable tarea de tener que enterrar a su hija.

Sus ojos miran fijamente los girasoles que cubren la caoba pulida, mi flor favorita y su elección para los ramos. Estoy orgullosa de ella por haberlo recordado y me gustaría poder decírselo, hacerle saber que puedo verlas y que me alegra que las haya elegido.

Tío Bob y Natalie están aquí. Tía Karen no está. Es demasiado difícil para ella o para mamá, imposible saber cuál de las dos. De cualquier modo, me enfurece, y decido en ese momento que ya no es mi tía. También decido que tío Bob ya no es mi tío. Estoy muerta. Tengo ese derecho.

Mo es una de las últimas en llegar. Los cuellos se estiran para mirarla mientras su papá la empuja en una silla de ruedas por el pasillo central hasta un espacio reservado al frente, y los asistentes miran con curiosidad mórbida sus manos y pies vendados. Después del servicio, Mo regresará al hospital. Todavía tiene que estar allí una semana antes de poder ir a casa. Igual que mamá, su rostro es una máscara, pero el de Mo tiene la apariencia perfecta de un dolor humilde, como una princesa herida que roba el corazón de todos los que la miran.

Tío Bob es el único que no está hechizado. Mo desvía la mirada hacia un lado cuando pasa junto a él. Una sombra imperceptible atraviesa su rostro cuando sus miradas se cruzan, haciendo que tío Bob mire hacia otro lado.

Charlie está en el balcón. Lleva puesto un suéter de rombos café y una corbata oscura debajo de una chamarra negra. Se ve muy guapo y sumamente triste. Me siento a su lado durante un rato, y me gusta la idea de poder estar tan cerca.

El ministro es un hombre pequeño con cabello castaño delgado y voz de barítono, y su discurso sobre mí es maravilloso, tomando en cuenta que nunca me conoció. Cuando termina, presenta a los demás para el panegírico.

Mucha gente habla y todos dicen cosas encantadoras. Me gusta particularmente el discurso de mi entrenador de softbol porque habla de las travesuras que me volvieron famosa, y todo el mundo se ríe.

Aubrey habla en nombre de nuestra familia, y nos representa muy bien. Mira continuamente a Ben, y sé que así es como logra sobrellevarlo. Cuando habla de mí como su hermana y de mi relación con Oz, muchos de los presentes lloran.

Luego es el turno de Mo. Como no puede apoyar peso sobre sus frágiles dedos de los pies, la empujan en la silla de ruedas hasta la plataforma y le entregan un micrófono de mano. Está vestida de negro, pero parece un ángel. Su cabello lanza destellos dorados bajo las luces de la iglesia, y su piel es muy luminosa por las semanas que pasó en el hospital sin recibir la luz del sol.

Sostiene el micrófono entre sus manos vendadas y se roba el espectáculo. El público desfallece emocionado mientras Mo los deleita con múltiples historias sobre nuestras vidas: una docena de momentos tipo Lucy y Ethel, Laverne y Shirley, Tom y Huck. Todas las aventuras son tan graciosas y maravillosas que cualquiera sentiría envidia de la gran amistad que compartimos.

Mientras la escucho hablar, la gratitud y admiración por mi valiente amiga aumentan. Utiliza cada gramo de su fortaleza para hacer de este momento una celebración en lugar de una tragedia, sabiendo que eso es lo yo querría. Esta mañana ni siquiera pudo dar una mordida a su pan tostado, sus emociones la abrumaban al saber el día que le esperaba. Sus manos temblaban tanto mientras se maquillaba que al final su mamá tuvo que hacerlo, aplicando una gruesa capa de base para cubrir sus ojos amoratados y hundidos, y un lápiz labial lo suficientemente claro para ser brillante sin parecer feliz. Lo cambió tres veces, sin sonreír nunca. Pero ahora, Mo ofrece un espectáculo para la audiencia y para mí, y tal vez un poco para mamá, a quien mira constantemente recordándoles a todos quién era yo y la vida extraordinaria que viví, y haciéndoles saber cuánto me amaban. Esto me hace extrañar terriblemente mi vida y a ella aún más.

No quiero estar muerta. Me niego desesperadamente, y no importa cuánto tiempo haya pasado, no puedo acostumbrarme. Muerta. Para siempre. Permanentemente. El mundo avanzando sin mí. Sin que Mo y yo podamos volver a tener otra fantástica y maravillosa aventura.

Cuando Mo termina, no hay un solo par de ojos secos. El público está unido en su amor y en su dolor, y tengo que recordarme que todo esto es por mí, que soy yo quien murió y que este es su adiós.

42

Los doctores creen que Chloe está mejorando. Ha empezado a comer y ya va sola al baño. Incluso está hablando con su nueva psiquiatra, una mujer mayor a la que se le olvidan muchas cosas pero que al menos le habla a Chloe como a una adulta. Solo yo sé la verdad. Chloe tiene un plan, y permanecer en estado catatónico no funciona porque entonces sus medicamentos son administrados por vía intravenosa. Ahora que está comiendo, le dan los analgésicos y antidepresivos por vía oral. Los de la mañana se los traga; los que le dan por la noche los guarda hasta que la enfermera se da la vuelta, y luego los almacena en el forro de su maleta.

Cuando no hay nadie en la habitación, Chloe flexiona los músculos y se estira. Tararea letras de canciones y habla consigo misma. Cuando hay alguien con ella, finge una hosquedad que raya en un estado comatoso.

Casi todas las noches revisa su nota de despedida. El diario junto a su cama está lleno de ellas. La última versión dice:

Papá, esto no es tu culpa. El accidente fue solamente eso, un accidente.

Mamá, eres quien eres, así que tampoco debes culparte. Hiciste tu mejor esfuerzo, pero tu mejor esfuerzo nunca pudo convertirme en la persona que querías que fuera.

Vance, te amé.

Titubea un poco en el tiempo verbal de la última palabra:¿"te amé" o "te amo"? "Vance, te amé", o "Vance, te amo". Pero, generalmente, sus modificaciones tienen que ver con la sección sobre mamá. Esta es la versión más amable, pero aún así espero que mamá nunca la vea.

Anoche, cuando mamá estaba dormida, intenté contarle lo que Chloe está haciendo y sobre su plan, pero cuando dije la primera palabra, mamá se despertó con un sobresalto violento, hiperventilando y gritando, y decidí no volver a visitarla.

43

Al llegar a la puerta de mi habitación, mamá hace una pausa, respira profundo y luego entra valientemente. Bingo entra con ella. El desastre de mi habitación, que solía irritar constantemente a mamá, sigue exactamente igual que hace dieciocho días, cuando todo era distinto. Mi uniforme de futbol está hecho una bola junto a mi cama, mis espinilleras y tacos están tirados frente a mi desordenado armario. Libros escolares y libretas, tarjetas y trofeos amontonados en mi pequeño escritorio, y un montón de proyectos de arte a medio terminar forman una pila en la esquina.

Chloe y papá serán dados de alta del hospital en una semana, y la habitación de Chloe (nuestra habitación) necesita estar lista para cuando lleguen a casa. Me siento ligeramente consternada al ver la insensible eficacia con la que mamá lleva a cabo la tarea. Igual que un servicio de materiales peligrosos que tiene que deshacerse de residuos contaminados, todas mis posesiones son colocadas en bolsas de basura que luego son lanzadas por la ventana de la habitación hacia el césped abajo para evitarle a mamá la faena de arrastrarlas por las escaleras.

Bingo la observa. Está echado en su lugar favorito, en el recuadro que se forma por el sol de la tarde a través de la ventana, mientras la luz empapa su pelaje dorado pintándolo de blanco y sus ojos color marrón siguen los movimientos de mamá. Cuando mamá saca el Frisbee masticado de debajo de mi cama, Bingo levanta la cabeza y sus orejas se animan, pero cuando ella lo coloca sin miramientos dentro de la bolsa de basura junto con todo lo demás, el perro se deja caer otra vez al suelo.

Sorprendentemente, toda mi vida cabe en ocho bolsas de basura: mi ropa, mi colección de cerdos, mis trofeos, mis álbumes de recortes, mis trabajos escolares, mi pelota de beisbol firmada por Mike Trout.

Mamá no deja nada.

Cuando mamá ha lanzado la última bolsa por la ventana, arremete contra mi cama, arrancando las sábanas, las mantas y el rodapié con tal violencia que empieza a resoplar y jadear, y su camiseta está empapada de sudor. Las arroja, junto con mis almohadas, sobre la pila de bolsas abajo.

Cuando está cerrando la ventana alguien toca la puerta.

Estremeciéndose, endereza sus hombros, se alisa el cabello y baja las escaleras para atender. Abre la puerta de un golpe y encuentra a Bob allí parado, con una expresión de preocupación en el rostro, y mamá se deja caer en sus brazos.

—Vi que estabas lanzando bolsas por la ventana —dice, acariciando los hombros de mamá—. Ann, debiste haberme llamado. No deberías estar haciendo esto tú sola.

Mamá no responde, simplemente deja que Bob la lleve al sofá, donde se acurruca contra él mientras sus lágrimas mojan su camisa. Y odio alegrarme de que él esté aquí.

44

Mo regresa hoy a la escuela. Fue dada de alta del hospital hace tres días. Los doctores y enfermeras organizaron una fiesta sorpresa con sidra de manzana en su habitación cuando le dieron la buena noticia de que los dedos de sus pies estaban fuera de peligro. Mo no esperó a que la fiesta terminara para empezar a preparar sus maletas.

Permanezco en su habitación mientras se prepara para su primer día de regreso a clases. Físicamente, está mejor. Ya ha recuperado el peso que perdió, y la piel de los dedos de sus manos ya ha sanado casi completamente. Su peor batalla sigue siendo la hora de dormir: sus noches son continuamente interrumpidas por escalofríos y sobresaltos de terror que la dejan exhausta cuando está despierta. Pasa veinte minutos tratando de disimular la fatiga que se asoma a través de los círculos oscuros debajo de sus ojos, y cuando termina, casi se ve como antes, con excepción de su calzado, un viejo par de mocasines de piel de oveja que compró cuando visitamos Alaska hace tres años —su único par de zapatos que se ajusta a sus dedos de los pies, que todavía están hinchados.

Frunce el ceño cuando ve sus pies en el espejo de cuerpo entero, respira profundo, echa su cabello hacia atrás sobre su hombro y sale por la puerta.

Desde el instante en que pone un pie en el patio, se convierte en una celebridad, todas las miradas la observan mientras ella finge no darse cuenta y camina audaz hacia su clase de la primera hora. Algunos la miran directamente, con los ojos entrecerrados por la lástima. Otros le echan solo un vistazo disimulado, miradas furtivas que se desvían de inmediato en cuanto ella les devuelve la mirada.

Pasa toda la mañana intentando eludir la atención no deseada con la misma gracia de Kate Middleton, indiferente y elegante, como si fuera inmune. Y solo después del tercer periodo, cuando va al baño y está sola en el cubículo, sube los pies al inodoro y apoya la cabeza sobre sus rodillas, descansando de los estragos ocasionados por tener que fingir que sigue siendo exactamente la misma que antes del accidente y por tener que sobrevivir sin mí, la única persona con la que siempre podía ser ella misma.

Me siento con ella a la hora del almuerzo. Mo compra una papa al horno en la cafetería y se la lleva a un aula vacía para comerla a solas. Quitando el aluminio, corta la papa en rebanadas con ayuda de un cuchillo de plástico y se queda mirando fijamente las rebanadas mientras los rizos de vapor se arremolinan hacia arriba, y yo sé que está pensando en el calor que emana de ella y que su boca está salivando.

Al igual que tantas otras cosas, las papas al horno no volverán a ser lo mismo. Las papas al horno son lo opuesto al hambre y al frío, un factor innato de confort, y sé que cuando Mo envejezca, siempre tendrá una bolsa de papas en su casa solo para saber que están allí. Mo toma un bocado, y siento cómo el calor y el sabor llenan su boca, y sonrío con ella mientras cierra sus ojos embelesada con ese momento tan maravilloso.

A través de la ventana distingo a Charlie, y decido pasar un rato con él durante algunos minutos, sintiendo curiosidad de observarlo desde este lugar privilegiado y sin obstáculos. Me sorprendo cuando descubro que no se dirige a las gradas para estar con sus amigos del futbol americano, sino que sale de la escuela hacia un pequeño parque detrás del campo de beisbol y se sienta detrás de un árbol, fuera de la vista de los demás.

Saca de su mochila un sándwich, una bolsa de papas fritas y una botella de agua, se pone unos auriculares en los oídos, coloca una libreta sobre su regazo y empieza a dibujar. Sonríe mientras lo hace, y cuando veo lo que está dibujando, yo también esbozo una enorme sonrisa que cubre casi toda mi cara.

En la caricatura estamos él y yo. Él lleva puesto un esmoquin, con los pantalones arremangados y los pies descalzos. Yo estoy usando un vestido vaporoso con la falda sobre mi brazo, y mis pies también están descalzos. Entre nosotros hay un balón de futbol americano. Cuando termina el ridículo dibujo, lo titula *Primer baile*, y luego lo extiende para admirarlo y se ríe entre dientes.

Mientras come su sándwich, mira las otras caricaturas en su libreta, riéndose mientras pasa las páginas, y yo me río con él. Los dibujos son divertidísimos y debe haber pasado meses haciéndolos. No todos son sobre mí. Hay algunos de profesores o de extraños animales animados que me recuerdan a Dr. Seuss. No es un gran artista —las proporciones son raras y su técnica es tosca—, pero es muy gracioso. En uno de los dibujos estoy pateando un balón y mi pierna está enredada alrededor de mi cuerpo en una pose contorsionista, mientras el balón se dirige hacia la portería equivocada. Se llama *Gumby*, y la burbuja sobre mi horrorizada boca dice: "*¡Ay, mierda!*". Hay otro dibujo donde aparezco dormida en mi escritorio, babeando sobre mi libreta —*Bella Durmiente.*

Y tal vez eso es lo que más me sorprende. Aun con todas las exageraciones y un talento muy inferior al de Miguel Ángel, en todas las caricaturas, me dibujó igual de hermosa. Eso es algo que nunca antes había pensado de mí misma. Linda tal vez, bonita si eres amable, pero como siempre he sido la chica alta y delgada con rodillas flacas y demasiadas pecas, mi atractivo es similar al de Pipi Mediaslargas. *Hermosa* es una palabra que describe a Mo y a Aubrey, chicas con curvas, pestañas largas, piel perfecta y sin pecas.

Pero Charlie no me dibujó de una manera tierna. Graciosa, sí, pero también hermosa. Exageró mis mejores rasgos: mis ojos grandes, mis piernas largas, el hoyuelo que tengo únicamente en la mejilla izquierda y no en la derecha. Me dibujó como una verdadera musa una y otra vez, una chica digna de ser dibujada, como si mi barbilla demasiado larga y mis hombros huesudos, fueran la barbilla y los hombros más hermosos del mundo.

Cuando termina de comer su sándwich, cierra la libreta y regresa a la escuela. Lo observo mientras se marcha, y suspiro al darme cuenta de lo perfectos que hubiéramos sido juntos y de lo triste que es no haberme dado cuenta cuando estaba viva.

Charlie y yo solo hablamos una vez, y no fue nada especial.

—Eres Finn, ¿verdad? —dijo, cuando me dirigía al vestidor después del entrenamiento.

La sangre me subió al rostro; estaba segura de que todas las fantasías que había tenido sobre él estaban siendo telegrafiadas desde mi cerebro como una sirena de cinco alarmas. Me las arreglé para asentir.

—Excelente gol —dijo.

—Gracias —respondí y salí corriendo, contando en mi cabeza cada una de las palabras. *Cinco*. Charlie McCoy me había dicho cinco palabras. Al día siguiente, empecé a practicar mi futura firma, *Finn McCoy*, garabateándola una y otra vez en mi libreta hasta que la mano me dolió.

Arrepentimiento. Me gustaría haberle dicho más cosas ese día, haber sido más valiente y darme cuenta del poco tiempo que tenía. Lo habría besado. Odio el hecho de nunca haberlo besado.

45

Mo está con sus amigas, un grupo de tres chicas de nuestro vecindario, quienes, junto con Mo, son conocidas como la Pandilla Malteada desde quinto grado: exquisitas y dulces. Aunque Mo es mi mejor amiga, en la escuela siempre nos juntamos con grupos distintos, ella con las populares y hermosas, y yo con los deportistas.

—Me alegro de que hayas regresado —dice Charlotte—. Natalie le contó a todo el mundo lo terrible que fue.

El cuerpo de Mo se tensa.

—Sí —añade Claire—. Dijo que fue alucinante, que tuviste que derretir nieve con fuego para hacer agua y cosas así.

—Lo que no entiendo —dice Francie— es que, si pudiste encender un fuego, ¿por qué no lo hiciste más grande para que pudieran mantenerse calientes? Natalie dijo que la madera estaba húmeda, pero si estuvieron ahí como un día entero, ¿no podías simplemente secarla?

Una sombra oscurece el rostro de Mo, revelando esa peligrosa mirada que indica cuando algo no le gusta. Unos segundos después desaparece, y sonríe dulcemente a sus amigas diciendo:

—Fuego para calentar nuestros pies y manos. ¡Qué tonta soy! ¿Cómo no se me ocurrió en ese momento?

Luego se da la vuelta y se marcha, dejándolas allí mirando mientras se aleja.

Francie es la primera en hablar.

—¡Perra! Es como si por haber estado en un accidente se creyera superior a nosotras.

—Tal vez fue mucho peor de lo que Natalie dijo —interviene Charlotte—. O sea, Mo es bastante inteligente. Si hubiera podido hacer un fuego más grande, ¿no crees que lo habría hecho?

—No sé. Cuando la gente está asustada, nunca se sabe cómo van a reaccionar. Natalie dijo que había un chico muy lindo allí. Quizá Mo no quería parecer toda una Rambo frente a él —dice Claire.

—Me gustan sus mocasines —dice Charlotte.

—¿Estás loca? —responde Francie—. No los usaría ni muerta. Parece como si llevara puestos dos animales atropellados en los pies.

46

Chloe y papá serán dados de alta mañana del hospital. Me estremezco solo de pensarlo. Chloe tiene una docena de pastillas escondidas en su maleta. No sé si es una dosis fatal, pero tomando en cuenta que una sola pastilla la deja noqueada, me imagino que sí lo es.

Odio estar muerta, pero seguir aquí. Sé muchas cosas, pero no puedo hacer nada al respecto. Mi única habilidad es una conexión difusa hacia el subconsciente dormido: una habilidad que no quiero usar porque aterroriza a la gente y queda registrada como algo confuso y demasiado fragmentado.

Desde la vez que le provoqué terrores nocturnos a mamá, me he mantenido al margen de los pensamientos de los vivos. Pero esta noche, no tengo elección.

Observo a papá mientras duerme, con su apuesto rostro tan apacible, como solía ser cuando estaba viva, y me resisto a perturbar su paz. Así que espero un largo rato, tan largo que temo que vaya a despertar y pierda mi oportunidad. *Papá,* susurro. Sus ojos se mueven detrás de sus párpados, y hablo rápido para minimizar la tortura. *Lo que aflige a Chloe no son sus pies ni sus manos. Es Vance. Él la lastimó y...*

El rostro de papá se retuerce, y comienza a gritar. Sus ojos se abren de golpe antes de que pueda terminar de hablar, antes-de que pueda decirle sobre las pastillas y la nota.

Inhala, y su mirada se mueve salvajemente, y sé que no volveré a visitarlo. Es demasiado cruel permitir que albergue la esperanza de que yo todavía existo.

47

Bob y Ben levantan a papá en su silla de ruedas a través de los escalones de la entrada. Detrás de ellos, Aubrey y mamá ayudan a Chloe, quien hace una mueca de dolor a cada paso. Bingo da vueltas, salta y aúlla alrededor de ellos como un cachorro, y me pregunto qué tanto entiende de todo lo que sucedió. A diferencia de los humanos, está eufórico en vez de triste. Celebra a los que han regresado y aparentemente ya ha olvidado a los que no están.

Cada día que pasa Ben me agrada más. Es lindo en un modo encantador y nerd. Tiene una sonrisa muy bonita; un rostro grande y honesto; y unos ojos amables escondidos detrás de un grueso par de lentes de armazones metálicos. Cuando lo conocí me desilusioné un poco. *Pusilánime*. Siempre había querido usar esa palabra, y cuando Ben llegó a nuestras vidas, al fin tenía una razón para usarla todo el tiempo. Era un tipo completamente aburrido, y no podía entender qué había visto Aubrey en él.

Cuando Aubrey anunció que iba a casarse con él, literalmente me puse a llorar. Mo me dijo que confiara en Aubrey, que seguramente ella veía algo en él que el resto de nosotros no veía. Y ahora lo comprendo, ese lado suyo que nunca hubiera conocido estando viva.

Esta mañana, cuando llegó al departamento de Aubrey para llevarla al hospital, le entregó un ramo de rosas de pañuelos desechables. A mi hermana le encantan las flores, pero el polen la hace estornudar.

—Y también son prácticas —dijo, sacando una de las rosas del ramo y sonándose la nariz con ella.

No pude decidir si era un gesto cursi o encantador. Al final, pensé que era encantadoramente cursi, como el caramelo viscoso y empalagoso que ponen en las palomitas cuando vas al cine, que es maravilloso a pesar de lo horrible que es.

Ben mantiene oculto este lado suyo, caminando por la vida bajo una apariencia pusilánime, y me pregunto si lo hace como un acto de autoconservación. Ahora que estoy muerta, me doy cuenta de lo terribles que son las personas entre sí, de que existe un cinismo generalizado en la mayoría de nosotros que nos impide ver lo mejor de los demás. Quizá esta es una de las cosas que más me gusta de esta perspectiva: mi capacidad para ver las cosas con más claridad que antes, de ver una rosa de pañuelo desechable más brillante y hermosa que cuando estaba viva.

Mientras Aubrey sube las escaleras con Chloe, mira por encima del hombro a Ben y le ofrece una expresión de disculpa por obligarlo a hacer esto. Ben le devuelve una sonrisa torcida, para hacerle saber que no necesita disculparse, y puedo sentirlo, su corazón de rosa de pañuelo está dispuesto a lo que sea necesario para hacer feliz a su chica, y nuevamente descubro lo mucho que me agrada. No hay fanfarrias ni fiesta de bienvenida para celebrar el regreso de papá y Chloe, solo está presente nuestra familia y Bob. El sofá está cubierto con sábanas y una almohada, y papá lo mira mientras lo ayudan a acercarse a él, odiando el recordatorio de que es un inválido.

Luego su mirada se desvía hacia Chloe, quien sube las escaleras cojeando, y sus ojos se fijan en su cabello. Está empezando a crecer, hay como un centímetro de color cobrizo asomándose por las raíces y luego se transforma abruptamente en negro. Su cabello marca el paso del tiempo y le recuerda a mí.

—Chloe —dice papá.

Chloe gira.

—Ya estamos en casa. Resiste, pequeña.

Chloe apenas asiente, y yo rezo una pequeña oración de agradecimiento. No sé si es por lo que dije anoche, o si papá lo hubiera dicho de todas formas, pero Chloe ama a papá, y hará lo que él le pida, al menos por hoy.

Aubrey regresa un minuto después, y cuando está cerca del final de las escaleras, ella y Ben se hacen muecas que los demás no ven, un intercambio silencioso en el que se preguntan cuánto tiempo tienen que quedarse para no ser considerados unos seres humanos horribles. Ben sonríe solidariamente, haciéndole saber que no le importa quedarse. Aubrey es la que casi lanza un quejido tan solo al contemplar la idea.

No los culpo. La casa se siente como una morgue.

Cuando papá enciende la televisión para ver el juego de los Ángeles, Ben y Aubrey se despiden.

Unos minutos después, Bob regresa con sándwiches de Subway. Le da uno a papá, luego va a la cocina y le entrega otro a mamá, quien lo invita a salir con ella al patio trasero, supuestamente para poder disfrutar el clima primaveral, pero la verdad, igual que Ben y Aubrey, es que lo hace para escapar de la miseria.

La pieza principal de nuestro patio trasero es un limonero. Mis papás lo plantaron cuando se mudaron, hace casi veinte años. Fue idea de papá. Quería un recordatorio del largo camino que habían recorrido. Solía haber un jardín alrededor de él, con hierbas, jitomates, zanahorias y calabazas, plantas prácticas que mamá utilizaba cuando cocinaba. Algunas veces olvido que mamá solía cocinar y que le gustaba la jardinería. Desde hace mucho tiempo, lo único que hace es trabajar.

Las malas hierbas y el descuido se apoderaron del jardín hace muchos años, pero mamá todavía se ocupa del limonero. Lo poda cada primavera, y todos los meses rocía fertilizante alrededor de su tronco. Incluso en este momento, mientras ella y Bob hablan tranquilamente y comen sus sándwiches, mamá camina distraídamente alrededor del árbol, arrancando la fruta muerta y cortando pequeñas ramitas.

Odio el hecho de que ellos estén afuera hablando y papá esté adentro solo. Odio completamente que Bob esté en casa. Pasa mucho tiempo aquí, demasiado tiempo a solas con mamá. Debería sentirme agradecida de que haya sido tan solidario, y si no lo odiara tanto, tal vez así sería. Pero lo odio, y por tanto quiero que se vaya a su casa.

Suele mentirles a Natalie y a Karen cuando viene aquí, les dice que irá al campo de golf o al gimnasio, y luego se estaciona detrás de la lavandería en la autopista Coast y se escabulle de regreso a nuestra casa para consolar a mamá. No sé si miente porque sus intenciones son impuras o si es por el pleito silencioso entre mamá y Karen. Hasta ahora, lo único que ha hecho es ser un buen amigo, y solo la evidente devoción en su mirada delata que siente algo más.

Mientras mamá se ocupa del árbol, le cuenta sobre sus casos en el trabajo, y él le habla de sus pacientes. Bob tiene un sentido del humor que la hace reír, algo que odio y amo al mismo tiempo. Mamá ya no se ríe, más que cuando está con él. Bob nunca habla del accidente ni de Oz ni de mí, y mamá tiene cuidado en no hablar sobre Karen.

Cuando terminan sus sándwiches, Bob le da un largo abrazo y le dice que lo llame si necesita algo.

Cuando Bob se va, mamá permanece sola en el patio un momento, sentada y mirando a la nada. Luego, respira profundo, recoge la basura de su almuerzo, la lleva adentro y se dirige a la sala de estar para ver cómo está papá, quien no despega la mirada de la pantalla de la televisión, mirando atentamente un comercial de seguros de auto mientras finge que mamá no está allí.

—¿Necesitas algo? —pregunta mamá.

Papá no responde, sino que sube el volumen de la televisión.

Cada gramo de fuerza que papá ha recuperado desde que despertó del coma hace dos semanas se ha transformado inmediatamente en ira, la mayor parte dirigida a mamá. Es muy difícil para mí presenciarlo. Papá, el eterno optimista, que ha escalado montañas y conquistado océanos, reducido a un hombre amargado y derrotado.

—Voy a la oficina un rato para ponerme al día con el trabajo —dice mamá.

Papá no dice nada.

48

Visito a Bob, pues siento curiosidad por escuchar la mentira que le dirá a Karen sobre su ausencia. No está vestido para jugar golf ni para el gimnasio.

—¿Cómo están? —pregunta Karen, sorprendiéndome de que Bob le haya dicho la verdad.

Karen es una de esas personas impecables: su casa, su ropa, su auto, su hija. Le gusta el blanco y no soporta la suciedad, el polvo o los rayones. Es la reina de Tupperware y de los organizadores de armario. Por eso odio tanto su casa. Es como una de esas casas modelo donde nada es real, las plantas son de plástico, los pisos son de madera laminada, todos los objetos parecen recién sacados de su envoltura. Solo ahora que estoy muerta puedo ver el nivel de obsesión maniaca que se necesita para mantenerla así. Sus días están llenos de compulsividad obsesiva que raya en la locura.

Bob ignora la pregunta mientras se quita los zapatos apenas entra, y los coloca en una zapatera dentro del clóset para abrigos.

Karen lo sigue a la cocina, retorciendo una toallita antibacterial en sus manos.

—¿Cómo está Chloe? ¿Se siente mejor? —pregunta ella.

Bob saca una cerveza del refrigerador, la abre y bebe la mitad de su contenido de un solo trago.

—¿Y Jack? —continúa Karen, todavía retorciendo la toallita húmeda—. ¿Cómo está su pierna?

La respuesta de Bob es tan contundente que la hace retroceder.

—¿Por qué no vas allí y lo ves por ti misma? Están a dos malditas puertas de distancia. Toca y haz todas las preguntas que quieras. Ann es tu mejor amiga. Ve con ella y ofrécele tu ayuda.

La toallita que continúa en manos de Karen se rasga, haciéndola bajar la mirada, casi sorprendida de verla allí. Karen la mira, y luego la dobla cuidadosamente en cuatro. Recoge las botellas de cerveza de tío Bob y limpia las marcas.

—Voy a preparar costillas para la cena —dice—. ¿Prefieres papas o arroz?

49

Mamá no fue a la oficina como dijo que haría.

Es sorprendente la cantidad de mentiras que dicen las personas y lo buenas que son para eso. Todos. Siempre. Dicen una cosa y luego hacen otra completamente distinta. Mamá le miente a papá. Papá le miente a Chloe. Chloe le miente a mamá. Un completo y total círculo de engaños.

Mamá está en el centro comercial, merodeando sin rumbo fijo por las tiendas. Últimamente le ha dado por visitar lugares concurridos donde puede fingir que es normal y donde nadie conoce la farsa de su vida. Mira escaparates durante una hora, luego se sienta en una banca, bebiendo café y observando a la gente feliz a su alrededor: familias con hijos, mujeres como ella, adolescentes como Chloe y yo, todos viviendo sus vidas, ignorando por completo lo rápido que todo puede ser arrebatado.

Cuando termina su café, camina un rato más. Permanece afuera de la Fábrica de Chocolate Rocky Mountain, mirando los malvaviscos cubiertos de chocolate, y sé que está pensando en Oz. Unos minutos después, se detiene frente a los Pretzels Wetzel, y sé que está pensando en mí. Mira constantemente su reloj, sabiendo que debería regresar a casa, pero se concede unos minutos más, hasta que, finalmente, a regañadientes, vuelve a su vida.

50

Papá no está en el sofá donde debería estar.

No está usando la silla de ruedas como le dijeron. No está descansando como indicó su doctor.

En vez de eso, está en el asiento trasero de un taxi, con su pierna lesionada apoyada sobre el asiento, y no sé a dónde se dirige, pero a donde sea que vaya, no tengo un buen presentimiento al respecto.

Veinte minutos después, estamos en Aliso Viejo y damos la vuelta en una zona conocida como Audubon, donde todas las calles tienen nombres de aves. El taxi gira en Garza Azul y se detiene frente a una casa dúplex gris con césped café.

El conductor del taxi ayuda a papá a levantarse del asiento.

—Oye, ¿estás seguro de que estás bien? —pregunta.

Papá no se ve bien. Su respiración es sibilante y su cuerpo está temblando. Durante dos semanas, lo más que logró hacer fue cojear de la cama del hospital al baño.

—Espérame aquí —dice papá, ignorando la inquietud del conductor—. Regresaré en unos minutos.

Papá golpea la puerta de la dúplex con el puño. No hay respuesta. Vuelve a golpear.

Revisa la perilla de la puerta, y cuando la gira, abre y entra. Mi corazón late aceleradamente. No sé qué está pasando, pero no es nada bueno, y quiero que se detenga.

—Vance —grita papá, y las entrañas se me congelan.

Mierda. Carajo. Por eso necesito mantenerme fuera de los sueños de las personas. Me grito a mí misma, lamentando enormemente mi intrusión de anoche en los pensamientos de papá. Sabía que hablar con papá era una mala idea, pero lo hice de todas formas. Uno pensaría que la muerte me hizo más inteligente, más sabia y previsora, pero no, sigo siendo la misma estúpida de siempre, entrometiéndome donde no debo y actuando sin pensar. Y ahora, como soy una idiota, Chloe está sola en casa con su montón de pastillas, y papá, que debería estar descansando, ha entrado en la casa de Vance, luciendo como un animal rabioso listo para matar al chico que lastimó a su hija.

—Vance, sé que estás en casa. Trae tu trasero aquí.

No hay respuesta.

Voy a donde está Vance, esperando que papá esté equivocado y que Vance esté muy lejos de su casa, pero lo encuentro a menos de seis metros de distancia, en su habitación al final del pasillo, acurrucado en su cama mientras escucha los gritos de papá. Trago saliva cuando lo veo, incapaz de creer que el espantapájaros frente a mí es el chico que Chloe amaba, y si no fuera por sus característicos ojos grises, no lo reconocería en absoluto. Ha pasado de ser alto y esbelto a esquelético, sus mejillas están hundidas y sus ojos sobresalen desde unas ahuecadas cavernas azules. Lleva puestos unos bóxers a cuadros y una camiseta rota, ambos manchados y holgados en su cuerpo demacrado. Su cabello negro ha desaparecido, y ahora está calvo como un prisionero de campo de concentración, con un ligerísimo vello cubriendo su cabeza. Sus orejas sufrieron daños por el frío y ahora están deformes y con cicatrices. No hay ningún libro de texto ni libretas, y me preguntó si abandonó la escuela. Nunca fue un buen estudiante, pero con la ayuda de Chloe, se las arreglaba, y gracias a su gran destreza en el tenis, fue aceptado en la Universidad de California en Santa Bárbara con una beca deportiva. Me pregunto si ahora todo eso se ha esfumado.

En su escritorio, frente a sus docenas de trofeos de tenis, hay un cenicero repleto de cigarrillos triturados, y junto hay una caja de madera con la tapa abierta y una pequeña bolsita con pastillas color lavanda y caritas sonrientes. Es éxtasis. Lo sé por la conferencia de *Di no a las drogas* a la que nos obligaron a asistir en nuestro primer año: caritas sonrientes, huellas de manos y símbolos de la paz grabados en tabletas de bonitos colores pastel, una droga portal a la inconsciencia y la adicción.

—Bien. Entonces yo iré a donde estás —grita papá.

Los ojos de Vance se mueven nerviosamente, y no es solo por el miedo. Está muy drogado. Sabía que él y Chloe fumaban marihuana algunas veces, pero Chloe nunca se hubiera metido en esto.

Vance se lleva las rodillas al pecho, y ahí es cuando lo veo: ha desaparecido la punta de todos sus dedos, excepto de sus índices y pulgares. Trago saliva al ver la escena, y mi garganta se hincha cuando miro su bolsa de tenis en la esquina.

La puerta se abre de un golpe, y papá entra hecho una furia, la adrenalina lo impulsa hacia adelante y le da una fuerza que no tenía unos instantes antes. Y de todas las cosas que he presenciado desde la muerte de Oz, esta es la más triste hasta el momento: un hombre y un chico, ambos enamorados de mi hermana y completamente destrozados por ese día y por su incapacidad para protegerla.

Papá no se detiene. Arremete contra la cama, sujetándose de su muleta izquierda y golpeando con la derecha a Vance en la sien, haciéndolo girar de lado y tirándolo de la cama. Vance cae sobre sus rodillas, y la muleta toma impulso para golpearlo nuevamente en las costillas. El aire sale de su cuerpo y colapsa en el suelo acurrucándose en una posición fetal y cubriendo su cabeza con sus manos deformadas.

Papá se estremece cuando ve los dedos de Vance, mucho peores que los de Chloe: solo tiene la mitad de sus meñiques, sus dedos anulares fueron cortados justo debajo de los primeros nudillos, y sus dedos medios a la altura de sus dedos índices, una pérdida progresiva que hace que sus manos parezcan un gráfico de barras.

La lástima de papá dura menos de un segundo. La muleta vuelve a levantarse antes de golpear la espalda de Vance.

¡Detente!, grito, pero papá apenas ha comenzado, su ira lo ciega y la descarga en la única persona, además de él mismo, a la que puede culpar. Vance gruñe con cada golpe, pero aparte de cubrirse la cabeza, ni siquiera intenta defenderse. Su labio está sangrando, y han empezado a formarse moretones en sus brazos y piernas. Doy gracias de que papá esté tan débil, porque los golpes son asestados con una cuarta parte de la fuerza que tendría si estuviera en plena forma. La potencia disminuye con cada golpe a medida que papá se agota, hasta que, finalmente, demasiado exhausto para volver a levantar su muleta, se detiene.

—Maldito cretino arrogante. La llevaste afuera y la abandonaste —dice papá con respiración tan jadeante que las palabras apenas son audibles.

Vance asiente con la cabeza, lo que hace enfurecer a papá quién, reúne la fuerza para golpear a Vance en el antebrazo con la muleta, y puedo oír el metal crujiendo contra el hueso. Papá tropieza por la fuerza del golpe y casi colapsa, logrando sostenerse torpemente con la muleta mientras su pecho palpita.

—Maldito hijo de puta. Casi muere por tu culpa. Mi niña casi muere.

Los mocos y las lágrimas corren por su rostro. No lo dice, pero la declaración es estridente: *Finn murió POR MI CULPA. Chloe casi muere POR MI CULPA. Oz murió POR MI CULPA.*

Vance se acurruca con más fuerza, sin decir nada, y atinadamente no vuelve a asentir.

Si papá todavía tuviera fuerzas, continuaría golpeándolo, pero apenas puede sostenerse en pie.

—Púdrete en el infierno, Vance. Púdrete en el puto infierno.

Igual que un borracho, se aleja tambaleándose por el mareo.

A medio metro de distancia de la puerta, sus ojos encuentran las píldoras sobre el vestidor, y mira al chico destrozado que solloza detrás de él. Su rostro se retuerce con repugnancia y lanza las pastillas al suelo. Luego se dirige hacia la puerta. Y mientras lo veo irse, me pregunto si este brutal acto de venganza lo ayudó en algo, si diluyó su rabia o si solo es el primer paso hacia una destrucción mayor. Siento un escalofrío que me recorre la espalda, porque la respuesta está grabada en la horrible expresión del rostro de papá.

51

Cuando mamá llega la casa está vacía, y le toma un segundo recordar que no debería estar así.

—¿Jack? —grita.

Su silla de ruedas está junto al sofá, pero sus muletas han desaparecido.

Bingo la sigue a la cocina y luego a través de las puertas corredizas al patio trasero. Mamá acelera el paso mientras sube las escaleras y revisa su dormitorio y la habitación de Oz. Al llegar frente a la puerta de Chloe se detiene, toma aire y entra.

Chloe aparta su mirada de la ventana y no dice nada.

—¿Dónde está tu papá? —pregunta mamá.

Chloe se da la vuelta.

—Maldita sea, Chloe. ¿Dónde diablos está tu papá?

Chloe gira su cabeza rápidamente hacia mamá y le lanza una mirada dura y sombría.

—Respóndeme —dice mamá.

Chloe entrecierra los ojos con odio, y mamá hace lo mismo, la fiereza de sus miradas choca con tal fuerza que es casi audible.

Entonces, por primera vez desde el accidente, Chloe habla con mamá.

—¿Cómo diablos voy a saberlo? —responde.

La respuesta sorprende a mamá, y puedo ver que está tratando de decidir si debe abrazar a Chloe o gritarle. Elije la segunda opción, ya que fue la que obtuvo la respuesta.

—¡Pues levántate de la cama y ayúdame a buscarlo! —grita mamá.

Chloe parpadea varias veces, como si mamá acabara de pedirle su riñón derecho en vez de ayuda para buscar a papá.

—Levántate —repite mamá—. Esto es algo grave. Tu papá ha desaparecido.

Sorprendentemente, Chloe se levanta. Vacila un poco antes de impulsarse hacia arriba, algo mareada por la repentina redistribución de sangre.

—Baja a la playa a buscarlo —dice mamá, fingiendo no darse cuenta—. Yo conduciré por el vecindario.

Chloe sigue parpadeando como una luz de advertencia, pero también sigue reaccionando. Coge una sudadera del gancho que está al lado de su cama y se la pone mientras mamá sale de la habitación.

Cuando Chloe pasa arrastrando los pies frente a su tocador, se sobresalta al verse en el espejo. Su cabello es muy extraño, un centímetro de color bronce y otro de color negro, como si las puntas hubieran sido metidas en tinta. Su piel es fantasmalmente pálida, tiene círculos azules ahuecados alrededor de los ojos, y la cicatriz de su frente tiene un tono rosado tostado. Ha perdido tanto peso que sus pómulos sobresalen de su rostro. Inclina la cabeza a un lado, le enseña la lengua a su reflejo en el espejo, intenta un par de expresiones ridículas, y luego continúa su camino.

Cuando llega a la escalera, mamá ya está saliendo por la puerta a toda prisa. Al principio, pienso que esto es cruel. Después de todo, Chloe aún está débil, los dedos de sus pies están dañados y le duele cuando camina sobre ellos, pero luego comprendo que esta es la única forma en que puede funcionar. Al no tener un público, Chloe ignora todas estas cosas. De hecho, les presta tan poca atención que mientras la observo me pregunto si sus dedos todavía le duelen o si es solo una actuación para seguir acumulando pastillas.

52

Mo debe haber visto desde su casa a Chloe bajar cojeando por la rampa, porque corre a su encuentro.

Los Kaminski viven en una casa que mira al océano, y la Princesa Maureen tiene una hermosa vista de su habitación.

Mo no ha visto a mi hermana desde la noche del accidente, y se detiene en seco cuando la ve de cerca por primera vez: el extraño cabello, el cuerpo demacrado, los pies metidos en pantuflas y envueltos en gasa. Mo sacude el *shock* de rostro y se apresura para alcanzarla, lo cual no es difícil ya que Chloe avanza con indecisión, sin saber lo bien que podrá sujetarse sobre el concreto arenoso con tres dedos menos.

—Clover —dice Mo, usando el sobrenombre con el que ha llamado a Chloe desde que éramos niñas.

Chloe se gira, con una expresión en su rostro de total determinación. Una especie de alivio se apodera de ella cuando ve a Mo, porque Mo es la persona más fácil de tratar en este mundo.

Chloe examina a Mo en busca de daños, escaneándola de la cabeza a los pies. Mo la ayuda extendiendo sus manos, mostrando el dorso y las palmas, y luego patea con sus pies descalzos. La piel de sus manos está comenzando a pelarse, y debajo de la piel muerta de color amarillo ceroso puede verse la nueva piel rosa. Sus pies son más feos; los dedos siguen estando ahí, pero las puntas están todavía lesionadas y hay manchas de color marrón y bermellón. Chloe le muestra sus propias heridas, y Mo frunce el ceño y asiente cuando ve lo caro que pagó Chloe su decisión de seguir a Vance.

—Eso apesta —dice Mo, exponiendo los hechos tan claramente que borra todo rastro de amargura del rostro de Chloe, y por primera vez desde ese horrible día, los labios de Chloe se curvan en las comisuras revelando el más leve indicio de una sonrisa.

—¿Qué estás haciendo aquí? —pregunta Mo, cambiando el tema.

—Papá se ha ido sin avisar —dice Chloe—. Y mamá piensa que tal vez vino aquí.

—¿No está en una silla de ruedas? —pregunta Mo, frunciendo el ceño.

—Se supone —responde Chloe.

Mo no dice nada porque no quiere interrumpir la concentración de Chloe ahora que han llegado a la arena. Cada paso que da mi hermana se vuelve incierto de un momento a otro, y yo valoro los dedos de los pies como nunca antes lo había hecho. No sabía lo importantes que eran para el equilibrio.

Cuando han arrastrado los pies lo suficiente para poder ver más allá de la cresta de rocas hacia el océano abierto, se detienen. Chloe inhala profundamente el aire salado, y yo siento tantos celos que gimo.

Amo el océano, cada parte de él: el agua, las olas, la arena, el viento, el constante ir y venir, pero sobre todo amo su olor, ese sabor salado que inhalé casi todos los días mientras estaba viva, un aroma que evoca un millón de recuerdos como hot dogs, s'mores, volibol, *surf*, delfines, recolectar conchitas, construir castillos de arena y enterrar a mi hermano bajo ella.

El labio inferior de Chloe empieza a temblar, y Mo envuelve sus brazos alrededor de su propio cuerpo. Sería imposible que no pensaran en mí estando ahí paradas. Esto era mi patio de recreo.

—La extraño —dice Mo.

Chloe cierra los ojos y asiente.

—Es como si se hubiera abierto un hoyo gigantesco con su partida. Se siente un vacío enorme —continúa Mo.

Chloe se pellizca la nariz, y sé que está a punto de perder el control. Mi hermana no ha llorado desde que fue rescatada, y no sé si sea bueno que esté a punto de comenzar ahora.

Mo no se da cuenta de esto. Su mirada sigue fija en el océano, mientras continúa hablando.

—Y es como si el vacío estuviera alrededor de mí todo el tiempo, absorbiendo toda la luz y el sonido, haciendo que todo sea menos brillante… menos divertido… —dice Mo, suspirando. Baja la cabeza y luego la vuelve a levantar mirando nuevamente hacia el océano—. Menos... no sé, menos todo.

Las lágrimas empiezan a caer por las mejillas de Chloe, que se pellizca más fuerte la nariz intentando contenerlas.

—Cuando pienso en ella —continúa Mo —como ahora, intento estar feliz porque sé que eso es lo que ella querría y sé que está en un lugar realmente bueno, pero todas las otras veces, cuando no estoy pensando en ella, es muy difícil, porque esos son los momentos en que más la extraño, cuando me siento tan sola como si estuviera flotando en este gran mar o en el espacio exterior, como si la gravedad me hubiera abandonado o como si me estuviera quedando sin aire.

Chloe solloza, y entonces Mo voltea a verla.

—Ay, perdón, Clover —dice rápidamente, dándose cuenta en ese momento de que Chloe está llorando.

—No, está bien —dice Chloe, moviendo la cabeza.

Luego, secándose los ojos, y dice:

—Yo también la extraño. Todo el tiempo.

—Quiero decir, lo entiendo —dice Mo, mientras sus propios ojos se llenan de lágrimas—. La gente se muere. Y entiendo que yo sigo aquí y que la vida continúa, y que algún día el hoyo se hará más pequeño. Al menos eso es lo que todos dicen.

—¿No te gustaría que todos se callaran la boca? —dice Chloe.

Mo asiente, levantando la mirada y casi sonriendo, luego vuelve a mirar hacia el océano.

—Exacto. Porque no es que no entienda lo que dicen. Claro que lo entiendo. Pero en este momento, el hoyo es muy, muy grande, y me siento muy, muy sola, y la extraño muchísimo.

Ambas permanecen en silencio durante un momento, mirando el océano y tratando de contener sus emociones, y mientras las miro, tan tristes, me siento terrible. No quiero ser un hoyo negro que absorbe su felicidad y las hace llorar. Y me gustaría que pudieran ver la plenitud en vez del vacío. Estoy tan cansada de que la gente me extrañe y de que se sientan desdichados cada vez que piensan en mí. *No intenten ser felices solo cuando están pensando en mí, simplemente sean felices. Miren el océano y sonrían. Inhalen su aroma y celebren. Recuérdenme. Recuerden que yo nunca estuve triste más de un día, rara vez más de una hora. Recuerden los increíbles momentos que pasamos juntos y lo boba que era. Recuerden que tenía miedo de todo lo que tuviera más de cuatro patas, pero no temía a las aventuras. Recuerden. Llévenme en su interior como una luz que ilumina su mundo y hace que todo sea mejor. No quiero ser un vacío, un hoyo, una sombra. ¡RECUÉRDENME!*

—¿Sabes en qué pienso? —dice Chloe—. Cuando me teñí y me corté el cabello, nadie dijo nada; ni mi familia ni mis profesores o amigos. Todos hicieron de cuenta como si siempre hubiera tenido cabello negro tipo marimacha. Pero Finn no. Cuando Finn me vio, lo primero que dijo fue: "Guau, muy al estilo Bellota". Ya sabes, Bellota de las *Chicas Superpoderosas*. No mintió ni fingió que le gustaba, pero tampoco hizo de cuenta como si nada hubiera pasado. La cosa es que no le importaba. No importaba si mi cabello era negro, verde o morado. Yo seguía siendo exactamente la misma de siempre para ella. No conozco a otra persona que sea así.

—Finn odiaba tu cabello —dice Mo, riendo entre lágrimas.

Chloe logra sonreír levemente otra vez, y yo aplaudo y celebro a Mo. En diez minutos, ha logrado más que todos los psicólogos y doctores en dos semanas. Luego sonrío al saber que el recuerdo más valioso que Chloe tiene de mí es uno que ni yo misma tengo registrado. Es algo extraño y maravilloso a la vez, esas cosas que hacemos de las que ni siquiera nos damos cuenta.

—La segunda noche que estuve allí afuera —dice Chloe, con voz tensa y la mirada fija en la línea plateada del horizonte—. Quería morirme.

Chloe se estremece al recordar el frío, y Mo rodea su propio cuerpo con sus brazos.

—Si hubiera podido detener mi corazón, lo hubiera hecho. La gente cree que morir quemado es la peor muerte, pero están equivocados. El frío quema peor que las llamas. Toma más tiempo porque cada parte de ti se congela una célula a la vez, y es tan doloroso que tu mente no puede manejarlo.

Mo palidece al recordar su propia experiencia, pero Chloe no se percata. Está completamente perdida en la confesión que negó a todos los que le preguntaron.

—Eres capaz de hacer cualquier cosa para detenerlo —dice Chloe—. Y te das cuenta de lo cobarde que eres, de lo poco que significa tu vida para ti. Lo único que quieres es que se termine. Lo deseas tanto que envidio a Finn, envidio el hecho de que ella no haya tenido que tomar la decisión, y que simplemente se haya terminado.

Mo permanece inmóvil, y sé que escuchó a Chloe hablar en tiempo presente. Y aunque es muy injusto poner esta carga sobre ella cuando ya ha tenido que soportar tanto, me alegro y rezo para que no la descarte ni la ignore.

Chloe se endereza, y recupera la concentración.

—Finn estaba allí —dice—. Estuvo conmigo la segunda noche. Sé que suena loco, pero estaba allí. Vino y se sentó a mi lado.

Chloe mira de reojo a Mo, creyendo que la está juzgando, pero lo único que encuentra es compasión.

—Finn me habló —dice Chloe—. Fue algo impreciso, y no recuerdo lo que dijo, pero era ella, y en todo el estilo de Finn, hablando a una velocidad de un millón de kilómetros por minuto, cambiando de un tema a otro sin terminar lo que estaba diciendo antes.

Me río, porque hago eso todo el tiempo.

—¿La viste? —pregunta Mo, con un dejo de envidia en su voz.

—No, pero todavía sigue visitándome.

—¿Habla contigo? —dice Mo.

—No.

—Entonces, ¿cómo lo sabes?

—Simplemente lo sé. Algunas veces se queda un rato conmigo en nuestra habitación —dice Chloe.

Doy una pirueta y aplaudo. Chloe sabe que estoy aquí.

Mo está a punto de responder cuando una voz detrás de ellas la interrumpe.

—Chloe.

Ambas voltean y ven a Aubrey descendiendo por la rampa.

—Ya lo encontraron. Papá está en casa —grita Aubrey —. Mamá me dijo que viniera a buscarte. Hola, Mo.

—Hola, Aub —dice Mo, con el rostro transformado en el de una adolescente perfecta y bien adaptada, exactamente como Aubrey espera que sea, y Chloe se transforma nuevamente en la adolescente disfuncional y dañada que de repente apenas puede dar un paso sin colapsar, exactamente como Aubrey espera que sea.

Mo no dice nada sobre la actuación de Chloe. Siguiendo la farsa, la toma del brazo y la ayuda a caminar de regreso por la playa, mientras Chloe hace muecas de dolor a cada paso.

—Voy por el auto —dice Aubrey.

Cuando se pierde de vista, Chloe voltea hacia el océano y le dice a Mo:

—El océano va a extrañarla.

Sonrío y lloro un poco porque tiene toda la razón.

53

Cuando regreso a casa está teniendo lugar una acalorada discusión.

—Maldita sea, Jack, ¿estás intentando matarte? —dice mamá.

—¡Sí, eso es exactamente lo que estoy intentando hacer!

—grita papá desde el sofá, donde está recostado, gris y empapado de sudor, con la pierna apoyada sobre una almohada.

—¿Dónde diablos estabas?

—No es asunto tuyo.

—Claro que lo es. Aubrey te está buscando. Chloe te está buscando. Llamé a Bob.

—Ah, ¿sí? ¿Llamaste a Bob? —dice papá con desprecio—. Qué sorpresa. El buen Bob ha sido un gran amigo para ti últimamente.

—¿Qué rayos se supone que significa eso?

—Sabes exactamente qué rayos significa. La pregunta aquí es si tu mejor amiga, Karen, está al tanto de lo buen amigo que ha sido, o si simplemente no le dices nada cuando lo llamas y él sale corriendo a tu encuentro.

La nariz de mamá se ensancha, y juro que si fuera posible estaría saliendo vapor de sus oídos.

—No hay nada entre Bob y yo, y para tu información, Bob se ha portado increíblemente. Prácticamente fue él quien llevó a cabo la búsqueda de Oz…

—¡Lárgate! —gruñe papá, y esta explosión le provoca un violento ataque de tos que lo deja sin aliento, haciéndolo escupir sus palabras a través de él—. Lárgate de aquí. No te atrevas a pararte ahí y decirme lo mucho que ayudó Bob a buscar a mi hijo. Oz está muerto. Tú lo dejaste, y Bob no lo cuidó.

Mamá retrocede un paso.

—¡Ahora! —dice papá, intentando levantarse, pero su fuerza se ha ido, y lo único que logra es provocarse otro ataque de tos.

Mamá huye a la cocina y al llegar allí se apoya contra la barra, con los hombros, el cuello y el resto de su cuerpo encorvado en un modo que nunca antes había visto, y ambos se ven más viejos y pequeños de lo que recuerdo.

54

Aubrey pasó la noche en casa, y fue como un regalo del cielo. Cuando está cerca, mi familia se comporta de la mejor manera. Mis papás hacen un trabajo extraordinario actuando como lo hacían antes del accidente, como la pareja de un cartel que representa un matrimonio difícil pero extraordinario. Papá llama *cariño* a mamá, y ella le lleva cervezas y bromea diciéndole que es su sirvienta. Todos fingen por el bien de Aubrey, pero me conformo con eso si significa un día mejor que el de ayer.

Mamá sirve hot cakes de limón con requesón para el desayuno en la mesita de la sala, y papá finge estar buen ánimo. Bromea con Aubrey sobre el anciano sacerdote que los casará por insistencia de la mamá de Ben.

—No te preocupes —dice papá—. Sé primeros auxilios, y si colapsa durante la ceremonia y no puedo resucitarlo, yo mismo los casaré. Tengo licencia para casar.

Es cierto. Antes de que papá se casara con mamá, era capitán de un yate privado, y su jefe le pidió que obtuviera una licencia para que pudiera oficiar su cuarta boda.

—No va a pasar eso —dice Aubrey.

—Podría pasar. Sería genial. "Queridos hermanos, estamos hoy aquí reunidos para unir a esta increíble, encantadora y extraordinaria mujer con este hombre que no está ni cerca de ser lo suficientemente bueno…”.

Aubrey golpea a papá en el brazo.

—Golpeas como niña —dice papá—. Chloe, ¿puedes enseñarle a tu hermana a golpear?

Chloe se ríe a medias. Bajó a desayunar. Principalmente porque mamá se niega a seguir subiendo la comida a su habitación, y tampoco permite que nadie más lo haga, lo cual ha obligado a Chloe a salir de la cama.

—Me encantan estos hot cakes —dice Aubrey—. Juro que eso es lo que más extraño de vivir aquí. Sin ofender a nadie, o sea, todos ustedes son geniales y todo, pero en serio, vivir sin la comida de mamá es un terrible sufrimiento.

Las mejillas de mamá se ruborizan.

—¿No quieres llevarte unos limones a casa? —dice mamá —. El limonero está a reventar.

Cuando dice esto mira a papá. Es el inicio de su vida juntos, de su historia y de su matrimonio transparente. Su mirada rebota en la expresión de piedra de papá fijamente afable.

Aubrey extraña todo de casa.

—Eso sería genial —dice—. ¿Y también podrías darme la receta de estos hot cakes? A Ben le van a encantar.

Sorprendentemente, a pesar de todo lo que ha pasado, Aubrey no ha cambiado en absoluto. Igual que una viajera en el tiempo que ha sido lanzada en un mundo posterior al Armagedón, está consciente de la tragedia, pero al mismo tiempo es ajena a ella, permanece sin alteraciones y, por tanto, inmune al hecho de que todos a su alrededor han mutado en extrañas criaturas nuevas, seres alienígenas que se tambalean al borde de la destrucción. E increíblemente, su ceguera es como un polo magnético de cotidianidad que empuja todo de regreso a la normalidad. Parlotea sobre su boda, las flores y las invitaciones, y mamá, papá y Chloe se aferran a ello, participando más que nunca antes, sintiéndose agradecidos o desesperados de tener algo en qué concentrarse además de la farsa que han vivido los últimos veintiséis días.

Creo que, en cierto modo, Aubrey está mucho más consciente de lo que le hace creer a los demás con su despreocupación exagerada. Nadie lo sabe, pero justo después del accidente, ella y Ben hablaron sobre posponer la boda. Les parecía incorrecto tener una celebración después de tanta tragedia, y Aubrey estaba angustiada por eso. Habló con su futura suegra, quien habló con el sacerdote, pero finalmente fue Karen quien afianzó su decisión de seguir adelante con la boda.

El día que papá y Chloe fueron transferidos de regreso a Orange County, llegó un paquete al departamento de Aubrey. La tarjeta decía: "Vas a ser la novia más hermosa, un rayo de luz en un momento de oscuridad. Siento mucho que no podamos asistir a tu boda. Con todo nuestro amor, tía Karen, tío Bob y Natalie".

La caja azul de Tiffany contenía un impresionante par de aretes colgantes de perlas y diamantes: exactamente el tipo de aretes sobre los que mamá y tía Karen habían estado cacareando en la tienda de novias el día antes de que fuéramos a las montañas. Aubrey cerró la caja y la sostuvo entre sus manos durante un largo rato, luego colocó los aretes y la nota en el primer cajón de su tocador y llamó a mamá por teléfono para decirle que había encontrado los aretes perfectos para su vestido. Y entonces mamá, forzando un poco de ligereza en su voz, le pidió que le hablara sobre ellos. Y Aubrey se obligó a sonar positiva mientras se los describía a mamá.

Y después de eso, ya no hubo más discusiones sobre cancelar la boda, y Aubrey adoptó una actitud alegre y positiva cada vez que estaba con mi familia, decidida a ser el "rayo de luz" que tanto necesitaban, a pesar de las muchas veces en que no se sentía así realmente.

—Ben y yo estamos completamente perdidos sobre la lista de canciones para la recepción —dice—. Ninguno de los dos sabemos de música. Juro que nuestros invitados se van a quejar.

—Yo puedo ayudarte —dice Chloe, haciendo que mis papás volteen sorprendidos y que los ojos de Aubrey casi se salgan de sus cuencas.

—No te preocupes, hermanita —dice Chloe, poniendo los ojos en blanco—. Ya sé que no te gusta el grunge. Serán cosas tipo Adele y Maroon 5, canciones del estilo esponjosamente romántico y cursi de Taylor Swift.

Mamá mira desde el otro lado de la mesa a Aubrey con una expresión suplicante para que acepte la propuesta.

Sonriendo valientemente y reuniendo todo el falso entusiasmo que puede, Aubrey dice:

—Genial.

Le doy una palmada en la espalda, y luego me pongo a bailar. *Bien hecho, Aubrey.*

Desde el instante en que Aubrey anunció su compromiso, me sentí hastiada de todo lo que tuviera que ver con él, pero ahora lo amo. Hablemos de listones y encajes, de ligas y damas de honor. Mamá sonríe mientras papá bromea diciendo que quiere ayudar a Chloe con la música y agregar un poco de Michael Jackson y Madonna en la lista. Chloe pone los ojos en blanco, y Aubrey forma un crucifijo con los dedos para ahuyentar al diablo. Y al mirarlos, casi parecen una familia normal y feliz.

55

En el instante en que Aubrey se marcha, es como si el aire se desinflara en una especie de exhalación compartida luego de haber fingido felicidad durante casi un día. Chloe se marcha a su habitación. Mamá lava los platos. Papá mira la televisión.

Cuando suena el teléfono de mamá, ella sale al patio trasero y se sienta debajo del limonero para contestar.

—Hola —dice, en voz baja—. Bien… sí, está bien… No sé a dónde fue. No quiso decirme —se ríe—. No creo. Apenas puede levantarse para ir al baño.

Me estremezco.

Mamá escucha y vuelve a reírse, una risita tímida.

—Gracias por llamar. ¿Karen y Natalie están bien?... Bueno… De acuerdo… Sí, te llamará mañana… ¿Después del trabajo?... Sí, eso estaría bien… Me vendría bien un trago —vuelve a reírse—. Tienes razón, me vendrían bien varios tragos.

Cierra su teléfono, respira profundo y, regresa a la casa.

—¿Era *Bob?* —pregunta papá, sorprendiéndola cuando entra por la puerta del patio trasero y lo encuentra apoyado torpemente contra un taburete, con su pierna extendida como un poste.

—Solo llamaba para ver cómo estábamos —dice, defendiéndose.

—Seguro que sí. El buen Bob —dice papá en tono de desprecio—. ¿Están acostándose otra vez?

Retrocedo un paso al mismo tiempo que mamá, y entonces su rostro se enrojece de indignación. Pero la reacción tardó demasiado tiempo en aparecer, y la acusación no fue negada en ese instante tan revelador.

—¿Cómo te atreves? —dice mamá.

—¿Atreverme a qué? ¿A acusarte de lo que estoy seguro, de que te acostaste con él, o a preguntarte lo que no sé, si te estás acostando otra vez con él? —arremete papá.

El cuerpo de mamá se tensa y papá la mira fijamente.

—¿Lo sabías? —dice finalmente mamá, bajando la mirada y con voz apenas audible.

—Claro que lo sabía —espeta papá, pero siento que la ira sale de su cuerpo y es remplazada por un dolor horrible. Todo mi cuerpo está en llamas, por él, por mamá y contra ella.

—Y te quedaste —murmura mamá, mirando los azulejos entre ellos.

—¿A dónde iba a ir? —dice papá.

Una daga en el corazón sería menos dolorosa que su declaración de que la única razón por la que se quedó fue porque no tenía otra opción. Puedo sentir cómo sale del cuerpo de mamá el poco aire que le quedaba. Se tambalea hasta una silla junto a la mesa y se derrumba en ella, con los codos sobre las rodillas y la cara escondida entre sus manos, y entonces papá se marcha. Su mirada se fija un segundo en el limonero a través de la ventana, y luego continúa su camino, cojeando hasta la sala para alejarse de ella.

Sabía que no eran felices, pero no tenía idea de la profundidad de su miseria.

56

Me torturo empezando la mañana junto con Mo en la escuela. Lo más difícil de estar muerta es ver que el mundo sigue adelante sin mí. Han pasado cuatro semanas desde el accidente.

Mi equipo de futbol está en las eliminatorias. Me siento emocionada por ellos y triste por mí. La mayoría de los chicos de mi clase ya tienen sus permisos de conducir y autos nuevos. Y la semana pasada fue el baile, y todos hablaban sobre eso.

Mo ahora se junta con los chicos de teatro, una evolución que presencié con gran horror. Odiamos… odiábamos el grupo de teatro. Siempre son tan dramáticos. Creo que por eso los eligió. Es el único grupo que están tan envuelto en sus propias crisis que no se preocupan por la de ella. Al menos no la mayor parte del tiempo. Hoy es la excepción.

—Oye, Mo, ¿por qué no nos contaste sobre el chico lindo que estuvo contigo en el accidente? —pregunta Anita, la diva principal del grupo, cuando llega Mo—. Natalie dice que era muy *sexy* y que fue superheroico, y que la apartó del cuerpo de Finn cuando estaba a punto de enloquecer.

Parece que la frase *Natalie dice* es el comienzo de muchas conversaciones últimamente. La novedad del accidente se ha desvanecido, y con ella también la nueva popularidad de Natalie, y su fastidiosa personalidad la ha hecho descender rápidamente por los grupos sociales. Así que, para aguantar el mayor tiempo posible, Natalie ha estado parloteando sin parar sobre aquel día, y cada vez se aleja más de la verdad.

—Ahora vuelvo —dice Mo, levantándose, y la observo mientras cruza el patio hacia la mesa de los deportistas, donde Natalie está sentada al final junto a su nuevo novio, Ryan, un imbécil de primera clase cuyo mayor orgullo es haber sido echado de más partidos de futbol por conducta antideportiva de los que ha terminado.

—Te ves muy bien, Mo —comenta Ryan mientras la recorre con ojos entrecerrados.

—Natalie, ¿puedo hablar contigo? —dice Mo, ignorándolo.

—Estoy comiendo —responde Natalie, mientras juguetea con la ensalada en su plato.

Ryan usa su cadera para empujarla fuera de la banca, haciendo que Natalie caiga de sentón sobre el concreto.

—Mo quiere hablar contigo, nena —dice riéndose—. No olvides discutir ese trío que me prometiste.

Natalie se levanta, fingiendo no sentirse humillada.

—¿Qué quieres? —dice, completamente enfurecida, cuando ella y Mo dan vuelta en la esquina y están fuera de la vista de las mesas.

—¿Por qué sales con ese tipo?

La nariz de Natalie se ensancha.

—¿Qué quieres? —repite.

Mo respira profundamente, y luego dice en un tono tranquilo:

—Quiero que dejes de hablar sobre el accidente.

—Puedo hablar de lo que me dé la gana.

Mo la mira fijamente pero no dice nada, tiene el ceño fruncido como si tratara de averiguar algo.

—¿Eso es todo lo que querías decirme? —pregunta Natalie con impaciencia.

A primera vista, Natalie parece ser la menos afectada por lo que sucedió. Aparentemente, su distanciamiento durante el accidente la protegió de cualquier repercusión duradera. Solo yo veo las diferencias, su constante nerviosismo que raya en la neurosis: cómo revisa la cerradura de la puerta cuando llega a casa al menos seis veces antes de subir a su habitación, cómo se desvía hasta tres cuadras de su camino para llegar a un cruce peatonal que tenga semáforo, cómo almacena comida en su mochila, en su casillero y en la mesita de noche junto su cama. Nunca recibió el mini Cooper que sus papás le habían prometido porque una docena de excusas se interpusieron en su camino para no tomar el examen de manejo.

Lo más sorprendente es su obsesión con mi muerte. Tiene una caja de zapatos en su armario completamente llena de recortes sobre el accidente, junto con todo tipo de información sobre morir en un accidente automovilístico y cómo evitar resultar herido. Además de todo el mórbido material de lectura, tiene el mazo de cartas que usamos para jugar durante nuestro viaje a las montañas y muchas fotos de las dos que nos tomaron a lo largo de los años. Natalie suele mirar las fotos constantemente, y verla mientras lo hace es desgarrador. En todas las fotos ella sonríe casi con entusiasmo, mientras yo estoy a su lado intentando reprimir una mueca, y me hace sentir terriblemente saber lo poco amable que fui, pues ahora comprendo lo mucho que realmente quería ser mi amiga.

Finalmente, Mo dice:

—No comprendo. ¿Por qué hablar de ello todo el tiempo? Es tan horrible. ¿No quisieras dejarlo en el pasado?

Natalie ladea la cabeza, como si no estuviera segura de lo que Mo le está preguntando.

—Y la forma en que lo cuentas —continúa Mo—, cambiando lo que pasó. Es como si tu versión y lo que realmente sucedió fueran dos cosas completamente distintas.

Natalie continúa con la misma expresión de confusión, y entonces comprendo que es posible que en su mente la verdad haya sido alterada. Pienso en todas esas veces que ha examinado minuciosamente los recortes de noticias sobre el accidente, leyéndolos una y otra vez como si intentara encontrarles sentido o ganar un poco de cordura. Luego recuerdo la actitud de Natalie durante el accidente, la expresión aturdida en su rostro mientras sus papás cuidaban de ella, y entiendo que es muy posible que realmente no lo recuerde, y ahora está luchando por entenderlo.

—¿De verdad es así como le recuerdas? —dice Mo.

Ya no hay enojo en su voz, su pregunta es sincera, como si realmente quisiera saber la respuesta.

Natalie baja la mirada fijándola en el pavimento entre ellas, mientras niega con la cabeza lentamente y se encoge de hombros.

—En realidad, no recuerdo mucho —dice—. O sea, sí me acuerdo. Sé que sucedió, y sé que estuve ahí, pero es borroso, como si le hubiera pasado a alguien más hace mucho tiempo. ¿A ti te pasa lo mismo?

El cuerpo de Mo se pone rígido, y la observo exhalar lentamente a través de la nariz, tardando un largo rato en responder. Cuando lo hace, su respuesta es lenta y deliberada, dejando ver el esfuerzo que significa hablar de lo sucedido.

—No —dice—. En mi caso es todo lo contrario, el recuerdo es tan real que parece que lo viví mil veces, y es tan cercano como si hubiera sucedido ayer o como si fuera a pasar nuevamente en cualquier momento.

Los ojos de Natalie se abren enormemente.

—La mayor parte del tiempo todos los detalles son tan vívidos que no logro ver otra cosa.

—Ah —dice Natalie.

Hay otra larga pausa, Natalie se mueve nerviosamente y Mo está inmóvil.

—¿Puedo preguntarte algo? —dice Mo.

Natalie asiente, ya sin prisa por regresar a su mesa.

—¿Cómo fue que tu papá obtuvo los guantes de Oz?

Natalie se encoge de hombros.

—¿No sabes? —pregunta Mo.

—¿Sabes qué pasó con ese chico que estaba con nosotros?

—pregunta Natalie en vez de responder.

—No lo sé. Supongo que simplemente regresó a su vida —dice Mo.

—Era muy guapo —dice Natalie—. ¿No te pareció que era guapo?

Mo sonríe levemente. Así es Natalie, una chica con la profundidad de una cuchara que prefiere hablar de un chico guapo que de casi haber muerto en el frío, y que lidiará con la situación en privado, en el armario de su habitación donde nadie pueda ver, dándole vueltas a la historia una y otra vez hasta que finalmente logre acomodarla, alterándola hasta lograr una versión que pueda comprender.

—También era muy amable. ¿No te pareció que era amable? ¿Sabes lo que me dijo cuando me ayudó a entrar en la casa rodante después de que salimos? Me dijo que todo iba a estar bien. Estaba equivocado, y yo sabía que estaba equivocado, pero fue lindo de su parte decirlo —comenta Natalie.

—¿Estaba equivocado? —pregunta Mo.

—Pues sí, ¿no? Nada está bien. Quiero decir, tal vez las cosas estén bien para él, pero nada está bien para el resto de nosotros. Finn y Oz están muertos. Chloe está muy rara y perdió un montón de dedos de los pies. Vance abandonó la escuela. Mis papás son un desastre. Y tú, como que ya no eres tú.

Mo se ríe, un sonido agudo y melodioso que me hace sonreír.

—¿Ah, no? —pregunta Mo.

—No. Solo mírate.

Mo baja la cabeza y se mira a sí misma. Está usando zapatillas Converse, pantalones de mezclilla y una sudadera de *surf*, nada fashionista. Vuelve a reírse, y Natalie se ríe con ella.

—Supongo que tienes razón —dice Mo.

—Nat, vámonos —grita Ryan desde la esquina del edificio —. A menos que estés organizando el trío del que hablamos. Si es así, tómate tu tiempo.

Mo pone los ojos en blanco y le hace una seña con el dedo medio. Ryan hace unos movimientos con su pelvis en respuesta, y se aleja trotando.

—Es un imbécil —dice Mo.

Natalie no despega los pies del suelo.

—Bueno, supongo que debemos ir a clases —dice Mo.

Natalie sigue sin moverse.

—¿No le dirás a nadie? —dice.

—¿Qué cosa? —responde Mo.

—Por qué Oz le dio sus guantes a papá.

Me sorprende, aunque no realmente, que Natalie haya decidido confesar lo que sabe. Es impresionante cómo toda la gente confía en Mo. Tiene mucho que ver con sus ojos, dos enormes lagunas de color azul y de aspecto tan inocente que parecen incapaces de engañar, al menos eso es lo que la gente cree.

—Por unas galletas —dice Natalie—. Papá le intercambió a Oz sus guantes por dos paquetes de galletas saladas.

El hoyuelo derecho de Mo se contrae, pero aparte de eso no reacciona de ningún modo. Su mirada permanece fija en Natalie, y sus labios aterciopelados siguen mostrando una sonrisa comprensiva.

—Me lo confesó una noche cuando estaba borracho —continúa Natalie—. Probablemente ni siquiera sepa que me lo dijo. Estaba completamente ebrio. Puede ser tan patético. —En ese momento, Natalie se da cuenta de que tal vez ha sobrepasado la línea de la lealtad, y repite—: ¿No le dirás a nadie?

—Tu secreto está a salvo conmigo —responde Mo, parpadeando inocentemente con sus ojos azules y ofreciendo su sonrisa más atractiva.

57

Mamá está en el trabajo, lo que significa que Chloe y papá están en casa solos. Si todavía tuviera uñas, ya las habría mordido hasta la raíz. No tengo idea de lo que sucederá, solo sé que ambos están al borde de la autodestrucción y que esta es la primera oportunidad que se les presenta para hacer algo al respecto.

La enfermera a domicilio llega a las nueve. Se llama Lisa. Es rubia y vivaz. Tiene los ojos muy azules y senos exageradamente grandes, y me alegro de que nos haya tocado esa enfermera en vez de una ancianita. Cada vez que entra por la puerta es como una ráfaga de aire fresco.

Primero revisa a Chloe, que está sentada sobre su cama, con una libreta en su regazo y sus audífonos en los oídos. Está escribiendo algo sobre la música para la recepción de Aubrey, una misión a la que se ha lanzado de lleno.

—¿Cómo está el dolor? —pregunta Lisa mientras examina los dedos de los pies de Chloe.

—Ya casi no tengo hidrocodona —responde Chloe.

Trago saliva al escuchar la mentira. El hospital la envió a casa con ocho tabletas, y no ha tomado ni una sola.

—Resurtiré la receta y traeré las pastillas el miércoles —dice Lisa sin sospechar absolutamente nada—. Tus dedos se ven bien. ¿Necesitas algo más?

Chloe niega con la cabeza, y Lisa levanta su pulgar. Luego sale de la habitación y baja las escaleras para ver a papá.

—Buenos días —dice papá alegremente.

Mientras Lisa estaba arriba, papá se cambió la camiseta, se rasuró y se peinó.

—Buenos días, Jack. Te ves mejor. ¿Quieres bañarte ahora o después?

—Ahora. Ve tú primero y empieza a quitarte la ropa. Yo llenaré la tina —dice papá, haciendo un intento por levantarse.

Lisa lo empuja juguetonamente de vuelta al sillón.

—Muy gracioso. Como si fuera la primera vez que me hacen esa broma —contesta Lisa, sacando un baumanómetro de su bolso.

—¿Pero te la había hecho alguien tan encantador como yo? —dice papá con una sonrisa que deja ver todos sus dientes.

Está flirteando, y no puedo hacer otra cosa que reírme. Es espantoso, pero también increíblemente divertido. Tal vez está compensando la emasculación provocada por el hecho de que una chica joven y bonita tenga que atenderlo, o quizá es un poco por despecho hacia mamá, o solo para aligerar el aburrimiento de su recuperación, pero el caso es que es divertidísimo. Papá tendido en el sofá con su pierna destrozada y haciendo uso de todo su encanto como sir Lancelot.

Las cejas burlonas de Lisa se unen entre sí por la concentración mientras examina el medidor de presión arterial que sostiene en su mano.

—No es justo, ¿sabes? —dice papá.

—¿Qué no es justo? —responde Lisa distraídamente.

—Tomar la presión arterial de un hombre después de hacerla subir.

Lisa hace una mueca al escuchar la línea tan cursi pero también se sonroja, y empiezo a creer que podría estar cayendo.

Tiene que ser una broma. Mi papá te dobla la edad.

—Fuerte como un toro, Jack —dice Lisa, dejando sus dedos sobre el brazo de papá un segundo más de lo necesario mientras le quita el baumanómetro.

—Entonces, ¿ya puedo hacer *todo* tipo de actividades? —dice papá, subiendo y bajando las cejas dos veces y haciendo que me estremezca. Lo que al principio era gracioso, se está convirtiendo en desagradable.

—Ese aparato ortopédico podría ser un obstáculo —dice Lisa riendo nerviosa.

Me marcho antes de que papá pueda responder. Es extraño ver a papá no como un padre sino como hombre, y no me gusta nada.

58

El hambre saca a Chloe de su cama un poco antes del mediodía.

Papá apaga la televisión cuando Chloe regresa de la cocina con un sándwich de crema de cacahuate y mermelada y una lata de Coca-Cola.

—Chloe —dice papá—, ¿puedes sentarte conmigo un minuto?

Chloe cambia de dirección y se acomoda en el sofá de dos plazas frente a papá, con su almuerzo sobre las rodillas. Papá se levanta un poco, de modo que está más sentado que acostado sobre el sofá. Mira a Chloe, y luego desvía la mirada, deteniendo sus ojos en la mesita entre ellos mientras decide qué decir o cómo empezar.

—Sé que no quieres hablar sobre eso —dice papá finalmente.

Chloe deja de masticar. Ha dejado muy claro que no quiere hablar de eso.

—Es solo que… no necesito saber lo que sucedió allí afuera, pero… —se detiene, sin saber cómo continuar.

—Quieres saber por qué fui —dice Chloe, ayudándolo.

Papá continúa sin mirarla. No puede hacerlo, porque el dolor de la decisión de Chloe resuena como un foco de mil watts entre ellos.

Chloe mira el plato que tiene sobre su regazo, suspira, y con la cabeza todavía agachada, explica:

—No podía dejarlo ir solo. Sabía que tenías razón, pero también sabía que Vance *creía* que tenía razón, lo que significaba que iría sin importar nada más, y no podía dejarlo ir solo. Si tú no hubieras estado herido, aunque yo hubiera estado equivocada, habrías ido conmigo. No me habrías dejado ir sola.

Chloe desvía la mirada hacia la chimenea y se queda mirando la fotografía de mamá y papá en el día de su boda. Sus ojos están fijos en el joven rostro de mamá y puedo ver que de sus ojos irradia un profundo dolor, y de repente entiendo la razón por la que está tan enojada con mamá. Chloe cree que no la amaba lo suficiente como para ir con ella.

—Lo amaba… Lo amo —dice Chloe.

La expresión del rostro de papá se sacude ante la inquietante idea de que Chloe todavía ama a Vance, especialmente después de lo que vio el sábado.

Chloe no se da cuenta. Su barbilla ha caído hasta su pecho, y las lágrimas corren por sus mejillas.

—Y ahora, me ha abandonado —su cuerpo se convulsiona por los sollozos.

—Exactamente —dice papá—. Te abandonó.

Chloe levanta la cara y parpadea a través de las lágrimas.

—No, no allí afuera. Allí me abandonó porque tenía que hacerlo.

—Pero acabas de decir que te abandonó —dice papá.

—Después —llora Chloe—. Me abandonó después. No responde mis llamadas. No va venido a verme…

—Cariño —dice papá—, él está atravesando su propio…

—¿Su propio qué? —grita Chloe—. Yo fui con él. Lo seguí. Los dejé a ti, a mamá y a Oz, y ahora simplemente se deshace de mí como si no existiera, como si no fuera nada, como si no le importara en absoluto.

—Chloe…

—No —dice ella, levantándose y caminando hacia las escaleras. Antes de empezar a subirlas, voltea de nuevo.

—Esto —dice, levantando su mano con el meñique amputado— no es nada. Daría todos mis dedos por alguien a quien amo. El problema es cuando amas tanto a alguien y descubres que la otra parte no te ama igual.

Se marcha tambaleándose y deja a papá mirándola mientras sube las escaleras, perdido, y no por primera vez, cuando se trata de lidiar con sus hijas.

59

Los hombres no soportan tener sus emociones en reposo. Al menos es imposible para los hombres como papá. El aburrimiento y la emoción conducen a la irritación y la frustración, mismas que, al combinarse con la testosterona, son altamente combustibles y producen acciones irracionales, guerras mundiales y destrucciones masivas.

—Levántate —dice papá, lanzando una sudadera que estaba en el suelo a Vance, quien está acostado en la cama, casi en la misma posición que cuando papá irrumpió en su habitación hace dos días. La única diferencia es que ahora su mejilla está amoratada donde papá lo golpeó con su muleta, y hay una mancha de sangre seca a un lado de su labio.

—¡Ahora! —dice papá.

Vance se da la vuelta y se tapa la cabeza con la almohada.

—Vas a venir conmigo por las buenas o por las malas.

Papá ha recuperado su fuerza milagrosamente avivado por la comida de mamá y por este nuevo propósito recién encontrado.

—Máteme o déjeme en paz —murmura Vance.

—Elegiría matarte, pero no puedo, así que levántate de una maldita vez.

Al ver que Vance permanece inmóvil, papá camina cojeando hasta el baño al final del pasillo, vacía el cubo de basura en el suelo, lo llena con agua fría, y regresa cojeando torpemente. Al llegar a donde está Vance, le arranca la almohada de la cabeza y arroja el agua sobre él.

—¡Carajo, hombre! —dice Vance, rodando por el lado opuesto de la cama y sentándose—. ¿Cuál es su maldito problema? Ya le dije que me deje en paz de una puta vez.

—No puedo. Ahora, vámonos. Tú vas a conducir.

—Váyase a la mierda —contesta Vance.

—Vete a la mierda tú también —responde papá.

Vance arremete contra papá embistiéndolo torpemente, como un niño que está drogado y al que nunca le enseñaron a pelear. Papá solía ser boxeador, así que, incluso con muletas, Vance no tiene la menor posibilidad. Corre directo hacia la muleta extendida de papá, encajándose en la base de goma y cayendo en el suelo, jadeando por aire.

—Carajo. Déjeme en paz de una puta vez —dice Vance.

—Tienes que hablar con Chloe —dice papá.

¿Qué? Estoy tan sorprendida como Vance, cuyos ojos parece que van a salirse de su rostro demacrado.

—No puedo —balbucea Vance, y de pronto toda su bravuconería de tipo rudo ha desaparecido y parece un niño pequeño asustado. Su barbilla tiembla mientras se limpia los mocos de la nariz con su mano deforme.

—Pues vas a tener que hacerlo —dice papá, fingiendo que no está afectado—. Así que vamos.

—Ella no quiere verme —gime Vance—. Y yo no puedo verla. No puedo.

La furia de papá regresa con toda su fuerza, y golpea a Vance en el hombro con la muleta.

—No te atrevas a decirme lo que puedes o no puedes hacer. Chloe necesita verte, así que levántate de una puta vez. ¡Ahora! —grita papá, golpeándolo de nuevo en las pantorrillas.

Lanzando un gemido, Vance rueda fuera de su alcance y se levanta tambaleándose. Al estar de pie, se ve aún más patético que cuando estaba acostado: lleno de moretones y golpeado, drogado y sin un centavo, empapado y con manchas desde la cabeza hasta los pies.

—Mierda, apestas —dice papá—. Báñate primero. No quiero que mates a Chloe con tu hedor.

Mientras Vance camina hacia la puerta, su mirada se desvía hacia la caja de madera con las pastillas. Papá se da cuenta, y se mueve para interponerse entre Vance y su reserva de drogas.

Lanzando un suspiro de resignación, y tal vez un destello de esperanza, Vance pasa junto a papá y camina hacia el cuarto de baño. Papá se deja caer sobre la cama, estremeciéndose de dolor cuando levanta su pierna, mientras aprovecha el momento para bajar la guardia y recuperar el aliento. Contemplo la escena con incredulidad. *¿Está loco?* Chloe no puede ver a Vance así. Ya no será necesario esperar hasta el miércoles para que Lisa le dé la última dosis letal. Esto la destruirá. No sobrevivirá la noche. La única esperanza de que no lleve a cabo su plan es la ingenua ilusión que sigue manteniendo de reconciliarse con Vance, un falso optimismo de que las cosas pueden volver a ser lo que eran. A eso es a lo que se aferra, pero si ve a Vance así, perderá toda esperanza.

Es una mala idea, papá. Una muy, muy mala idea.

60

Regreso con Chloe para esperar con ella hasta que lleguen Vance y papá, rezando para que tome una siesta y pueda decirle que se vaya, o al menos intentar prepararla de algún modo para lo que está a punto de suceder.

Chloe está en el baño, y me sorprendo al encontrarla recién duchada y con el cabello cortado: el negro ha desaparecido, y su cabeza ahora está coronada con un bonito pelaje cobrizo. Su pie está apoyado sobre el inodoro, y está rasurando su pierna. Su iPod, que está sobre el lavabo, toca a todo volumen *Lovesong* de The Cure, y ella tararea al ritmo de la música.

No puedo creerlo. Es como si alguien le hubiera inyectado un coctel transformándola de nuevo en mi ligeramente narcisista y despreocupada hermana.

Cuando termina de rasurarse, abre el gabinete de baño y revisa nuestra increíble colección de barnices de uñas hasta que encuentra el que se llama "Rubí Rebelde", y el estómago se me congela porque empiezo a entender lo que está pasando. Es un barniz de uñas que eligió cuando estábamos con mamá comprando ropa para el regreso a clases. Mamá lo levantó y dijo: "Ese sí que es un color para prostitutas y arlequines".

Por eso lo eligió Chloe aquella vez, y por esa misma razón lo ha elegido ahora. La observo mientras pinta cuidadosamente las uñas de sus pies deformes, de los siete dedos que le quedan, están hinchados y despellejados, con las uñas agrietadas y amarillas. El color rojo es macabro, como erupciones de sangre de heridas destrozadas.

Ya no me preocupa que la visita de Vance la lance al precipicio. Chloe ya está allí. Caminó hacia el otro lado la noche que me senté a su lado en el frío, y nunca regresó. Algo cambió en ella irrevocablemente, una resolución que no es de desesperanza sino de algo mucho menos maleable, una reacción desadaptada a su falta de control aquella noche. Quería que su corazón dejara de latir, suplicó para que llegara la muerte, pero su pulso siguió latiendo. Ahora, tiene el poder de decidir su destino, y eso es exactamente lo que intenta hacer.

Está hecha un verdadero desastre, y nadie lo sabe. La gente cree que es por sus dedos. Yo creí que era por Vance. Pero no es ninguna de las dos cosas.

Examino su habitación en busca de alguna pista que me ayude a entender. No existe ninguna respuesta excepto *¿Y por qué no ahora?* Probablemente es tan simple como el hecho de que papá y mamá se han ido y ella está sola. Tal vez eso es lo único que estaba esperando.

Cuando termina de aplicarse la primera capa, contempla su mórbida creación, y luego, mientras se maquilla, cambia la canción de su iPod a *Fade to Black* de Metallica. Lo hace lentamente, y me pregunto por qué están tardando tanto papá y Vance, pues ahora deseo que lleguen pronto.

Su maquillaje está terminado: trazó sus ojos con delineador negro carbón y sus párpados con sombras gris humo, su base de maquillaje es espesa y espectral y para sus labios eligió un labial color vino. Se acerca bailando hasta nuestro clóset y saca un vestido blanco satinado hasta la rodilla que originalmente era de Aubrey. Se lo compraron para el baile de debutantes cuando tenía dieciséis años, pero un mes después ya le quedaba chico y entonces pasó a ser de Chloe.

Le queda un poco holgado, pero se ve mejor así, porque la hace parecer frágil. El satén color marfil nada alrededor de sus brazos y cae sobre sus delgadas caderas.

Empieza a subir el cierre del vestido cuando suena el timbre. Al principio lo ignora, pero cuando vuelve a sonar, sale del armario dando una pirueta y baja las escaleras, con una agilidad sorprendente y sin que la falta de los dedos de sus pies le afecte en lo más mínimo.

—Mo —dice, cuando abre la puerta.

Los ojos de Mo palpitan cuando ve el extraño atuendo de mi hermana: el vestido blanco, los labios color borgoña, la base de maquillaje digna de una funeraria, y los dedos de sus pies pintados de rubí.

—Hola, Clover —dice Mo, con rostro completamente inexpresivo.

—¿Qué pasa? —dice Chloe.

—Necesito tu ayuda —responde Mo.

Chloe tuerce la boca hacia un lado.

—Estoy un poco ocupada —dice sin ironía.

—Es algo que no puede esperar —dice Mo, y el ligero temblor en su voz traiciona su preocupación al darse cuenta de que podría haber llegado justo a tiempo—. Por favor, Clover, tú eres la única que puede ayudarme. Tienes que acompañarme.

Pasa menos de un segundo, pero se siente como una hora, y entonces Chloe se encoge de hombros y Mo la jala por la puerta.

Chloe no lleva zapatos puestos, pero no van muy lejos, solo al patio trasero de Mo, a media cuadra de distancia.

Caminan a través del césped grueso y bien cuidado de los Kaminski hasta la terraza que sobresale hacia la playa. En la esquina está el *jacuzzi*. Chloe se detiene a medio camino e inclina la cabeza. Yo también lo escucho. Ruidos agudos y chillidos que hacen saltar mi corazón.

Mo camina delante de Chloe y levanta la esquina de la lona que cubre el *jacuzzi* dejando al descubierto una caja de zapatos con cuatro gatitos adentro no más grandes que un hámster. Los gatitos se acurrucan uno junto al otro, llorando y tropezando entre ellos, desesperados y ciegos.

Chloe no se mueve. Los dedos de sus pies se enroscan en la hierba, hundiéndose en la tierra.

Aún está demasiado lejos para poder verlos, pero sus pequeños gritos son ensordecedores, un sonido tortuoso, tan espantoso como uñas rasgando un pizarrón. Es la forma de Dios de proteger a los recién nacidos, un decibel único de desesperación reservado para los bebés que es imposible de ignorar.

Mo lleva la caja al césped y la coloca a los pies de Chloe, haciendo que baje la mirada.

—Ay —dice, cayendo de rodillas—. Míralos. Pobres cositas.

Mo levanta la mirada hacia el cielo iluminado por las estrellas y dice, en silencio, "Gracias".

—¿Dónde está su mamá? —dice Chloe, usando su dedo índice para acariciar la espalda de un gatito gris que maúlla causando un alboroto mientras escarba ciegamente sobre sus hermanos.

—No sé —dice Mo—. Los encontré cerca de los escalones.

Está mintiendo, pero solo yo lo sé porque conozco a Mo demasiado bien. Cuando miente, el énfasis que pone en algunas palabras es demasiado agudo. "*No* sé. *Los encontré* cerca de los *escalones*."

Chloe levanta al gatito de color gris. Apenas es del tamaño de la palma de su mano, y no para de llorar.

—Shhh —dice.

Luego le pregunta a Mo:

—¿Tiene hambre?

—¿Tú crees? —dice Mo, inocentemente, todavía mintiendo.

—¿Tienes leche? —pregunta Chloe, a lo que Mo asiente—. ¿Y un gotero?

Mo sale corriendo hacia su casa.

—Necesitas calentar la leche —le indica Chloe a Mo mientras abre la puerta—. Que no esté caliente, solo tibia, como la temperatura corporal.

La Sra. Kaminski está en la cocina, esperando. Está sentada en la mesa con una taza de té frente a ella y un libro.

—¿Funcionó? —pregunta.

—Creo que sí —dice Mo—. Está ahí con los gatitos en este momento.

Mientras el microondas entibia la leche, Mo camina hacia la mesa y besa a su mamá en la cabeza.

—Gracias —dice Mo.

—Lo que sea para ayudar —contesta la Sra. Kaminski palmeando la mano de Mo—. Lamento saber que Chloe no la está pasando bien, y siento haber tardado tanto. Encontrar gatitos recién nacidos no es fácil. La mayoría de las perreras los ponen a dormir cuando son tan jóvenes. Tuve que conducir hasta Oceanside.

—Bueno, esperemos que haya valido la pena —dice Mo, mientras el microondas emite un pitido. Levanta el tazón de leche y el gotero y regresa al patio.

Mo es brillante, simplemente brillante, y hermosa, y fui muy afortunada de que haya sido mi mejor amiga. Su mayor talento es conocer a la gente. Tiene una habilidad impresionante para percatarse de los elementos centrales de las personas, como un perro de caza. Mientras el resto de la gente veía lo que quería cuando miraba a Chloe, Mo vio la verdad, y lo más importante, tramó el plan perfecto para salvarla.

Mo observa mientras Chloe deja caer unas gotas de leche en la boca del gatito gris.

—Shhh, estás bien. Shhh, eso es. Buen chico.

Chloe está enamorada.

Cuando termina con el gatito gris, saca una gatita atigrada, de la mitad del tamaño de su hermano pero con el rugido de un león.

—Finn —dice Chloe—. Te pondré Finn.

61

Cuando Chloe levanta a la tercera gatita para alimentarla, voy a donde está papá para ver por qué se están demorando tanto. Han pasado horas, y el trayecto desde Audubon solo toma veinte minutos.

¿Estás bromeando?

No estoy en casa de Vance, y tampoco voy de camino a nuestra casa. Ni siquiera estamos en Orange County. Estamos en la camioneta 4Runner de Vance a poco más de un kilómetro de la cabaña de mi abuelo. Vance está conduciendo mientras papá ronca en el asiento detrás de él.

Me estremezco cuando la camioneta pasa por la curva donde sucedió el accidente. Pero Vance no se da cuenta, ni siquiera mira la nueva barandilla ni la ladera que nos empujó hacia el borde. Tal vez es porque él iba en la parte trasera y no vio al ciervo ni miró a través del parabrisas mientras caíamos por el borde. Es extraño cómo cada perspectiva puede ser tan diferente, once puntos de vista completamente separados.

La nueva barandilla es más sólida y resistente que la anterior. Está construida completamente de acero y sin madera que pueda pudrirse con el tiempo. Si el Auto Miller se topara hoy con un ciervo, nos salvaríamos. Pero el Auto Miller ya no existe, tampoco existimos Oz ni yo, ni la amistad que había entre los

Miller y los Gold. Jamás permitirían que Mo nos acompañara nuevamente a un viaje de esquí, y probablemente Kyle ya nunca toma este atajo. Hoy no hay nieve en el camino ni en el aire, el cielo es azul y el sol brilla.

—Señor Miller —dice Vance cuando doblan la última curva y la cabaña puede verse.

Papá gruñe.

—¿De verdad cree que esto es una buena idea? —pregunta Vance.

Vance no se ve tan mal como antes. Haberse duchado, rasurado y cambiado de ropa ayudó bastante. El único cambio para peor es la leve ictericia de su piel y el temblor de sus manos deformes sobre el volante.

Papá se frota los ojos mientras se sienta e ignora la pregunta de Vance.

—¿Dónde está el auto de Chloe? —pregunta Vance mientras estaciona su camioneta en la entrada.

—Ann la trajo, y luego se fue a casa —miente papá.

Vance asiente con la cabeza y, tragando saliva, sale valientemente de su camioneta.

—¿Chloe sabe que estoy aquí? —dice mientras ayuda a papá a salir del asiento trasero.

Papá asiente, y Vance empieza a caminar hacia la puerta.

—Espera —dice papá, deteniéndolo—. Dame las llaves; olvidé mis pastillas en la camioneta.

Vance le entrega a papá sus llaves y continúa avanzando, entonces papá abre la camioneta, finge tomar algo del asiento trasero, vuelve a cerrar la puerta y guarda las llaves en su bolsillo.

—¿Donde esta Chloe? —dice Vance cuando entran a la cabaña vacía.

—Bienvenido a tu nuevo hogar —responde papá.

La cabaña permanece espeluznantemente igual desde la noche que fuimos a comer hot cakes en Grizzly Manor. Nuestros esquís y neveras portátiles todavía están en la entrada, las bolsas con comestibles para el fin de semana siguen sobre la barra.

Vance mira a papá con el ceño fruncido por la confusión.

—¿Chloe no está aquí? —pregunta.

—Me voy a dormir —dice papá—. Debería haber un poco de cereal en la cocina. No hay leche, pero sobrevivirás.

—¿Qué mierda está pasando? Usted me dijo…

Papá voltea, con una expresión de agotamiento en su rostro.

—Te dije que Chloe necesita verte. Y es verdad, pero no puede verte así como estás ahora. Chloe tiene debilidad por lo patético, así que antes de permitir que te vea necesito convertirte de nuevo en el cretino arrogante que solías ser para que se dé cuenta de lo imbécil que eres y termine contigo de una vez.

Vance sonríe, revelando un breve destello de su antiguo yo.

—Exactamente —dice papá—. Así que, bienvenido a tu nuevo hogar.

Creo que Vance va a seguir protestando, pero en vez de eso corre hacia la cocina y apenas llega a tiempo para vomitar en el fregadero. El video de *Di no a las drogas* fue sorprendentemente preciso en su descripción del síndrome de abstinencia. La piel de Vance oscila entre el verde y el blanco, su cuerpo tiembla mientras vomita su almuerzo: el mejor ejemplo para decir no a las drogas.

—Limpia eso y asegúrate de beber un poco de agua —dice papá—. El vómito provoca deshidratación, y en la altitud en la que nos encontramos, eso te podría causar un desagradable dolor de cabeza.

—Váyase a la mierda —dice Vance—. Deme mis llaves. Me largo de aquí —papá se ríe.

—Esto es un secuestro —dice Vance, claramente dispuesto a no pelear otra vez con papá.

—Tú condujiste hasta aquí.

—Porque me dijo que Chloe estaría aquí. Me mintió —dice Vance.

—Bebe un poco de agua.

—Váyase al carajo.

—Como quieras —dice papá, dándose la vuelta y cojeando hacia el dormitorio.

—No puede retenerme aquí.

—Ahí está la puerta —responde papá.

Hay un dejo de crueldad en las palabras de papá. Está retando a Vance para que lo desafíe como lo hizo la noche del accidente. Esta noche no hace tanto frío como hace un mes, pero Vance todavía está frágil, y solo lleva puesta una camiseta y unos pantalones de mezclilla.

La puerta del dormitorio se cierra detrás de papá.

—Váyase al carajo —gruñe Vance, y luego se inclina sobre el fregadero para vomitar otra vez mientras todo su cuerpo tiembla.

Su mirada se desvía hacia la puerta. Otra encrucijada frente a él, pero esta vez no es tan ingenuo, pues está completamente consciente de lo que podría costarle un solo paso.

62

Decido ir con mamá para ver qué piensa de que papá no está en casa, pero descubro que no está pensando en eso. Mamá está sentada con Bob al final de un bar conocido como Dirty Bird. Su nombre real es Sandpiper, pero es tan sórdido e infame por su estilo *grunge*, que desde hace veinte años se le ha llamado casi exclusivamente por su sobrenombre.

—... Y te lo juro, por Dios —dice Bob—, la mujer está inconsciente, pero en el instante en que empiezo a taladrar, su mano sale disparada y me agarra. ¿Y yo qué podía hacer? Tenía un taladro dentro de su boca, y ella me tenía agarrado de las *joyas de la corona*.

Mamá se ríe y toma otro sorbo de su bebida.

Está borracha y él también. Lo sé por la forma en que chapotean sobre sus taburetes mientras hablan y ríen.

Bob bebe, y mucho. Lo veo ahora que estoy muerta. Cuando trabaja, está sobrio; pero el resto del tiempo está borracho. Cuando vuelve a casa del trabajo, hace una parada para tomar un whisky. En el instante en que entra a su casa, se termina dos cervezas. Y a la hora de la cena, bebe vino con Karen. Luego, antes de irse a la cama, tiene medio vaso de algo dorado.

Debe ser peor estos días porque Karen lo menciona todo el tiempo.

—Cariño, ¿no crees que ya has tenido suficiente? —dijo Karen anoche cuando Bob se sirvió su tercera copa de vino. En respuesta, él se la bebió de dos tragos y luego se sirvió otra.

Parece que cada palabra que sale de la boca de Karen lo irrita, como si el simple tono de su voz le retumbara hasta el cerebro. En cambio, mamá parece tener el efecto contrario, su compañía es un elíxir tranquilizador que lo transforma en alguien ingenioso y encantador, cariñoso y feliz.

—¿Tienes que irte? —pregunta Bob.

—Jack no está —dice mamá negando con la cabeza—. Se quedará un tiempo en la cabaña.

Bob no dice que lo siente; eso sería demasiado falso. Se termina el resto de su bebida y, tambaleándose ligeramente mientras se levanta, dice:

—Salgamos de aquí.

Le ruego a mamá que diga que no, pero eso sería pedir demasiado. Sin vacilar ni un segundo, se levanta, y Bob la toma de la mano para sacarla del bar y llevarla al hotel al otro lado de la calle.

63

Decido pasar el rato con Karen, pues siento curiosidad por ver cómo está lidiando con el hecho de que Bob todavía no haya llegado a casa después del trabajo.

Karen no permanece ociosa. Karen nunca está ociosa. Desde que regresó de las montañas, no ha parado ni un segundo. Evita pensar en lo sucedido a través de las ocupaciones maniáticas y la evasión, apoyándose en regímenes de actividades y obligaciones que no dejan ni segundo para la reflexión. Si en las noticias sale un informe sobre el estado de la nieve, cambia el canal. Si hay un accidente automovilístico en la autopista, Karen toma las calles laterales. Su mecanismo de defensa parece estar basado en la teoría de que el pasado solo puede lastimarte si se lo permites, si te detienes el tiempo suficiente a considerarlo. Es mejor no pensar mucho en las cosas, mejor aún si no piensas en ellas en absoluto, si finges que no pasó nada, y continúas tu vida negando que algo haya cambiado.

Esta actitud está bien cuando es de día y Karen puede correr desde su reunión de la Sociedad de Padres de Familia hasta el albergue de mujeres, la tienda de comestibles y el gimnasio. Pero a la una de la madrugada, cuando todavía está despierta mientras el resto del mundo duerme y su esposo no está en casa, ninguna de estas distracciones está disponible. Entonces se pone a limpiar obsesivamente, fingiendo no darse cuenta de que Bob no está, actuando como si solo hubiera llegado un poco tarde en vez de muy temprano al otro día.

Quizás se convence a sí misma de que Bob está tomando un trago con el otro dentista con el que comparte consultorio o que se quedó dormido en su oficina. Yo qué sé. Lo único que sí sé es que su mente se niega a reconocer la verdad. Pule, desempolva y alisa. Se retoca su maquillaje y aspira. Organiza las facturas en su escritorio. Hace una limpia de sus correos electrónicos. Pule, quita el polvo y vuelve a alisar.

Solo yo sé lo miserable que es su vida, lo sola y aislada que se ha vuelto, cómo se ha fracturado su matrimonio al grado de que Bob se marcha si ella entra en la habitación. En público, parecen unidos. Bob es un actor talentoso, que pasa su brazo alrededor de los hombros de Karen y deleita a quien esté escuchando con historias de su valiente familia mientras Karen sonríe cortésmente, sin que nadie, excepto yo, perciba la angustia en sus ojos por lo difícil que es para ella mantener la farsa.

Últimamente su estómago le causa problemas constantes, y cuando Bob habla de ese día, se sale de control. Algunas veces es demasiado, y necesita disculparse e ir al baño, donde se encierra en un cubículo y engulle varias pastillas Tums, esperando a que pase. Normalmente, esto es algo de lo que Karen hablaría con mamá, pero ella ya no es su amiga.

Alrededor de las tres, empiezo a sentir lástima por ella.

Hasta el día del accidente, amaba a Karen. Era como una verdadera tía para mí, mi tía más cercana, la primera persona a quien llamaba cuando estaba en problemas porque sabía que ella haría cualquier cosa por mí, y la última si tenía buenas noticias porque sabía que ella querría todos los detalles y que nunca lograría hacer las otras llamadas.

Ahora, después del accidente, la odio.

Sobre todo, porque me siento sumamente traicionada. Toda mi vida Karen se ha autoproclamado como una buena samaritana, una defensora de causas, la primera en ofrecerse como voluntaria para las ventas de pasteles y en liderar las campañas para obsequiar zapatos a los niños en África o llevar comida a las mesas de los pobres. Farisaica y devota hasta el punto de la santidad, esa es quien yo creía que era.

Se suponía que era buena, que hacía el bien, que era desinteresada y se preocupaba por los demás, pero falló. Cuando las cosas se pusieron difíciles, su única preocupación fueron Natalie y ella misma. Es como abrir el telón del gran y poderoso Oz para descubrir a un anciano con un montón de palancas y cuerdas que no tiene nada de mágico. No tiene derecho a decir que es una buena persona, porque no lo es.

Pero mi certeza vacila porque, aunque intento odiarla, los dieciséis años que compartimos antes de ese día todavía existen, junto con todas las cosas que amaba de ella, y descubro que sigo preocupándome por ella y que me provoca lástima. Está completamente sola y es miserable, y Karen es una mujer que no está diseñada para la soledad o la tristeza. Es una mujer hecha para reír y abrazar: rolliza y suave, boba y divertida, amorosa y buena, sí, buena. Hasta ese día, ella era buena, y descubrir la verdad es muy triste.

Esto es algo con lo que lucho. ¿La bondad solo es verdadera cuando conlleva un costo personal? Cualquiera puede ser generoso cuando es rico; cualquiera puede ser desinteresado cuando tiene suficiente. Mamá no es conocida por ser extremadamente compasiva, algunos incluso dirían que es una perra y, sin embargo, con sus propias manos, bloqueó la ventana del vehículo, desvistió a su hija muerta y no guardó para sí misma ni un trozo de la cálida ropa. Abandonó valientemente a su hijo y a su esposo y salió a buscar ayuda. Todo esto mientras Karen permanecía sentada en la parte trasera de la casa rodante con Natalie.

¿Puedo culpar a Karen por su cobardía o su comportamiento egoísta motivado por el miedo? ¿Nacemos con nuestra fuerza? Si es así, ¿deberíamos condenar a quienes no la tienen?

La observo caminar arrastrando los pies hasta la cocina, donde quita las perillas de la estufa para lavarlas en el fregadero, y decido que no siento lástima por ella. El miedo no es una excusa. Mamá estaba asustada. Kyle estaba asustado. Mo estaba aterrorizada. Gracias a Karen, Oz está muerto.

Cuando Karen está colocando otra vez las perillas en la estufa, la puerta se abre y entra Bob.

Karen se apresura para ir a su encuentro y saludarlo.

—¿Otra noche larga en la oficina? —dice.

Bob tiene un aspecto terrible, su cabello está despeinado, su ropa arrugada, su rostro enrojecido porque tal vez todavía está borracho. Bob levanta la cabeza para mirar a Karen, que sostiene una perilla de estufa en su guante de goma y, con un suspiro, asiente con la cabeza participando en la farsa. Luego sube las escaleras tambaleándose hacia su habitación.

Karen no se mueve, su compulsividad se detiene momentáneamente mientras mira a Bob salir de la habitación. La realidad la ciega haciendo que suelte la perilla y se aferre a una silla para sostenerse. Porque no importa lo ocupado que estés, no importa cuánto te niegues a hablar del pasado o a enfrentarlo, no importa cuántas veces cambies el canal si el meteorólogo predice una nevada, hay momentos, lapsos inevitables y espacios en el tiempo, cuando el pasado inunda el presente con tanta furia que te roba el aire de los pulmones y te deja sin aliento.

Karen se deja caer al suelo, se acurruca en un ovillo y solloza.

64

Mamá entra sigilosamente a la casa como un ladrón. Cualquier otra noche esto hubiera funcionado, pero hoy la atrapan con las manos en la masa tan pronto como cruza la puerta.

—¿Mamá? —dice Chloe desde el sofá.

—¿Chloe? —responde mamá con un dejo de culpabilidad en su voz, aunque no debería. Chloe es la última que puede ponerse a lanzar piedras. Ella también está llena de secretos blindados.

Chloe todavía lleva puesto el ridículo atuendo de antes. La falda está manchada en los sitios donde se arrodilló en la hierba, y su maquillaje de ojos está corrido.

—¿Qué tienes ahí? —dice mamá, fingiendo no percatarse de su extrañeza, y acercándose un poco más—. Madre mía. Son tan pequeñitos.

Hay cuatro gatitos durmiendo en el regazo de Chloe. Finn maúlla y bosteza por la interrupción, luego se acurruca un poco más contra su hermano y sus dos hermanas y vuelve a dormirse.

Bingo, que está echado a los pies de Chloe, levanta la cabeza al escuchar el maullido y luego vuelve a desplomarse.

—Su mamá los abandonó —dice Chloe asintiendo con la cabeza.

Mamá se sienta junto a Chloe y acaricia el lomo del gatito gris.

—Tal vez no pudo cuidar de ellos. ¿Vas a llevarlos al albergue?

—No puedo —dice Chloe—. Mo los encontró y llamó al albergue, pero le dijeron que no pueden aceptarlos hasta que puedan beber solos.

—¿Y Mo no puede quedárselos? —pregunta mamá.

—Su papá es superalérgico —responde Chloe.

Descubro un atisbo de sonrisa en la mirada de mamá, una expresión de reconocimiento y gratitud por la genialidad de Mo. Tal vez mamá no sabe a ciencia cierta el peligro exacto que corre Chloe, pero sabe que no la está pasando bien.

—Entonces, ¿vas a quedártelos? —pregunta mamá.

—Tengo que hacerlo.

Mamá asiente dándole la razón a Chloe.

—¿Qué te parece si los cuido un rato para que puedas descansar un poco? —pregunta mamá.

Chloe bosteza y asiente, y luego coloca cuidadosamente el pequeño paquete sobre el regazo de mamá. Todos los gatitos se despiertan y empiezan a llorar, una sinfonía de pequeños rechinidos.

—Tienen hambre —dice Chloe.

—No, ¿en serio? —pregunta mamá, poniendo los ojos en blanco—. Crie a cuatro hijos. Sé cuando un bebé tiene hambre. Ve a dormir. Yo me encargo.

Chloe le lanza una sonrisa anémica y preocupada, y luego se tambalea hacia las escaleras.

—Chloe —dice mamá, deteniéndola—. Tu cabello se ve bien.

—Gracias —contesta Chloe, medio dormida.

Finn comienza a maullar más fuerte, y Chloe frunce la frente con una expresión preocupada.

—¿Sabes?, estaba pensando. Mi jefe me ofreció boletos para la Sinfónica del Pacífico el sábado. Tal vez deberíamos ir —comenta mamá, con tanta esperanza en su voz que mi corazón se acelera.

—¿Quieres que te traiga la leche? —dice Chloe, con voz tensa y preocupada al escuchar la creciente angustia de los gatitos.

—No, yo voy por ella —contesta mamá, colocando a los gatitos en la caja de zapatos mientras todos maúllan al unísono —. Entonces, ¿qué dices?

—Sí, está bien —responde Chloe, distraídamente, con su atención completamente concentrada en la lentitud de mamá y no en sus palabras, deseando que se mueva con más rapidez.

El rostro de mamá se ilumina, y se dibuja una sonrisa en él mientras lleva la caja de maullidos a la cocina. Chloe exhala un suspiro de alivio y sube pesadamente las escaleras.

Me quedo con mamá mientras alimenta a cada gatito con el gotero, tranquilizando y acariciando a las pequeñas criaturas mientras las lágrimas corren por sus mejillas. Y la perdono por lo que pasó esta noche, y espero que ella pueda perdonarse a sí misma. Como todos los demás, mamá también avanza a tropezones, con un pie delante del otro y no siempre en la dirección correcta, pero avanzando igual.

Necesito recordarme a mí misma que no sabe lo que hizo Bob, que no sabe lo que papá está haciendo con Vance. Solo sabe que papá la odia por no proteger a Oz y que se ha ido, y que Bob la ama y está aquí, una visión mortal distorsionada.

Cuando termina de alimentar al cuarteto, regresa al sofá, coloca a los gatitos junto a ella, los rodea con su brazo de manera protectora y cierra los ojos. Finn es una luchadora. Puede que sea la más pequeña, pero eso no le impide pelear para conseguir lo que desea. Empuja a Brutus (así es como llamé al gris) fuera de su camino para poder llegar al lugar más cercano al corazón de mamá.

65

—Levántate —ordena papá mientras golpea los pies de Vance que está en el sofá tirado y roncando. Vance gruñe e intenta levantar los pies, pero papá vuelve a golpearlos, esta vez con fuerza suficiente para tirarlo del sofá—. Ahora.

—Una mierda, hombre. Déjeme en paz —reclama Vance.

—Estamos perdiendo el tiempo —dice papá.

Vance entrecierra sus hinchados ojos hacia la ventana completamente oscura.

—Tienes diez minutos. El desayuno está en la mesa —dice papá, saltando con sus muletas.

En la mesita hay una barra de granola y un vaso de agua de la llave: la ración de un prisionero.

Vance se hace un ovillo y cierra los ojos.

Exactamente diez minutos después, papá está de regreso y golpea a Vance en las plantas de los pies con su muleta.

—Vamos —dice papá.

—¿A dónde? Es la puta noche.

—De hecho, son las seis de la mañana —contesta papá, golpeando los pies de Vance con más fuerza hasta que no le queda otra opción que levantarse para que papá deje de golpearlo—. Es hora de ir a buscar a Oz.

Vance ladea la cabeza, preocupado de que papá haya enloquecido por completo, cosa que yo misma empiezo a plantearme.

Nunca encontraron su cuerpo —continúa papá—. Así que vamos a encontrarlo nosotros. Ahora mismo, vamos.

Vance mueve la cabeza. Todo este descabellado plan es demasiado para comprender. El cuerpo de Oz está perdido en una tundra que casi los mata a ambos hace tan solo un mes. No hay manera de que Vance acepte voluntariamente unirse a una brigada formada únicamente por ellos dos (un batallón con pocas extremidades, dedos y cordura) en busca del cadáver en descomposición de mi hermano.

Papá suspira por la nariz.

—No es una elección, Vance —dice papá—. Mira, así es la cosa. Metiste la pata, y tu error involucró a mi pequeña, y no hay nada que me importe más que mi familia. Así que vamos a poner las cosas en claro: me importas menos que una mierda. No estoy haciendo esto porque soy un buen tipo que se preocupa y quiere salvarte de ti mismo. Si dependiera de mí, estarías ahora pudriéndote en tu habitación. Pero lo único que me importa es Chloe, y en este momento, Chloe tiene la impresión equivocada de que todavía te ama.

Vance se gira hacia papá con los ojos muy abiertos. Papá le dijo a Vance que Chloe quería verlo, pero no dijo nada acerca de que Chloe todavía lo amaba.

Nunca he sido una gran admiradora de Vance, pero sí de lo mucho que él y Chloe se amaban. Papá no estaba allí, por eso no lo sabe, pero cuando Vance comprendió el error que había cometido, intentó salvarla desesperadamente, dando tumbos durante casi dos días sin descanso, mientras su objetivo lo impulsaba más allá de la fuerza mortal. Solo tiene dieciocho años. Ojalá papá pudiera darse cuenta de eso.

Papá frunce el ceño al ver la esperanza en el rostro de Vance.

—Así que, contra toda mi voluntad —dice papá—, Chloe necesita verte para poder superarlo. Pero, desafortunadamente, ahora mismo pareces más un perdedor que un cretino, y eso no va a funcionar.

—¿Y si me niego? —dice Vance.

—Ahí está la puerta. La misma puerta de anoche, y la que estará también hoy, mañana y pasado mañana —responde papá.

Vance cambia de decisión en su mente, y luego se levanta.

—¿Cuándo podré verla? —dice, y mi corazón palpita al ver lo mucho que todavía ama a mi hermana.

—Cuando encuentres a Oz.

66

Sé que prometí no volver a visitar los sueños de mis seres queridos, pero no puedo evitarlo. Mo está pasándolo mal por lo que Natalie le dijo, y Mo y yo siempre nos hemos ayudado en lo que se refiere a Natalie. Aun ahora que estoy muerta, esa chica es un verdadero fastidio.

Mo no sabe qué hacer con la confesión de Natalie sobre el intercambio de galletas y guantes entre Bob y Oz. Ella estaba dispuesta a ignorar las exageraciones y mentiras que Natalie ha estado contando, porque sabía que la diarrea verbal de Natalie seguiría su curso y que finalmente todos se cansarían de ella. Pero así como el asunto de los guantes fue una causa de angustia para Mo mientras estaba sentada en el vehículo esperando ser rescatada, ahora la sigue angustiando y no sabe qué hacer al respecto.

Papá está en Big Bear. Chloe está muy frágil. Y mamá y Bob son uña y carne. Mo considera la opción de decírselo a su propia mamá, pero la señora Kaminski no querría que su hija se involucrara. Es una mujer práctica. Oz está muerto; ¿qué sentido tendría?

Mo intenta decirse esto a sí misma, pero su conciencia está atormentada. Tal vez sea porque su propia culpa por lo que le sucedió a Oz la tortura. Supo que algo había sucedido cuando

Oz no regresó y vio a Bob con los guantes. Lo supo en ese momento y no hizo nada; ahora sabe algo más, y quedarse de brazos cruzados otra vez la está carcomiendo.

Si estuviera viva, lo enfrontaría de la misma forma en que siempre enfrento las cosas. Le contaría al mundo lo que hizo Bob, cómo envió a Oz al frío y lo manipuló para que le diera sus guantes. Conduciría por las calles con un megáfono y lo gritaría, hablando sobre la cobardía y el egoísmo de todos los Gold. Y todos me creerían porque tengo una de esas personalidades francas y directas en las que la gente cree. Así que, si estuviera viva, eso es lo que haría. Pero Mo no es como yo, y denunciar a alguien públicamente no es su estilo, por lo que, cuando se va a la cama, me escabullo en su sueño y le ofrezco una sugerencia que le funcionará.

Mi susurro es simple y disfrazado como una respiración. "Escríbelo. Escribe la verdad".

67

Papá y Vance están parados en el espantoso lugar donde todo comenzó: la estrecha curva en el camino donde vimos al ciervo y nuestra vida cambió. Aunque hoy el camino está despejado de nieve, al igual que el cielo, y no hay ciervos a la vista. No parece peligrosa ni excepcional, solo una curva en una carretera como un millón de otras curvas en un millón de otras carreteras.

—Este será nuestro campamento base —dice papá, sacando de la parte trasera de la camioneta de Vance un arnés y una larga cuerda.

Vance no podría estar mejor vestido para la ocasión, lleva puestas tantas capas de ropa que su rostro está lleno de sudor.

—¿Vamos a bajar desde aquí? —pregunta, echando un vistazo hacia el escarpado acantilado de piedra.

—Tú vas a bajar. Yo estoy fuera de combate —responde papá mirando su pierna en el aparato ortopédico—. Bajarás en rapel, y luego harás una exploración por cuadrícula para buscar a Oz.

Vance sacude la cabeza y mira a papá como si estuviera loco. Vance es un chico de los suburbios de Orange County que creció sin padre. Nunca ha ido a acampar ni a escalar montañas, y su idea de una aventura al aire libre es ir caminando a Starbucks porque su camioneta está en el taller.

—No, no lo creo —dice—. Hay muchos problemas con su plan, Señor Miller. Primero, ni de broma voy a bajar yo solo. Segundo, no tengo dedos para hacer rapel. Y tercero, ni de broma voy a bajar yo solo.

—Eso solo son dos problemas —dice papá, ajustando el arnés—. Hacer rapel es fácil; la parte complicada es escalar de vuelta. Todavía tienes la mayor parte de tus dedos, así que no deberías tener problemas.

—*Deberías* no es una palabra muy alentadora —dice Vance.

—Lo peor que puede pasar es que caigas unos cuantos metros —responde papá.

—No voy a hacerlo.

Papá suspira.

—Primero lo primero. Necesitas aprender a asegurar un anclaje en la montaña. Llevarás la cuerda contigo, la atarás, descenderás en rapel, y luego volverás a hacer lo mismo hasta que llegues al lugar del accidente. Deberías llegar con cuatro largos.

Vance pone los ojos en blanco dando a entender que este plan nunca va a suceder, pero no se da cuenta de que papá tiene esa mirada en su rostro, la que pone cuando está decidido a hacer algo. Y cuando papá tiene esa mirada no hay nada que pueda hacerlo cambiar de opinión. Así que será mejor que ponga atención porque, no importa si está de acuerdo o no, o si piensa que esto es una completa locura, después de la lección, Vance va a bajar por ese acantilado, incluso si papá tiene que tirarlo por el borde para lograrlo.

68

Mamá ha empezado a correr. No digo trotar, porque ese es un término demasiado suave para lo que hace. Todos los días corre por las calles hasta llegar al camino que serpentea junto al campo de golf, moviendo brazos y piernas y recorriendo el asfalto hasta que le es imposible recuperar el aliento; luego se detiene a tropezones, jadeando y mareada, con las manos en los muslos e intentando respirar.

Comenzó a correr el día que regresó a nuestra casa vacía después de mi funeral, el silencio y la quietud eran tan atormentadores que sus músculos empezaron a contraerse y retorcerse hasta que no pudo soportarlo un momento más y salió corriendo como una loca a la calle sin detenerse.

Los fines de semana, corre por la mañana. Entre semana, corre después del trabajo. Todo el día, mientras está en su oficina, se mantiene contenida como un corsé victoriano, pero tan pronto como regresa a casa, se ata los zapatos deportivos y estalla en la calle.

Esta noche, mientras regresa tambaleante a casa, con la cabeza inclinada hacia la acera, se topa con Karen, que está de espaldas a un lado de su buzón echando un vistazo al correo. Se percatan de sus presencias al mismo tiempo, cuando están casi una encima de la otra. Sus rostros exhiben la misma sorpresa antes de cerrarse en expresiones idénticas de desprecio.

Karen no retrocede como yo esperaba, sino que echa los hombros hacia atrás y se mantiene firme en su lugar.

Mamá desliza la barbilla hacia adelante mientras continúa caminando sin decir una palabra.

—¡Tú elegiste primero! —grita Karen a sus espaldas —. Quizá no actué de la mejor forma con Oz, pero tú elegiste primero.

Mamá se detiene, con los puños apretados a sus costados mientras se da la vuelta.

—¿De qué diablos estás hablando? —dice mamá—. Oz está muerto. Tu preciosa Natalie ni siquiera se resfrió. Solo tú, Karen, podrías darle la vuelta a esto y echarme a mí la culpa.

—Yo estaba protegiendo a *mi* familia —dice Karen —. Dejaste muy en claro a quiénes eras leal cuando elegiste a Mo sobre *mi hija*. Así que, por supuesto que sí, cuando se presentó la decisión de proteger a *mi familia* o a Oz, nos elegí a nosotros.

Mamá entrecierra los ojos confundida, tratando de entender de qué diablos está hablando.

—Las botas de Finn —dice Karen—. Se las diste a Mo.

Los ojos de mamá se mueven de un lado a otro mientras procesa las palabras: *las botas de Finn.* Me doy cuenta de que mamá olvidó por completo ese incidente.

Yo sí lo recuerdo, pero lo que más recuerdo es que Mo se las devolvió. Ese par de botas UGG gastadas y andrajosas salvaron la vida de mamá. Probablemente salvaron la vida de todos los que sobrevivieron ese día. Cuando me las puse esa mañana, no tenía idea de que estaba tomando una decisión tan importante; tampoco lo sabía mamá cuando las quitó de mi cadáver y se las dio a Mo en lugar de a Natalie.

—Tú no eres mejor que yo —continúa Karen—. Todos tomamos decisiones ese día, pero tú elegiste primero.

Cuando el recuerdo por fin aparece en su mente, mamá retrocede un paso. Es cierto. Ella eligió a Mo. Su rostro se contrae por el asombro; luego, sin decir una palabra, se da vuelta y continúa caminando hacia nuestra casa.

Cuando está a salvo dentro, se desliza por la puerta y se sienta en el suelo, con la cabeza apoyada en las rodillas mientras abre y cierra distraídamente los dedos de su mano derecha, como hace tan frecuentemente estos últimos días.

¿La decisión que tomó fue simplemente porque Mo le agradaba más? ¿O fue más complicada, motivada por los clichés tranquilizadores ofrecidos a la Señora Kaminski? O peor aún, ¿por el resentimiento hacia Karen y su vida con Bob?

Mamá estira las piernas y se mira los pies, y sé que está pensando en Chloe mientras reconsidera sus prioridades en retrospectiva: Chloe, Oz, papá… ¿Mo o Natalie? Sigo sin saber a quién elegiría.

Sus ojos se deslizan hacia una foto en la repisa de la chimenea donde están ella y Karen abrazándonos a Natalie y a mí cuando éramos bebés, y sus hombros se encorvan. Por la tristeza en su rostro, sé que volvería a elegir a Mo. Sin importar cuánto tiempo tuviera para decidir, la elección sería la misma.

Me siento mal por mamá y por mí. Yo también habría elegido a Mo. No por despecho o por la Señora Kaminski, sino exactamente por lo que sucedió. Mamá eligió a Mo, y cuando llegó el momento, Mo le devolvió las botas. Natalie no habría hecho eso.

Pero esto no alivia el sentimiento de culpa. Si Mo me hubiera hecho lo mismo que mamá le hizo a Karen, me sentiría tan traicionada como Karen. Una daga de deslealtad atravesándome el corazón.

El número de víctimas de ese día sigue aumentando. Karen y mamá tenían una de esas amistades extraordinarias, una hermandad que cualquiera que las conocía creía que duraría hasta la vejez. Y ahora, se ha terminado por un par de botas viejas.

69

Mo está acostada en mi cama, con la barbilla apoyada en sus manos. La cama tiene sábanas nuevas y también un edredón nuevo.

Chloe está en su propia cama en una postura similar. Ambas miran fijamente a las cuatro bolas peludas en el suelo debajo de ellas, que se tambalean como marineros borrachos.

—¿Te los vas a quedar? —pregunta Mo.

—Mamá dice que puedo quedarme con uno. Me quedaré con Finn.

—¿Tu mamá está de acuerdo con ese nombre?

Chloe se encoge de hombros.

Yo estoy de acuerdo con que Chloe le haya puesto ese nombre. De hecho, me siento honrada. Finn es superlinda y muy combativa.

—Ojalá pudiera quedarme con uno —dice Mo.

—¿No hay la menor posibilidad? —pregunta Chloe.

—Mi papá es superalérgico, ¿recuerdas?

Desde la operación de rescate Chloe-gatitos hace cuatro noches, Mo se ha acostumbrado a pasar las tardes con Chloe.

Todos los días viene inmediatamente después de la escuela. Al principio, pensé que lo hacía porque estaba preocupada por Chloe, pero ahora sé que es algo más. Mo se siente sola.

Mo siempre ha sido muy madura, pero desde el accidente, es como si hubiera superado a todos los de su edad, como si lo que sucedió la hubiera lanzado por un túnel del tiempo. A los adultos les encanta decir que algún día todas las cosas insignificantes de la preparatoria no importarán: lo que piensa la gente, los grupos, los chismes, y es como si Mo hubiera saltado hasta ese día en un instante.

—¿Cómo estuvo el baile? —pregunta Chloe, solo por decir algo.

Chloe nunca fue a ninguno de esos bailes típicos de la preparatoria, el escenario y la música eran demasiado patéticos para ella.

—No fui —dice Mo.

—Pensé que habías invitado a Robert.

—Sí, lo hice. Pero cuando estaba en el hospital, Ally lo invitó, y como Robert no sabía si yo estaría bien para el baile, le dijo que sí.

—Eso apesta —dice Chloe.

—No realmente. No iba a ir de todas formas.

—¿Y el chico al que Finn invitó sí fue?

Mis oídos escuchan atentamente.

—Charlie. Sí, fue con esa chica alta, Cami. Ya sabes, la que es portera de futbol.

Mi corazón cae en picada, y me pregunto amargamente si ahora Charlie dibuja caricaturas de ella en lugar de mías.

—Clover —dice Mo—. ¿Sabes qué me ha estado molestando últimamente?

—No, a menos que me lo digas —contesta Chloe.

Mo sonríe.

—Es Natalie —dice Mo.

—Bueno, ahí tienes algo que no ha cambiado —responde Chloe.

Mo sonríe de nuevo.

—¿Sabes cómo tú no hablas de lo que pasó, y yo odio hablar de eso y tu mamá tampoco quiere tocar el tema?

—Sí.

—Bueno, pues eso significa que las únicas personas que sí hablan son Natalie y su papá, y lo que dicen no es lo que realmente sucedió —dice Mo.

—¿Y qué? Déjalos que tengan su estúpida gloria.

—Sí, lo sé —contesta Mo—. Eso es lo que pensé al principio. Pero me está molestando. Y mucho.

—¿Por qué?

—No sé. Supongo que porque necesito decirme la verdad todo el tiempo para que tenga sentido. Es mi forma de afrontarlo. Chocamos. Sobrevivimos. Lo repaso en mi mente una y otra vez, cada detalle, para poder entenderlo.

—Entonces, ¿por qué te importa lo que dice Natalie? Estoy segura de que nadie le cree. Después de todo, es Natalie.

—Porque estoy empezando a darme cuenta de que faltan piezas. Solo sé las partes que conozco, pero no toda la historia.

Chloe se endereza y cruza las piernas.

—Mo, olvídalo.

—No puedo.

—Yo no puedo hablar de lo que pasó —dice Chloe, y veo cómo se tensa su cuerpo.

—Lo sé. Y no necesito que lo hagas. Lo tengo todo por escrito, bueno, casi todo, las partes que conozco. Y tengo casi toda tu parte. Después de que chocamos, tú, Vance y Kyle estaban apilados contra el asiento del conductor.

—¿Quién es Kyle? —pregunta Chloe.

—Kyle es el chico que recogimos a un lado de la carretera. Su auto se había descompuesto.

—Olvidé por completo que estaba con nosotros. ¿Está bien?

—Creo que sí. Él fue quien acompañó a tu mamá a pedir ayuda.

—Vaya, tienes razón. En verdad solo sabemos las partes que conocemos —dice Chloe sacudiendo la cabeza.

—Exactamente. Tú fuiste la primera a quien vi. Abrí los ojos, y tu mamá se tambaleaba hacia ti. Tenías una herida en la cabeza y había mucha sangre…

—Pensé que Bob me había ayudado.

—Tu mamá lo hizo primero. ¿No te acuerdas?

Chloe entrecierra los ojos y mira la colcha de su cama intentando recordar. Se muerde el labio mientras sus dedos tocan la cicatriz en su frente, y entonces aparece un vago recuerdo de la ayuda de mamá.

—Ah —dice Chloe.

—Luego se dio cuenta de que Finn estaba en la parte delantera, así que le dijo a Bob que cuidara de ti.

Ambas guardan silencio, compartiendo un momento de respeto por mi muerte.

—Luego, después del impacto inicial, y cuando tu papá fue trasladado a la parte trasera, tú y Vance se fueron. Dos días después, te encontraron.

La mandíbula de Chloe se contrae. Su historia no es complicada, sino horrible, espantosamente horrible.

—Lo que aún me falta averiguar es qué fue lo que causó el accidente, la razón por la que Oz se marchó y lo que sucedió cuando tu mamá y Kyle fueron a buscar ayuda.

—Mamá no habla de eso —dice Chloe—. Ella está mucho peor que yo. Al menos yo sí reconozco que sucedió. Mamá finge que no fue así, que no pasó nada: el accidente, la muerte de sus dos hijos. Su forma de lidiar con la situación es actuando como si Finn y Oz nunca hubieran existido. Es extraño, pero te repito que no va a hablar de eso. Está en una negación absoluta y ha hecho un esfuerzo sobrehumano para borrar todas las evidencias.

Es cierto. Después de que mamá purgó mi habitación de todas mis pertenencias, hizo lo mismo con la habitación de Oz. Luego recorrió la casa. Si encontraba un calcetín que era mío, se deshacía de él; un borrador que Oz había usado, a la basura; un clip de papel verde, a la basura. Ya no compra puré de manzana ni Roll-Ups de frutas, porque eran mis favoritos, tampoco jarabe de chocolate Hershey's ni Oreos, porque eran los favoritos de Oz.

Mo se acuesta sobre su espalda y mira al techo. Todavía se pueden ver los débiles contornos de las estrellas brillantes que ella y yo pegamos encima de mi cama cuando teníamos nueve años.

—Qué lástima. Su historia es la que más quisiera escuchar. Se portó increíble, como una superheroína. Le debo mi vida. Todos se la debemos.

—Tal vez, pero creo que ella no lo ve así.

—¿Cómo podría no hacerlo?

Chloe se encoge de hombros, y dice:

—Es como dijiste, no conocemos toda la historia. Cada uno de nosotros sabemos únicamente nuestra parte y desde nuestra perspectiva. Y apuesto a que la parte que no conocemos de la historia de mamá es la que la tiene corriendo por las calles como una loca, fingiendo que solo tuvo dos hijos en lugar de cuatro y evitando los espejos como si en ellos viviera el demonio que la persigue.

70

Chloe había olvidado por completo que había aceptado ir al concierto con mamá, pero cuando esta asomó la cabeza por su puesta para decirle que se diera prisa para su gran noche de fiesta, Chloe supo fingir muy bien que estaba emocionada.

En un acto de desafío, eligió un tono amarillo brillante para el evento de gala. Lleva puesto un vestido sin mangas con una falda ancha que ondea desde su diminuta cintura. Sus sandalias son plateadas con gemas de cristal en las correas y sus dedos de los pies todavía están pintados de color rojo sangre. Luce impresionante y yo me deshago en aplausos cuando ella y mamá caminan hacia la sala de conciertos.

Por un segundo, tengo la impresión de que puede escucharme. Sus labios se curvan en las comisuras y su mano se levanta ligeramente haciendo una pequeña ola.

Chloe siempre ha sido bonita, pero de pronto se convirtió en una chica exquisita. La cicatriz en su frente, irregular y rosa, brilla contra su piel pálida, y atrae las miradas igual que las polillas son atraídas por el fuego. Los ojos de la gente se detienen en su cicatriz antes de deslizarse hacia abajo para descubrir que le faltan algunos dedos de sus dedos de pies y manos— más pistas atrayentes de su misteriosa historia—. Chloe muestra sus heridas deshinibidamente, como piedras brillantes, extrañas y resplandecientes. Es frágil, fuerte y absolutamente fascinante, y los corazones se aceleran a su paso, hombres y mujeres por igual, las mujeres con un poco de repugnancia y los hombres hipnotizados, todos moviéndose e intentando acercarse, deseando estar cerca.

Chloe no se percata de esto. Camina junto a mamá, observando las estrellas, la gente y la arquitectura.

Mamá se encuentra nerviosa, como si estuviera en una primera cita y quisiera hacer todo bien.

—¿Quieres algo de beber? —dice cuando entran.

Chloe distraida, niega con la cabeza.

—Es hermoso —comenta, admirando el enorme vestíbulo y el cristal ondulado que cae desde el techo como olas de agua.

—El cristal de este lugar es el más transparente del mundo —dice mamá—. No tiene hierro, el elemento que tiñe de verde casi todo el cristal. El arquitecto quería que fuera completamente transparente para que cuando las personas estuvieran dentro de la sala fueran parte de la fachada.

—Vaya, eso es genial —dice Chloe.

Es extraño ver lo parecidas que son. Solo a Chloe le parecería "genial" el amplio conocimiento de mamá sobre tales minucias. Aubrey y yo hubiéramos perdido el interés al enterarnos de que el tema de plática era el cristal.

Ambas se dirigen a sus asientos, y yo miro el concierto con ellas, aunque no lo disfruto para nada. Los violines gimen canción tras canción sin palabras. Yo heredé el gen musical de papá, lo que significa que no tengo uno.

Chloe y mamá están embelesadas. Sus músculos se tensan al compás de los *crescendi* y se estremecen tranquilamente a medida que el ritmo disminuye, como si sus pulsos estuvieran vinculados a las notas, y nuevamente me maravillo al ver lo parecidas que son, y me pregunto si mamá era como Chloe cuando era joven y si Chloe será como mamá cuando sea mayor. Mamá es más atlética y Chloe más sensible, pero el temple en su sangre es el mismo: un temple absoluto tan singular como el cabello cobrizo que Chloe y yo heredamos de papá.

Los ojos de Chloe se humedecen durante una canción triste, y mamá sonríe a su lado, más absorta en la experiencia de su hija que en la música.

Más tarde, cuando caminan desde la cálida sala de conciertos hacia la fría noche, Chloe empieza a tiritar.

—Ponte mi suéter —dice mamá rápidamente.

—No, gracias —dice Chloe, dando una pirueta, con su vestido ondeando a su alrededor y el rostro levantado hacia el cielo iluminado por las estrellas, burlándose del firmamento mientras el frío le eriza la piel. "Lo intentaste, y fallaste. Todavía estoy aquí".

Junto al estacionamiento hay una pequeña fuente.

—Un centavo, por favor —dice Chloe, imitando un acento inglés, y extendiendo sus manos como un mendigo.

Mamá se congela. Igual que el puré de manzana y los rollitos de frutas, mendigar centavos para lanzarlos en todas las fuentes que encontraba a mi paso era lo mío, una cosa de Finn.

Chloe finge no darse cuenta de la vacilación de mamá, mientras sus manos permanecen extendidas frente a ella.

¡Dale un centavo!, grito. Estoy harta de que cada recuerdo mío sea descartado, evitado o embalsamado en un santuario. Quiero que mamá sonría cuando le pidan un centavo y que se ría cuando camine por la sección de carnes frías del supermercado,

recordando la vez que horneamos un jamón sin quitarle la envoltura de plástico transparente y cómo lo cocinamos durante dos horas antes de darnos cuenta que se veía extraño. Quiero que papá sonría cuando coma alitas de pollo y mire un juego de los Ángeles. Quiero que cada vez que Mo encuentre un diente de león sople la pelusa y luego corra a través de ella para atrapar las semillas en su cabello.

Estar muerta apesta, pero contemplarlos mientras destruyen la vida que tuve es peor.

¡Recuérdenme!, grito. *Celébrenme. No me encierren en una caja ni se deshagan de mí. Dejen de evitar todo lo que les recuerda quién era yo. Yo tuve una vida, y no quiero que me reconozcan solo por mi muerte prematura. Eso fue solo el final. Antes de eso tuve dieciséis años de vida: buenos, malos, graciosos, divertidos. Simplemente Finn.*

Un poco aturdida, mamá mete la mano a su bolso y toma no uno, sino dos centavos, uno para cada una de ellas. Se llevan las monedas a sus labios mientras piden sus deseos (otra cosa de Finn) y luego las lanzan al agua.

Así se hace, Chloe.

71

Papá está borracho.

Es casi medianoche y ha estado despierto desde el amanecer, pero papá rara vez duerme. A pesar del cansancio, permanece despierto, ignorando el dolor y torturándose con esa noche, estremeciéndose cuando el accidente resuena en su cerebro. Sus brazos giran el volante hacia la izquierda para golpear al ciervo en vez de esquivarlo, y sus puños se aprietan con tanta fuerza que las uñas le hacen sangrar las palmas.

Esta noche ahoga el recuerdo con whisky. Está sentado en la cama *king size* de mi abuelo, con una botella de Jack Daniel's en la mano, los ojos entrecerrados y la boca suspendida entreabierta.

Vance está dormido en el sofá de la sala, completamente agotado después de haber pasado cinco días buscando a mi hermano. Todos los días baja su delgado trasero por la montaña y, utilizando únicamente una brújula, un mapa y los conocimientos que papá le ha transmitido, camina sin descanso por el bosque durante horas.

Estoy muy orgullosa de él y me he convertido en su porrista silenciosa, orientándolo desde el banquillo y cuidándolo, susurrándole palabras de ánimo y aplaudiendo su valor mientras busca a mi hermano detrás de cada árbol y debajo de cada piedra.

No va a encontrarlo. Cada centímetro que peina ya ha sido peinado antes. Burns llevó a cabo una búsqueda muy minuciosa. Una semana después de que se suspendió la búsqueda, volvió a enviar a su equipo a rastrear el área hasta que fue evidente que no encontrarían a Oz. Dondequiera que se encuentre el cuerpo de mi hermano, ahora está muy lejos de donde algún día estuvo, se lo llevaron los animales, los elementos o ambos. Lo que queda de Oz, quien era él, ya no forma parte de este mundo. Lo sé con la misma certeza con la que sé que algún día yo tampoco estaré aquí. Hay una cierta transitoriedad en este estado, una intranquilidad que no puede durar.

Todas las tardes, Vance recorre nuevamente sus pasos y vuelve a subir por el acantilado para reunirse con papá, irradiando orgullo cuando le cuenta cómo le fue. Es difícil creer que ha pasado menos de una semana desde que Vance era un charco de autocompasión atiborrado de pastillas y acurrucado en su cama. Su cuerpo ha recuperado la fuerza, su piel brilla y ya no tiembla por la abstinencia. De no ser por las orejas, los dedos y el cabello, casi luce como antes.

Papá ya no es ni la sombra de lo que algún día fue. Ha dejado de rasurarse y parece un hombre de las montañas lanudo. Su barba oscura rojiza está salpicada de gris y crece hasta las mejillas y el cuello. Sus músculos, que alguna vez fueron gruesos, se han vuelto blandos, y ha perdido quince kilos por lo menos. Pero lo que más ha cambiado es su rostro —sus rasgos y su mandíbula— una transformación interior que irradia hacia afuera. Antes del accidente, papá era uno de esos hombres resistentes e infinitamente capaces, el tipo de hombre al que la gente buscaba cuando necesitaba cambiar una llanta, cargar un sofá por las escaleras o levantar un automóvil para rescatar a un niño pequeño. No era tanto por su tamaño sino por su seguridad: una certeza en su rostro apuesto y franco que irradiaba capacidad. Ya no se ve así, la vitalidad que tenía ha desaparecido de repente, como si los músculos de sus mejillas se hubieran atrofiado o la gravedad se hubiera vuelto más fuerte, y verlo en este estado me pone terriblemente triste.

Lo observo mientras bebe otro trago de la botella, y luego murmura algo incoherente.

En mi opinión, el alcohol resalta lo que ya eres. Los borrachos felices son personas que ya eran felices y el alcohol aumenta su felicidad; y sucede todo lo contrario con los borrachos desagradables. Papá es un borracho triste, una piltrafa desdichada y desconsolada, con los ojos vidriosos y la mandíbula apretada intentando contener las lágrimas que amenazan con salir.

Se estira para tomar el teléfono, y sus dedos batallan con los botones, pero finalmente logra marcar nuestro número.

Mamá y Chloe están en el concierto. Cuando suena por tercera vez, Mo, que está cuidando a los gatitos, contesta.

—Residencia Miller.

Sin decir una palabra, papá cuelga el teléfono, luego agarra las sábanas con sus manos y entierra la cara en la tela para amortiguar sus gritos.

Eso es lo que hace el alcohol, resaltar lo que ya eres. Y si estás lleno de remordimientos, te transforma en tu peor pesadilla: todo aquello de lo que te arrepientes y lo que odias de ti mismo se exagera, hasta que quieres arrancarte la piel o desaparecer definitivamente hacia la nada.

72

Los nudillos de Mo están blancos sobre el volante mientras conduce sigilosamente por la sinuosa carretera hacia Big Bear. Obtuvo su permiso de conducir hace tres meses, pero nunca había conducido más allá de dos ciudades. Es un día gris, el cielo amenaza con lluvia, pero las nubes todavía no sueltan su cargamento. Han pasado casi dos meses desde el accidente, y la temporada de esquí prácticamente ha terminado. Solo queda un puñado de nieve a lo largo de las carreteras, junto con las franjas blancas artificiales que serpentean por las montañas, delineando las pocas pistas de esquí que aún continúan abiertas. El termómetro de su BMW disminuye constantemente a medida que conduce montaña arriba, pasando de diecisiete grados en la base a once cuando finalmente se detiene frente a la estación de policía justo antes del mediodía.

—Maureen, es un placer conocerte —dice Burns. El capitán se ve bien. Sin todas esas gruesas capas de ropa y sin preocupaciones, parece más joven que la última vez—. Lamento no haber ido a saludarte cuando estabas en el hospital.

—No hubiera querido que lo hiciera. Me alegro de que todos sus esfuerzos se hayan concentrado en buscar a Oz —responde Mo.

—Ojalá lo hubiéramos encontrado. Me aflige saber que todavía está allí afuera, aunque tengo entendido que Jack Miller y Vance han retomado la búsqueda.

Mo abre los ojos sorprendida. Chloe le dijo a Mo que papá había ido a la cabaña para recuperarse y alejarse de mamá. Todos dan por un hecho que fue solo. Ahora Mo sabe que Vance está con él, una extraña dupla. Y algo todavía más extraño es que están buscando a Oz. La pregunta es qué hará Mo con esta información. Fiel a su estilo, su rostro no revela nada.

—Tengo entendido que tiene algunas preguntas sobre ese día —dice Burns.

—Solamente sobre algunas piezas que me faltan.

—¿Puedo preguntar por qué? —dice Burns.

Mo duda, porque ni siquiera ella sabe todavía la respuesta.

—La historia se está volviendo borrosa —dice finalmente —. Todos los que estuvimos allí ese día la recordamos un poco diferente, no solo desde distintas perspectivas sino con diferentes hechos, y quiero aclarar las cosas. No sé por qué, pero es importante para mí.

—Te ayuda a entender más fácilmente —dice Burns—. Por eso, a mí me ayuda hacerlo cuando escribo un informe sobre un caso. Le quita el aspecto emocionante y lo reduce a lo que realmente es: generalmente mala suerte, coincidencia, malas decisiones y, a veces, gente horrible.

Mo asiente aliviada al darse cuenta de que Burns lo entiende.

—En cuanto a que las personas lo recuerdan de manera diferente —continúa Burns—, todos lidiamos con los eventos traumáticos a nuestra manera y, a veces, no están mintiendo cuando lo cuentan de una manera distinta de como sucedió, sino que realmente lo recuerdan de un modo que les permite vivir con ello más fácilmente.

—Lo entiendo —dice Mo—. De verdad que sí. Y creo que eso es exactamente lo que está pasando. Pero yo no puedo actuar así. Yo lo recuerdo exactamente como sucedió, absolutamente todo, y no puedo simplemente fingir que no pasó o rechazar las partes que no me gustan.

—Entonces, ¿estás tratando de aclararlo solo para ti? —pregunta Burns.

—¿Qué quiere decir? —responde Mo.

—¿Quizá quieres entenderlo para que los demás tengan que reconocerlo?

Mo piensa un minuto antes de responder.

—No sé. Creo que es solo para mí —dice Mo frunciendo el ceño—. Aunque me molesta que las personas que parecen estar distorsionando más las cosas son también las que aparentan estar sufriendo menos.

—Esa parece ser la desafortunada verdad —contesta Burns.

—Supongo que también lo hago por eso —prosigue Mo —. No tanto para que lo reconozcan, sino más bien para que yo sepa que tengo un registro de lo que sucedió, y así cuando escuche sus mentiras, no me molestará tanto.

Sus palabras están llenas de determinación, una promesa hecha al fantasma que la acecha en sus sueños de que lo va a escribir, todo, y esto de algún modo ayudará a liberarla.

—Te diré lo que pueda —afirma Burns.

Saca un archivo de más de tres centímetros de grosor de un archivero que está al lado de su escritorio, y lo revisa página por página, repasándolo todo, desde la primera llamada al 911 hecha por mamá hasta la llamada del Servicio Forestal para suspender permanentemente la búsqueda del cuerpo de Oz cinco días después.

—¿Podemos volver a la parte antes de la conferencia de prensa en el hospital? —pregunta Mo cuando Burns termina —. Dígame otra vez lo que dijo Bob sobre la partida de Oz.

Hay un estremecimiento prácticamente imperceptible, una contracción del músculo de la mejilla derecha de Burns, pero Mo también lo ve, un pequeño indicio de que Burns también sabe que esta parte de la historia no cuadra del todo.

Con suma deliberación y eligiendo sus palabras cuidadosamente, Burns relata lo que Bob le dijo haciendo gala de una excelente memoria.

—Él dijo que Oz estaba contrariado porque le preocupaba que el perro no tuviera suficiente agua, y cuando fue el turno de Karen de beber un poco, Oz la golpeó y le quitó el agua para dársela al perro —hace una pausa y, al ver que Mo no dice nada, continúa—; ahí fue cuando Bob le preguntó a Oz si quería salir, con la esperanza de tranquilizarlo. Una vez que salieron, Oz dijo que necesitaba encontrar a su mamá y se marchó. Bob dijo que todo esto sucedió mientras aún estaba encima del vehículo. Me dijo que no se bajó porque Oz estaba molesto, y le preocupaba que pudiera ser peligroso. ¿Qué opinas?

Mo niega con la cabeza.

—La primera parte es más o menos correcta. Oz quería que le diera agua a Bingo antes que a Karen, y luego la empujó con el brazo cuando se la quitó, pero no estaba fuera de control, y después de haber obtenido lo que quería, se quedó tranquilo. De hecho, pensé que Bob estaba actuando de manera inteligente cuando llevó a Oz afuera, que lo estaba distrayendo para que todos pudiéramos beber un poco de agua antes de que regresaran. Además, no quiero sonar cruel, pero no era como que Oz amaba locamente a su mamá, y a mí me quería muchísimo, y adoraba completamente a su papá, así que es imposible que nos hubiera dejado para ir a buscarla.

—¿Y Bob sí se quedó encima de la casa rodante como dijo? —pregunta Burns.

—No, de esa parte sí estoy completamente segura. Oz lo ayudó a entrar de nuevo. Escuché a Bob pedirle que lo levantara. Además, Bob omitió la parte sobre el intercambio que hizo con Oz por sus guantes. Si Oz hubiera estado molesto y simplemente se hubiera marchado, Bob no habría obtenido los guantes.

—¿Tomó los guantes de Oz?

—Se los intercambió. Cuando Bob regresó al vehículo, tenía los guantes de Oz. No pude entender cómo los consiguió, pero el otro día, Natalie me dijo que su papá le dio a Oz dos paquetes de galletas a cambio de los guantes.

Burns se estremece visiblemente, y al ver su reacción, toda la serenidad y el aplomo de Mo desaparecen. Su barbilla cae sobre su pecho mientras sacude la cabeza y las lágrimas brotan de sus ojos.

—Es tan horrible. Oz no sabía lo que estaba haciendo. Debí haber salido con él, o al menos debí haberlo buscado cuando no regresó con Bob. Yo sabía que algo estaba mal. Tan pronto como vi los guantes, lo supe.

Mo se limpia la nariz con el dorso de su mano. Burns le entrega un pañuelo, y luego desliza la caja hacia ella.

—Maureen, escúchame —dice, en un tono de voz tan bajo que parece un rugido—. En primer lugar, esto no es tu culpa.

Si hubieras ido tras Oz, es muy probable que no estuviéramos aquí sentados teniendo esta conversación. Mírame.

Mo levanta la cara y parpadea a través de sus lágrimas.

—Nada de esto es culpa tuya —su voz retumba—. Ahora, necesito que me cuentes toda la historia, cada detalle, desde el momento en que la Señora Miller se fue hasta que los rescataron. Luego necesito que me cuentes palabra por palabra la conversación que tuviste con Natalie.

—La escribí —dice Mo, sacando una libreta de su bolso que entrega a Burns.

Mo se mira las manos mientras Burns revisa las páginas. Aunque la oficina es cálida, se estremece varias veces, un escalofrío la recorre mientras la historia se reproduce en su mente a medida que Burns la lee.

La mandíbula de Burns se contrae y su frente se arruga sobre sus ojos formando una profunda V. Cuando termina, se inclina sobre el respaldo de su silla formando con sus dedos un campanario debajo de su nariz.

—Maureen —dice—. ¿Sabes lo que significa *homicidio por negligencia*?

Mo traga saliva, porque sus palabras no necesitan explicación.

—Hay una línea muy fina entre una muerte accidental y una muerte causada por negligencia. ¿Crees que Bob animó deliberadamente a Oz para que fuera a buscar a su madre?

La pausa dura al menos cinco segundos.

—No lo sé —dice Mo finalmente—. Tengo mis sospechas, sobre todo por los guantes, pero la verdad es que no lo sé.

Burns le devuelve la libreta a Mo y coloca el expediente del caso frente a él.

—¿Natalie llevaba puestos los guantes cuando los rescataron?

—Creo que sí. Karen los usó un rato, pero Natalie los tuvo puestos la mayor parte del tiempo.

—¿De qué color eran?

—Morado, morado brillante —dice Mo—. El color favorito de Oz.

Burns hojea el expediente hasta que encuentra lo que busca. Saca un artículo de un periódico.

—Aquí está —dice, entregándole la copia impresa a Mo.

El encabezado dice: "Cinco Personas Rescatadas de un Accidente Después de Pasar la Noche en la Nieve". En la imagen inferior se puede ver a tío Bob cojeando desde un helicóptero del Servicio Forestal con los brazos apoyados sobre dos rescatistas. Natalie camina detrás de él. Está casi fuera de la vista, pero lo suficientemente visible como para identificar un guante de color morado brillante que sobresale de la manga de su largo abrigo.

—Maureen, esto es importante —dice Burns—. ¿Crees que Oz era peligroso?

Una vez más, Mo se toma su tiempo, eligiendo su respuesta con cuidado.

—No, pero creo que Bob y Karen así lo creían. Oz solo quería asegurarse de que Bingo tuviera suficiente agua. Sentía que el perro era su responsabilidad. Todo habría estado bien si me hubieran dejado derretir suficiente agua para Bingo y luego para el resto de nosotros.

—Dime el orden en que entregaste el agua —dice Burns.

—El Señor Miller, Oz, Natalie, Karen, pero Oz se la quitó…

—¿Karen fue la siguiente, después de Natalie?

—Sí, pero Oz se la quitó.

—¿Pero después de Natalie, no fue tu turno?

Puedo sentir cómo se enciende la ira de Burns por este detalle aparentemente sin importancia. Si acaso tenía alguna duda sobre la culpabilidad de Bob, en ese instante desapareció de inmediato.

—¿Es importante que yo no haya sido la siguiente en beber?

—Eso demuestra un patrón de negligencia, indiferencia por tu bienestar.

Demuestra mucho más que eso, pero Burns está siendo educado. Está enfurecido en su interior, y por su expresión, sé que sí tiene una hija, y en este momento, está pensando en ella.

Mo empieza a llorar nuevamente. No sé si es por el recuerdo de ese terrible momento o porque se está dando cuenta de que Bob, un hombre al que ha conocido la mayor parte de su vida, se portó tan cruelmente.

—Es todo tan horrible —dice entre lágrimas—. Sé que lo que hizo Bob fue terrible, pero si no hubiéramos estado en esa situación, no habría hecho nada de eso.

Mientras la miro llorar, reflexiono sobre lo que acaba de decir, si nuestra bondad está determinada más por las circunstancias que por la conciencia, y si cualquiera de nosotros podemos cambiar al estar arrinconados. Lo vi ese día, ninguno de ellos resultó ser la persona que creían ser.

Todos actúan de formas distintas, algunos, como mamá y Mo, tienen más fortaleza moral que otros, pero quizá todos tenemos un instinto básico de autoconservación, una naturaleza salvaje que, cuando es puesta a prueba, nos obliga a hacer cosas de las que jamás nos creímos capaces. Ni siquiera es algo necesariamente egoísta. Bob no se quedó los guantes. Se los dio a Natalie. Karen era la que estaba aterrorizada por Oz, y Bob lo envió lejos para protegerla.

Entonces, ¿eso justifica lo que hizo Bob o simplemente lo explica? Bob no se despertó ese día con la intención de matar a Oz ni desatender a Mo. Se proponía disfrutar de un viaje de esquí de fin de semana con su familia y amigos y, sin embargo, gracias a él, Oz está muerto.

Cuando las personas están desesperadas hacen cosas que normalmente no harían. Si alguien les hubiera preguntado antes del accidente a Bob, Karen o Vance si eran buenas personas, los tres habrían dicho que sí, sin dudarlo ni un segundo, y todos sus conocidos habrían estado de acuerdo.

Todas las evidencias apuntan a esa conclusión. Cuando escucharan alguna historia de cobardía o crueldad, habrían sacudido la cabeza condenando los actos, mientras pensaban: "Nunca, yo no haría eso", sin saber que, en un momento determinado, todos somos capaces de hacer las cosas que menos esperábamos, incluidos ellos. Es fácil sentarse a juzgar después del hecho. Quienes juzgan no se dan cuenta de que, si estuvieran en la misma situación que Bob, Karen o Vance, lo más probable es que esa rectitud condescendiente desaparecería antes de que se pusiera el sol.

Oz no regresó a la casa rodante. Mo no fue tras él. ¿Es esto lo mismo? ¿Elegir su propia supervivencia en lugar de arriesgarse a morir para salvarlo?

No culpo a Mo por lo que hizo. Yo estuve allí, y se portó increíble, tan valiente como cualquier joven de dieciséis años en esa situación. Pero si no se la puede culpar por su debilidad, ¿tío Bob sí puede ser culpado? ¿Se puede culpar a mamá por haber abierto la mano cuando la vida de Kyle dependía de ella? Vance abandonó al amor de su vida permitiendo que muriera congelada y sola. Karen solo se preocupó por Natalie. Natalie no hizo nada. Bob tomó los guantes de Oz y lo envió al frío. Ciertamente algunos parecen peores que otros y, sin embargo, ninguno es completamente inocente.

Mo también se da cuenta de esto, y por eso llora. Ya nada es como era. La pretensión de valentía, tanto la suya como la de los demás, ha sido diezmada revelando la desagradable verdad de la naturaleza humana.

—Oz está muerto. Bob se llevó los guantes —dice Burns, aclarando con severa certeza dónde está la línea, y quién la cruzó específicamente.

Y yo vuelvo a recordar qué injusto resultó todo. Mamá y papá avanzan ahora a tropezones, con fragmentos y partes de sus vidas más allá de sus hijos muertos y desaparecidos para siempre. Chloe y Vance apenas sobrevivieron, y sus vidas están completamente descarriladas. Karen vive en un estado de negación maniaca. Natalie vive en una casa de cristal construida con mentiras que se tambalean al borde de un acantilado.

El único que permanece inmune es Bob. Duerme tranquilamente, sin que sus sueños sean perturbados. Todos los días va a su consultorio, bromea con sus pacientes y flirtea con sus higienistas. Luego conduce su BMW de regreso a casa, donde es idolatrado por su esposa, el mundo lo celebra como un héroe y mamá está enamorándose de él.

Él mató a mi hermano.

73

Cuando Mo sale de la estación de policía y se dirige a la pizzería al final de la calle para almorzar, decido ver cómo están mamá y Chloe.

Chloe no está en casa. Está en el departamento de Aubrey trabajando en la lista de canciones para la boda. El concierto la inspiró y está intentando convencer a Aubrey, sin éxito, de lo genial que sería integrar algunas piezas clásicas en la mezcla de canciones.

Las dejo debatiendo y voy a ver a mamá. Lanzo un gruñido cuando descubro que estoy en el patio trasero mirándola a ella y a Bob sentados en la mesa del patio, con una botella de vino y sándwiches de ensalada de pollo. Los gatitos juegan en la hierba y ya han abierto los ojos. Ahora que pueden ver, se han vuelto más seguros, juguetean, luchan y proporcionan entretenimiento sin fin.

—Son tan retozones —dice mamá.

—No son los únicos —dice Bob, frotando su pie descalzo contra la pantorrilla de mamá debajo de la mesa, haciendo que ella se ría y que yo me estremezca. Por suerte, el teléfono empieza a sonar, interrumpiéndolos. Mamá entra en la casa para contestar, y Bob se sienta en el césped para jugar con los gatitos. Tienta a Brutus con una larga hebra de hierba, haciendo que la pequeña bola de pelo salte, gire y dé saltos mortales. Finn entra en acción y arremete contra Brutus mientras intenta golpear la hebra de hierba. Me gusta mucho esa gata. Tiene unas agallas del tamaño del *Titanic* contenidas en una lancha diminuta.

Veo a través del cristal que los hombros de mamá se tensan y entro para ver qué está pasando.

Mira por encima del hombro a Bob, que ahora está sobre sus rodillas y manos gruñendo a Brutus.

—Eso no puede ser cierto —dice mamá en el teléfono —. Mo debe estar equivocada. Él no habría hecho eso.

La computadora portátil de mamá está en la barra junto a ella. La abre mientras continúa escuchando.

—Capitán, vuelva a leerme la dirección de internet del artículo.

Entonces aparece la imagen, la misma foto que Burns sacó del archivo cuando hablaba con Mo: Bob, en primer plano, con Natalie detrás de él. Mamá mira la imagen, con sus ojos fijos en la mancha de color morado en la mano de Natalie. Su frente se contrae, el auricular cae de sus manos, y se tambalea para apoyarse en la encimera.

—¿Todo bien? —dice Bob, apareciendo detrás de ella, y rodeándola por los hombros con su brazo.

Mamá se aleja de él, soltándose de su abrazo.

—¿Le quitaste los guantes? —tartamudea, mientras gira y sus ojos se deslizan hacia la mancha morada en la pantalla.

Bob sigue la mirada de mamá y la sonrisa desaparece de su rostro mientras su manzana de Adán comienza a palpitarle en la garganta.

—Él me los dio.

Igual que el mercurio en un termómetro, el color del rostro de mamá va aumentando.

—Vete —dice con los dientes apretados.

—Ann…

—¡Ahora! —gruñe mamá, cerrando los puños.

—Ann, él me los dio. Te lo juro. Dijo que iría a buscarte y me entregó sus guantes. No sé por qué lo hizo, pero así fue. Luego se marchó antes de que pudiera detenerlo.

Bob se estira para tocar a mamá, pero ella se aleja tambaleándose.

—¡Lárgate! —le ordena. Mamá sabe, tan bien como Mo y yo lo sabemos, que Oz nunca le daba nada a nadie. Su palabra favorita era *mío*. Su temperamento y su mentalidad de compartir eran los de un niño de dos años.

Bob permanece donde está, sus ojos se mueven de un lado a otro intentando buscar una explicación aceptable.

Miro a mamá agarrar la botella de vino que está en la barra, y envolver la mano alrededor del pesado vidrio.

—Ann —dice Bob nuevamente.

Como si su nombre fuera un detonante, la botella sube y baja, y Bob se tambalea hacia atrás mientras levanta el brazo para defenderse. El vidrio se estrella contra su antebrazo, y el vino tinto explota por todas partes. Mamá vuelve a levantar el arma ensangrentada, y entonces Bob se da la vuelta y huye.

Antes de que la puerta se cierre, mamá ya se ha desplomado sobre el suelo, con su cuerpo convulsionándose por los sollozos al darse cuenta de lo que ha hecho.

74

Mo conduce titubeante a través del clima gris racheado. La temperatura ronda ahora los ocho grados, y los nubarrones han cerrado filas oscureciendo las primeras horas de la tarde hasta un espeluznante crepúsculo. El viento choca contra el auto con ráfagas y golpes irregulares, ocasionando que Mo pegue los hombros a sus oídos disminuyendo la velocidad excesivamente, y cuando llega al estacionamiento del centro de esquí Snow Summit, está hecha un desastre. Detiene su auto y apoya la cabeza sobre sus manos que todavía sostienen el volante.

Lleva puestas unas botas de montaña Sorel diseñadas para resistir el frío del Monte Everest, y su chamarra es una North Face con capucha, garantizada para aislar contra temperaturas tan bajas como treinta grados bajo cero. Antes de salir del auto, se pone unas orejeras, un gorro y un par de guantes de la marca Gore-Tex. En su cajuela hay barras de granola, una caja con botellas de agua y un enorme botiquín de primeros auxilios.

La chica de la ventanilla para el ascensor le indica que se dirija al telesilla tres.

Kyle la ve antes de que ella lo vea a él, como si la presencia de Mo hubiera disparado una alarma en su cerebro y lo hubiera hecho mirar hacia arriba para buscarla. Inclina la cabeza sorprendido, y sonríe. Toca el hombro de la otra encargada de los telesillas y le dice algo que hace que esta mire a Mo; la chica asiente y le da a Kyle un empujón alentador hacia donde está Mo.

Kyle pasa rápidamente junto a los snowboardistas y esquiadores que esperan en la fila del ascensor intentando llegar a Mo, quien camina con cautela por la pendiente nevada.

—Hola —dice alegremente.

Zap, igual que electricidad estática: Mo levanta la cara y sus ojos se encuentran, provocando un *shock*, una sacudida que duele, seguida de un hormigueo, y luego te dan ganas de frotar tus pies sobre la alfombra para sentirlo de nuevo.

—Vaya —dice Kyle—. Eres tú.

Y entonces veo algo que nunca antes había presenciado: Mo está nerviosa y actúa tímidamente.

—Hola —logra decir.

—Ven. Vayamos adentro donde está caliente —dice Kyle tomándola por el codo.

Si mirara más de cerca, vería que Mo está sudando, hay gotas de rocío en sus sienes y sus mejillas están enrojecidas por el calor. Lleva demasiada ropa para el clima primaveral, pero Kyle no se fija en eso. Igual que un *déjà vu*, su cerebro es incapaz de avanzar desde la última vez que la vio, y su corazón se acelera con la preocupación remanente.

Cuando están dentro del albergue, Kyle se relaja.

—¿Puedo traerte un chocolate caliente? —pregunta.

Buena jugada, Kyle. A Mo le encanta el chocolate.

Ella asiente, y él prácticamente corre hacia el mostrador.

Había olvidado lo guapo que es. Se quita el gorro, dejando al descubierto su cabello alborotado color miel que le llega a los oídos y que es más claro de lo que recuerdo. Sus ojos también parecen más claros, color salvia con chispas de bronce.

Mo se sienta cerca de la ventana, con la mirada fija en la nieve.

—¿Qué estás haciendo aquí? —dice Kyle mientras se desliza en el asiento frente a ella y coloca el chocolate caliente en la mesa.

Tanto Mo como yo nos damos cuenta de que Kyle no ordenó un chocolate caliente para él, y creo que es porque su presupuesto solo le permite costear uno al día.

Mo le explica su misión.

—Ah —dice él, frunciendo ligeramente la boca.

—¿No te molesta si hablamos de eso? —pregunta Mo.

Kyle se queda en silencio un momento, con la mirada fija en la mesa que los separa.

—No lo sé. La verdad es que no he hablado de eso con nadie.

—¿Ni siquiera con tu novia?

—Rompimos unos días después de todo lo que pasó.

—¿Y tu familia? —pregunta Mo.

—No quería preocuparlos —dice Kyle encogiéndose de hombros—. Fue ese tipo, Bob, quien dio la entrevista, y creo que no sabía mi nombre, así que las noticias nunca me mencionaron. Creo que, aparte de los rescatistas, nadie sabe que estuve involucrado.

—Entonces, ¿ninguno de tus conocidos sabe lo que te pasó? —pregunta Mo abriendo desmesuradamente los ojos.

—Probablemente sea mejor así —dice Kyle, sonriendo levemente.

Mo piensa en lo que acaba de escuchar, y su expresión cambia de sorpresa a acuerdo.

—Creo que tienes razón. Es horrible que la gente lo sepa —dice, mientras bebe un sorbo de su chocolate caliente—. O sea, todos se portan muy amables y se preocupan mucho, pero en realidad no lo entienden.

—Sí, bueno —dice Kyle—. Es un poco difícil de describir.

Mo asiente y pone sus manos alrededor de la taza mientras observa el vapor que sale de ella.

—Es como si la gente pensara que tuvimos una gran aventura y quisieran escucharla sintiéndose emocionados —dice Mo estremeciéndose.

—Han visto demasiadas películas de acción —dice Kyle —. No tiene nada de grandioso ni emocionante una historia sobre niños que mueren o personas que pierden los dedos de las manos y los pies.

El color desaparece de la cara de Mo.

—Lo siento —dice Kyle rápidamente—. Lo siento mucho.

—No —dice Mo—. Está bien. Por eso vine aquí. Quiero escucharlo todo.

Sus ojos están humedecidos por las lágrimas y su piel tan blanca como la nieve que está afuera.

—¿Estás segura? —pregunta Kyle, con una expresión de preocupación en su rostro.

Mo asiente y levanta la cara para que sus ojos miren fijamente los de él.

—Necesito saber que no estoy loca —dice.

Y mi corazón se rompe un poco cuando comprendo lo mucho que ha estado luchando. Todo esto es demasiado y no tiene a nadie con quien hablar al respecto.

—No lo estás —dice Kyle, claramente angustiado y fuera de su terreno de juego, pues nunca antes una chica hermosa le había pedido que hablara sobre la cosa más horrible del mundo, especialmente sabiendo que su relato definitivamente la perturbará, y eso es la última cosa en el mundo que quiere hacer.

—Así que necesito saber qué pasó —dice Mo—. Todo —su nariz comienza a picar y cierra los ojos. Respirando profundamente, los abre, fija su mirada en la de él y dice—: Y luego necesito que me digas que no volverá a suceder.

Kyle se inclina sobre la mesa y toma las manos de Mo. Luego, él también respira profundamente, y comienza:

—Mi auto se averió mientras conducía desde mi departamento hasta mi trabajo…

Le toma casi una hora contar la historia. Sus manos sostienen las manos de Mo todo el tiempo, y ella escucha con la mirada fija en la mesa entre ellos. Mo se estremece algunas veces, y otras, las lágrimas brotan de sus ojos. Cada vez que esto sucede, Kyle se detiene, y observo cómo se abre y se cierra su nariz debido a su respiración acelerada, desesperado por calmarla y lograr de algún modo que esto sea más fácil.

Los minutos pasan mientras Mo logra sobreponerse, y luego valientemente asiente con la cabeza para que Kyle continúe.

La única mentira que dice es una omisión, pues excluye la parte cuando resbaló por el precipicio y mamá lo soltó. Observo su expresión mientras lo hace: una pequeñísima mueca de dolor ocasionada por el recuerdo antes de continuar.

—Y luego me llevaron a la sala de emergencias —dice —. Y ahora estoy aquí contigo.

Mo mira hacia arriba y en el rostro de Kyle se dibuja una sonrisa delgada y torcida. Luego, desliza sus manos envolviendo completamente las de Mo, y agrega:

—Y nunca volverá a suceder.

—Gracias —dice Mo.

—De nada —responde Kyle, soltando sus manos e inclinándose hacia atrás.

Mo se desploma en su asiento, exhausta.

—¿Cómo supiste hacia dónde caminar? —dice.

—Gracias a la Señora Miller —dice—. Fue asombrosa. Todavía no sé cómo lo hizo, pero de alguna manera sabía hacia dónde teníamos que caminar. Ahora que lo pienso, me pregunto cómo fue que lo logramos, cómo salimos de allí. Digo, no teníamos comida, ni agua, y estaba helando. No sabíamos si íbamos por el camino correcto, y todo el tiempo nos topábamos con puntos muertos. Recuerdo que pensé que era imposible, pero luego miraba a la Señora Miller y pensaba que, si ella podía seguir avanzando, entonces yo también. Y…

Kyle se detiene, se echa hacia atrás, sacude la cabeza y sonríe.

—¿Y qué? —pregunta Mo.

Kyle resopla y se ríe por la nariz.

—Y no dejaba de pensar en ti y en esas ridículas botas que llevabas puestas.

—¿Mis botas?

—Sip —dice Kyle sonriendo de oreja a oreja—. Como si fueras a ir a un concierto o algo así, con ese cuero brillante y los tacones.

—Para tu información, eran unas botas Prada —dice Mo sonrojándose.

—Bueno, como sea, eso es en lo que pensaba. En lo ridículas que eran y en lo fríos que debían estar tus pies, y por eso supe que no podía detenerme, que tenía que seguir adelante sin importar lo que pasara.

Todo mi cuerpo inexistente se ilumina, y salen disparados por todas partes fuegos artificiales dignos del 4 de Julio. Mo siente lo mismo. ¿Qué chica no lo sentiría? El tipo caminó a través de una espantosa tormenta de nieve para salvarla, y su motivación era pensar en sus pies helados dentro de sus ridículas botas.

—¿Así está mejor? —dice Mo, levantando una de sus botas Sorels.

—Mucho mejor. Muy *sexy* —responde Kyle.

Mo le arroja la servilleta y él la esquiva con una dulce risa que es muy favorecedora. Todo lo que hace ahora es muy favorecedor. Podría sonarse la nariz, y yo pensaría que es *sexy*.

—Y ahora que ya tienes lo que viniste a buscar —dice Kyle—, ¿has terminado conmigo?

—Sí, de no ser porque estás mintiendo —dice Mo.

Kyle entrecierra los ojos e inclina la cabeza.

—¿Qué fue lo que pasó que no me quieres decir?

—Te lo conté todo —dice Kyle, retorciéndose, porque tiene una de esas conciencias que no permiten mentir a menudo o fácilmente, haciendo que me guste aún más.

—Me contaste *casi* todo —lo corrige Mo. La Señora Miller la está pasando muy mal por eso.

—Perdió a dos de sus hijos —dice Kyle.

—Sí, pero hay algo más —dice Mo—. Algo pasó que no tiene nada que ver con Finn ni con Oz. Le di las gracias por lo que hizo y se asustó. Pensé que me iba a dar una bofetada. Y tú eres pésimo para mentir. Entonces, ¿qué pasó?

—No fue nada.

—Para ella sí lo fue —responde Mo.

—En serio, no fue nada importante.

Mo frunce el ceño, y Kyle se pasa la mano por el cabello, se inclina hacia adelante y hacia atrás, y luego cierra la boca en una línea recta.

—No fue nada —repite. Y luego agrega—: Algunas cosas… no son… no vale la pena hablar de ellas. Ese día todos hicimos lo que teníamos que hacer.

La dureza de sus palabras hace añicos a Mo, que sacude la cabeza bajando la barbilla hacia su pecho, mientras nuevas lágrimas empiezan a caer de sus ojos.

—Lo siento —dice Kyle, en un tono de voz agudo y arrepintiéndose de inmediato por lo que acaba de decir—. No quise perturbarte.

—No eres tú —dice Mo entre lágrimas—. Es todo. Lo odio. Odio lo que nos hizo ese día. Y pensé que podía hacer esto —su mirada se desliza hacia la nieve a través de la ventana —. Pero al estar aquí y recordar…

Kyle se estira hacia ella y toma nuevamente sus manos. Luego, las acerca a sus labios y sopla con su aliento cálido en las yemas de los dedos.

—¿Vas a hacer eso cada vez que lo recuerde? —dice Mo, levantando su rostro lloroso hacia él.

—Siempre —responde Kyle.

—Ni siquiera me conoces.

Pero incluso ella sabe que esas palabras no son ciertas. En esa única noche trágica se revelaron más cosas de lo que la mayoría de la gente revela en su vida.

75

Mamá corre hasta que no puede respirar, luego se detiene a tropezones y se inclina hacia adelante, intentando tomar aire. Son las últimas horas de la tarde y está sola. Más allá del campo de golf, los hogares resplandecen de vida: familias con esposos, esposas e hijos, haciendo todas las cosas maravillosas que hacen las familias con esposos, esposas e hijos.

El temblor comienza como un pequeño hipo que hace que sus hombros se sacudan. Luego, como una onda, el espasmo crece, haciendo que el cuerpo de mamá se vuelva líquido. Sus huesos se derriten mientras se desploma en la fría y dura acera.

Un hombre de unos cincuenta años, con un perro y la condición física de un maratonista, que está corriendo por la colina, ve a mamá y acelera el paso.

—¿Está bien? —pregunta cuando llega hasta donde está mamá.

—¿Cómo puedo superarlo? —murmura ella, aunque no precisamente a él.

Odio. Heridas. Culpa. Y dolor. Hay tanto de eso que puedo sentir su grosor y su peso, como si se estuviera ahogando y no pudiera respirar.

—Un paso a la vez —dice el hombre, hablando con base en su propia experiencia y con una gran comprensión, haciendo que me pregunte si todo el dolor es el mismo, independientemente de su origen—. Sigue aquí —continúa el hombre—. Así que, realmente no tiene otra opción. Un centímetro, un metro, no necesariamente en la dirección correcta, pero hacia adelante de todos modos.

Mamá se estremece y, respirando profundamente, levanta la cabeza para mirarlo.

—Hasta que, finalmente —dice el hombre—, el presente se convierte en el pasado, y estás un lugar completamente distinto, con suerte, en un lugar mejor que el que estás hoy.

Mamá vuelve a inclinar la cabeza y asiente, y el hombre se endereza y continúa. Y estoy tan agradecida que envío una oración a Dios para dar testimonio de la bondad de este hombre y para honrarlo de algún modo. Mientras lo miro alejarse trotando, creo que esta perspectiva no está tan mal y que, a veces, los humanos te sorprenden.

76

Kyle acompaña a Mo hasta su auto en el estacionamiento. Una sola gota gruesa de lluvia golpea su mejilla y levanta la mirada hacia el cielo oscuro. Otra gota golpea su frente, luego otra, y Kyle la toma por el codo y la lleva rápidamente hacia su BMW. Le quita las llaves de sus manos torpes, abre las cerraduras, y casi la empuja hacia el asiento del pasajero, luego rodea rápidamente el auto hacia el lado del conductor y se sienta a su lado.

Todo el cuerpo de Mo está temblando y él la envuelve en sus brazos.

—Shhh, calma, es solo lluvia —dice Kyle.

Sin dejar de sostenerla con su brazo derecho, Kyle enciende el motor y la calefacción con el izquierdo, y luego la envuelve de nuevo abrazándola completamente hasta que Mo deja de temblar.

Respirando profundamente para absorber sus emociones, Mo se aparta de él.

—Soy patética.

—Eres increíble —responde Kyle, con rostro reverente mientras le quita un rizo húmedo de la cara y se lo coloca detrás de la oreja—. No puedo creer que hayas venido hasta aquí. Fue increíblemente valiente.

—O estúpido —dice Mo—. Debería haber sabido que sería un desastre.

Y entonces sucede… como si fuera algo completamente inevitable… como si hubiera dicho algo totalmente diferente, algo seductor o romántico. Kyle se inclina hacia ella y la besa, sin frotar ni restregar sus labios, sino suave y gentilmente. Sus labios apenas rozan los de ella mientras sus ojos se cierran y su boca se amolda a la de Mo. Luego la abraza, y ambos se funden.

La lluvia golpea en el techo del auto, pero Mo no le presta atención, su cuerpo está cálido, protegido y ajeno a todo excepto a Kyle besándola. Es asombroso, grandioso y hermoso, y yo aplaudo y celebro y vuelvo a aplaudir. Cada parte de mí está feliz y celosa mientras contemplo la escena y finjo que soy ella. Todos nuestros sueños de la niñez realizados en el asiento delantero de su auto bajo la lluvia al pie de una montaña cubierta de nieve.

La mano derecha de Mo se desliza desde el cuello de Kyle hasta el cierre de su abrigo, y él pone su mano sobre la de ella para detenerla.

—Aquí no —susurra. Y con la confianza de un caballero andante, se endereza en su asiento, se abrocha el cinturón de seguridad, echa un vistazo para asegurarse de que ella se ha abrochado el suyo y sale del estacionamiento hacia la carretera.

Conduce hasta la posada Timberline, mientras yo miro, perpleja, que Mo no hace nada para protestar por la increíble osadía de todo lo que está sucediendo. Kyle se estaciona frente a la recepción y se baja rápidamente para abrirle la puerta.

Mis nervios están acelerados. Esto es una locura. Mo no es *ese tipo* de chica. Ni siquiera se atreve a besar a un chico a menos que hayan tenido por lo menos tres citas antes. O, debería decir, Mo no *era* ese tipo de chica.

¿En serio, Mo? Apenas conoces a este tipo. Pero otra parte de mí sigue aplaudiendo y celebrando. Porque lo entiendo. Solo se vive una vez, y nadie sabe cuánto tiempo va a durar, así que sujétate con fuerza y prepárate para el viaje, y no te preocupes por nada ni mires atrás.

¡Vamos, Mo, vamos! Vive, ama, hazlo. ¡Hazlo!

77

—Ya te dije lo que pasó —dice Bob—. Estaba llevando mi copa de vino desde la barra hacia una mesa donde uno de mis pacientes estaba cenando, y me resbalé. El vidrio se rompió y me corté. No es importante.

Karen no parece muy convencida, pero sabe que esa mentira es probablemente mejor que la verdad, así que lo deja pasar.

Están en la sala de emergencias, esperando a que la enfermera regrese con suministros y las instrucciones para mantener limpios los doce puntos que recibió Bob en el antebrazo.

Karen se ve terrible. Nunca ha sido una gran belleza, pero siempre se ha mantenido presentable gracias a un cuidado personal impecable y un mantenimiento diligente. Sin embargo, desde el accidente, su concentración ha disminuido, y esta noche se ve completamente desaliñada. Su cabello está descuidado y se pueden ver mechones grises en las raíces. Su rostro no tiene maquillaje y sus ojos están amoratados. Su cuerpo se ha vuelto blando, y también su postura, como si la angustia hubiera devorado sus músculos.

El teléfono de Karen suena. Lo saca de su bolso y mira el identificador de llamadas, y a pesar del letrero que hay en la pared que prohíbe el uso de teléfonos celulares, lo contesta.

—Hola, cariño, ¿todo bien?... ¿el Capitán Burns? ¿De Big Bear?... ¿Estuvo en la casa?... Bebé, cálmate —dice Karen.

Voy a donde está Natalie y la encuentro acurrucada en el armario de su habitación con su teléfono en la mano y los recortes del accidente esparcidos frente a ella. La foto donde aparece con los guantes sobresale en el centro. Está llorando y meciéndose hacia adelante y hacia atrás sobre sus talones.

—Mamá, ¿y si vino a arrestar a papá?

—¿Arrestar a papá? ¿Por qué? —dice Karen, evidentemente desconcertada por lo que Natalie está diciendo.

Natalie no dice nada más y su balanceo se intensifica.

—Cariño, no te preocupes —dice Karen—. Estoy segura de que no es nada. Probablemente solo quiere hacer algunas preguntas complementarias. Hice lasaña. Está en el refrigerador. Caliéntala durante dos minutos en el microondas y asegúrate de cubrirla con una toalla de papel.

Natalie cuelga y mira los recortes durante un largo minuto. Sus ojos se detienen fijamente en el artículo de un periódico local que muestra una foto de Mo, y sé que está preguntándose si ella la traicionó. Presiona las palmas de sus manos contra sus ojos, como si tratara de borrarlo, de deshacer lo que hizo, pero creo que incluso Natalie sabe que algunas cosas no se pueden deshacer.

Cuando regreso al hospital escucho que Karen le dice a Bob:

—Cariño, ¿estás seguro de que estás bien? No pareces estarlo.

Tiene razón. Bob está pálido y parece que va a vomitar en cualquier momento.

—Estoy bien —dice—. ¿Por qué diablos está tardando tanto la enfermera?

—Natalie dice que el capitán Burns fue a la casa y que quiere hablar con nosotros —contesta Karen—. ¿De qué crees que podría tratarse? ¿Crees que tal vez va a reanudar la búsqueda de Oz y piensa que nosotros podemos ayudar? Me gustaría ayudar. Podríamos organizar otra rueda de prensa. ¿Qué te parece? Tal vez incluso podríamos juntarnos en una casa rodante, llamar a nuestros amigos y vecinos, subir la montaña y ayudar a buscarlo. Yo podría organizarlo todo, crear una página de Facebook y llamar a los periódicos locales para publicar un artículo al respecto. Es terrible que nunca lo hayan encontrado. ¿Qué piensas?

—Oz está muerto, eso es lo que pienso —sisea Bob—. Está muerto. Ya no está. Lo que pasó, pasó y se acabó. Y no, no creo que debas organizar otra de tus jodidas campañas para intentar encontrarlo. ¿Dónde mierda está la enfermera?

Karen se aparta de él y abre la cortina a tropezones para ir a buscar a la enfermera, pero al salir casi se topa de frente con el capitán Burns, que se dirige hacia su habitación.

—Señora Gold —dice Burns—. Justo la persona a la que vine a ver.

78

Mamá cierra las cortinas y camina por la casa. Diez minutos después, está en la cocina, con una taza de café y su computadora portátil frente a ella. Encuentra las noticias de la conferencia de prensa en el hospital y mira la actuación de Bob: sus mentiras y luego su genuina súplica de ayuda. Está sentada en el borde de su taburete, con su atención absorta en Bob. Luego, detrás de él, se enfoca en Natalie que está al fondo. No llora ni se enoja. Observa impávida mientras su mano libre se abre y se cierra distraídamente, y me doy cuenta de que se está preguntando lo mismo que yo me pregunté antes. ¿Hasta qué punto se puede culpar a Bob por su debilidad y su traición? ¿Lo que él hizo es menos perdonable que lo que ella hizo?

Es extraño que yo sepa cuáles son sus pensamientos. No leo mentes ni tengo poderes psíquicos, pero esta perspectiva me proporciona una mayor conciencia que me permite ver cosas que nunca vi antes. Cuando estaba viva, nunca miré realmente a mi familia. Existíamos uno alrededor del otro en nuestros propios mundos, como esas pelotitas en los salvapantallas que se tocan intermitentemente antes de saltar y rebotar entre sí, afectando el impulso de las otras, pero sin prestarnos atención. Ahora, si miro bien y durante el tiempo suficiente, puedo verlo todo. El aspecto de los ojos de mamá, sus hombros encorvados, la intensidad con la que mira a Bob en la pantalla, cómo se suaviza su mirada cuando ve a Natalie. Todo lo que no dice con palabras se manifiesta en detalles pequeños y casi imperceptibles: su dolor y decepción, su culpa y arrepentimiento. Cuando mira a Bob, no lo odia, pero percibo el odio que siente por sí misma por pensar que lo amaba y la inmensa carga que soporta por su traición.

Ahora me doy cuenta de que mamá tiene un talento impresionante para ocultar sus pensamientos y no revelar absolutamente nada con sus expresiones o sus palabras. Eso la convierte en una abogada fantástica, pero también es lo que la hace parecer una perra. Solo ahora, cuando realmente la veo, me doy cuenta de lo equivocada que es esa percepción.

Un golpe suave en la puerta del patio la hace sobresaltarse. Son las tres de la mañana. Mira a través del cristal y ve a Bob, quien lleva puestos unos pantalones de mezclilla y una vieja sudadera de la USC que le queda demasiado ajustada en el estómago, porque han pasado veinte años en los que tal vez le creció el vientre o la sudadera se encogió o ambas cosas. Tiene la cara enrojecida por el alcohol, el cabello revuelto y despeinado en todas direcciones y el antebrazo envuelto en una gasa.

No me sorprende que esté despierto. Al igual que papá, Bob rara vez duerme, y después de lo que pasó hoy, dudo que pueda pegar el ojo en días. Karen le contó absolutamente todo a Burns antes de que Bob saliera de la habitación y los viera. Burns se levantó antes de que Bob los alcanzara, lo saludó con un sombrero imaginario, dio la vuelta y se marchó, dejando a Bob mirándolo y preguntándose qué le había dicho Karen y qué iba a suceder.

Suspirando profundamente, mamá abre la puerta.

—Ann —dice Bob, pero ella lo interrumpe.

—Siéntate. Te traeré un café —dice mamá.

Bob se desploma sobre un taburete, y mamá saca lentamente una taza del gabinete, la llena con café y le agrega crema, justo como a él le gusta. La noche está en silencio. Los ruidos nocturnos entran por la ventana: grillos, la marea, las campanas de viento de la casa de al lado.

Mamá coloca la taza frente a él, luego se sienta en el taburete que está a su lado y pone los pies debajo de su propio cuerpo. Las uñas de sus pies están pintadas de un tono rosado pálido y se hizo un *pedicure* hace no mucho. Bob se da cuenta de esto y luego aparta la mirada.

La mano derecha de mamá está apoyada sobre la barra junto a su propia taza humeante, y mientras observa el vapor que sale de ella, sé que está pensando en Oz, en sus guantes, sus dedos y el calor.

Bob levanta los ojos para mirarla.

—Lo que Burns está diciendo no es correcto —dice, sacudiendo la cabeza con negación o incredulidad.

—¿Qué parte es incorrecta? —dice mamá, con su tono de abogada, tranquilo y sereno, que yo intento descifrar. No hay enojo, pero ¿es porque tiene una razón oculta? ¿Quiere que Bob confiese para luego usarlo en su contra, o quiere sinceramente escuchar su versión?

—No lo hice… Yo no haría… La única razón por la que sucedió fue el accidente.

—Le quitaste los guantes —dice mamá tajantemente.

—Él me los dio. Ann, tú me conoces.

—¿De verdad?

—Por supuesto que sí —dice Bob sobresaltado—. Me conoces mejor que nadie.

Pero mamá y yo ahora sabemos que ninguno de nosotros se conocía realmente. Ni siquiera nos conocemos a nosotros mismos. Mamá lo mira durante un largo minuto, sin que su rostro revele absolutamente nada, y finalmente dice:

—Bob, deberías marcharte. Vete a casa con Karen y Natalie.

—Pero… —balbucea Bob, mirándola con sus ojos enrojecidos—. ¿Pero qué hay de nosotros?

Mamá se levanta y se acerca a él, con sus caderas rozando sus rodillas. Luego, toma la mano de Bob y entrelaza sus dedos con los de ella, y veo cómo el rostro de Bob se inunda de alivio.

—No hay ningún *nosotros* —dice mamá claramente —. Estás tú. Estoy yo. Están Karen, Natalie, Chloe. Pero si algo se demostró ese día, es que no hay ningún *nosotros*.

La cabeza de Bob se balancea entre sus hombros.

—Ann, por favor, no puedo perderte —dice—. Él me los dio, te lo juro.

Mamá le regala una sonrisa amable y comprensiva y le da un apretón de manos alentador.

—Ambos sabemos la verdad —contesta.

Luego, retira su mano, cierra la pantalla de su computadora portátil, se da la vuelta y se marcha, dejándolo solo.

Observo a Bob mientras se pone de pie, sale por la puerta y regresa a su miserable vida. *Se merece esto*, me digo a mí misma. Pero, por alguna razón, no puedo convencerme del todo. Mi amor por Oz no iguala mi odio por Bob. Porque al final, nada es absoluto. Bob no es completamente malo, y cuando estaba con mamá, era bueno en su mayor parte. Él la ama y es una mejor persona cuando está con ella, y si mamá hubiera estado allí, él no habría hecho lo que hizo.

Mamá solo conocía el lado bueno de Bob, el que estuvo a su lado durante la tormenta y usó sus manos desnudas para bloquear el parabrisas con nieve, el que ayudó a sacar a la gente del vehículo y el que cuidó a Chloe y a Jack. Conocía al Bob que se quedó a su lado durante la misión de rescate y que promovió la búsqueda de Oz. Hasta esta tarde, cuando recibió la llamada de Burns, Bob había sido un buen hombre. No lo fingía, realmente era bueno porque ella lo convertía en esa persona.

Lo veo tambalearse por la calle y me repito que se merece esto, pero me sorprendo deseando que Karen lo esté esperando, que pueda dormir un poco, y que en la mañana encuentre alguna manera de recuperar su vida.

79

Ya es de día. A través de la ventana, los picos de granito de la montaña se tornan de un dorado pálido mientras Mo y Kyle duermen acurrucados juntos. Mo despierta, bosteza y gira en la cama para verlo, con una sonrisa traviesa y cómplice en su rostro.

Kyle abre los ojos rápidamente, y cuando la ve junto a él se sobresalta con una agradable sorpresa. La besa en la nariz.

—Buenos días —dice.

—Buenos días —responde Mo, ronroneando y acercándose más a él como si llevaran juntos toda la vida y fuera la cosa más natural del mundo. Kyle la envuelve con sus brazos y roza su cabello con un beso, inhalando, y yo finjo que inhalo con él. Mo siempre huele a champú costoso, y su aliento es suave y dulce, incluso cuando no se ha cepillado los dientes.

Extraño poder oler. Es como si me hiciera falta una dimensión, como si estuviera viendo el mundo en blanco y negro, y no a color. No sé a qué huele Kyle. Intento imaginarlo y decido que no tiene ningún olor, y eso me impresiona. Es muy difícil que un hombre no huela a nada.

Este es mi nuevo juego, recordar o inventar olores. Casi funciona. Puedo mirar el océano y recordar la sal y su sabor salado, o ver a un niño pequeño y pensar en el olor a bebé que solo tienen los recién nacidos. Espero que a donde sea que vaya haya sabores y olores.

—Es extraño —dice Mo.

—¿Qué cosa? —responde Kyle, inhalando nuevamente el aroma de Mo.

—Esto se siente muy bien, como si te conociera desde siempre. Pero en realidad no sé nada sobre ti y tú no sabes nada sobre mí.

—Sí, pensé mucho en eso después del accidente —dice Kyle, acariciando su espalda—. En lo extraño que fue haber compartido una experiencia tan intensa con personas que no conocía y que jamás volvería ver. Pensaba mucho en todos ustedes, principalmente en ti, pero también en los papás de Oz. ¿Su papá está bien? Pensé que no se salvaría.

—Sí, casi se muere. No lo habría logrado si hubiéramos tenido que quedarnos allí afuera otra noche —dice Mo, apartándose para poder mirarlo—. Lo que me recuerda que nunca te di las gracias por lo que hiciste. Después de todo, me salvaste la vida.

Kyle sonríe ampliamente, y noto que el lado izquierdo de su boca es más alto que el derecho.

—Yo diría que anoche me agradeciste bastante bien, pero si quieres agradecerme de nuevo… —dice, arqueando sus cejas en señal de invitación.

—Mmm —dice ella, y luego, con una seguridad asombrosa, se pone encima de él y se sienta a horcajadas sobre sus piernas. La sábana se desliza alrededor de su cuerpo desnudo, y yo me sonrojo de un modo tremendo, aunque Mo parece completamente a gusto.

Kyle se sienta parcialmente, pone su mano en la parte trasera de la cabeza de Mo, y la atrae hacia él con un beso, y *zap*, como si hubiera sido golpeada por un relámpago, soy lanzada de allí.

Miro sobresaltada a mi alrededor y descubro que estoy en mi habitación en casa y Chloe está frente a mí en la cama. Me siento confundida por un instante, hasta que la razón por la que ya no estoy con Mo surge como el sol junto con una sensación de malestar en mi estómago.

De pronto entiendo por qué estoy aquí. Detenida. Y al mismo tiempo, también sé, con certeza, que dentro de poco ya no estaré aquí. Las dos epifanías chocan en mí, haciendo que me sienta mareada. Existe un futuro más allá de esto, la revelación es casi tan sorprendente como mi muerte. La idea de dejar a los que dejaré sigue siendo tan horrible como lo fue en el momento en que terminó mi vida, pero ya no se puede negar su inevitabilidad. Puedo sentirlo. La brillante luz de la muerte, un resplandor persistente y una calidez fuera de mi alcance. Ha estado ahí desde el día que morí, pero hasta este momento no le había prestado atención porque estaba distraída con el mundo del que vengo y las personas que quedan en él.

Miro a Chloe, con sus auriculares en los oídos y llevando el ritmo de la música con su pie, y luego cierro los ojos y me concentro en el resplandor distante. Siento el suave tirón entre los dos mundos, entre este y el siguiente. No me asusta. Todo lo contrario. No sé si es el cielo o simplemente una paz completa, pero estoy segura de que lo que me espera es mejor que donde estoy ahora, y mi corazón se acelera al pensar en ello.

Regreso mis pensamientos al presente y mi pulso recupera su ritmo constante. *Chloe, mamá, papá*, los tres preciosos hilos que quedan. Y comprendo que este estado en el que me encuentro no es el infierno ni una especie de purgatorio. No estoy siendo castigada por mis pecados. Más bien, sigo aquí para asegurar la paz en mi futuro. Mi vida me fue arrancada violentamente y las vidas de aquellos a quienes amo quedaron destrozadas. No tuve tiempo de prepararme ni de despedirme, y no estaba lista para irme. *Descanse en paz* no es un simple epitafio en una lápida; es lo mejor que podemos esperar cuando hayamos muerto.

No es que Mo se haya alejado de mí, sino que su mundo ha cambiado repentinamente, ha avanzado de una manera nueva e inesperada, y aunque siempre tendré un lugar en su corazón, sus nuevos sentimientos por Kyle, tan grandes y abrumadores, ya no dejan espacio para mí.

Lo mismo ocurre con Charlie, con mis compañeros de equipo y con mis amigos. Como una ola que retrocede, me he disuelto en un recuerdo, exactamente como debería ser. Puedo seguir visitándolos, pero a diferencia de antes, ya no soy una presencia constante en sus mentes que me atraen hacia ellos, la voluntad ahora es completamente mía. Aunque estoy un poco aturdida, no me siento triste. Hay una cierta ligereza en mi liberación, como un peso que se ha levantado. Mo es feliz, muy feliz, y por eso ya no es presa de todo lo que se perdió. De repente, el futuro es más brillante que la sombra de ese terrible día.

Cierro los ojos, y envío una oración de amor y gratitud a la mejor amiga que cualquier chica podría tener. *Eres el escarabajo estercolero más extraordinario del mundo*, le digo con una sonrisa. Ambas nos hemos dicho ese cumplido desde hace años, cuando descubrimos que los insectos son los animales más fuertes del planeta. *Ojalá pudiera estar aquí para ver todas las cosas que vas a lograr.* Me detengo y pienso en ello, intentando ver lo que le depara el futuro, pero no puedo percibir nada; existen demasiadas posibilidades. Entonces, digo: *Vuela, Mo, alcanza las estrellas, la luna o algún otro universo. Brilla tanto que ciegues a todos a tu alrededor, y aunque me haya ido, llévame contigo, pero solo como una luminosidad y nunca como un peso…* Me detengo cuando siento que Chloe está mirando hacia donde estoy, mi pulso se detiene cuando la veo inclinar la cabeza, y entonces aparece una delgada sonrisa en sus labios. Luego mira hacia otro lado y vuelve a garabatear en su libreta.

Un día, un mes, un año, no puedo saberlo, pero cuando llegue el momento, estaré lista.

80

Dos horas después de que Bob se marchó, mamá ya estaba vestida y conduciendo hacia Big Bear.

Entra en la cabaña, silenciosa como un ladrón.

—¿Jack? —dice.

Vance se despierta de golpe cayéndose del sofá, se levanta tambaleándose, coge de la mesa una estatua tallada en forma de ciervo y la levanta por encima de su cabeza para golpear con ella al intruso.

Cuando mamá enciende la luz, ve a Vance preparándose para atacar y empieza a gritar.

—¿Señora Miller? —dice, y las astas de la estatua se detienen a medio centímetro de atravesar su cráneo.

Mamá vuelve a gritar, porque no lo reconoce.

Papá llega cojeando en sus muletas desde el dormitorio.

—¿Ann? —exclama papá.

Los ojos de mamá miran a Vance, luego a papá, y otra vez a Vance.

—¿Vance? —dice mamá.

—Sí, soy yo —responde Vance.

No la culpo por no reconocerlo. Vance solo lleva puestos sus calzoncillos, su cabello está dorado por el sol, y se supone que no debería estar aquí.

Los ojos de mamá se deslizan hacia sus dedos mientras Vance suelta la estatua, y luego observa sus orejas dañadas. Cuando Vance voltea, mamá lo jala hacia ella en un sorprendente abrazo, envuelve los brazos alrededor de su cintura y apoya la cabeza en su pecho desnudo. Vance la rodea torpemente con sus manos.

Mamá se aparta, limpia sus lágrimas y pone su mano en la mejilla de Vance.

—Me alegro tanto de que estés bien.

Vance asiente, completamente aturdido.

—Ann, ¿qué estás haciendo aquí? —pregunta papá, intentando sonar áspero, pero su voz está mezclada con un sentimiento de emoción. Inmediatamente borra la alegría de su cara, y dice:

—Tienes que irte. Te dije que necesito tiempo para pensar.

—No —dice ella, avanzando y plantándose frente a él.

Papá se endereza tanto como puede con sus muletas. Lleva puesta una sudadera sucia y una camiseta raída. Lavar la ropa no es precisamente una de las prioridades en su lista ni en la de Vance.

La mandíbula de mamá se desliza hacia adelante, y su barbilla se contrae con emoción.

—No —dice de nuevo—. No puedes echarme.

—Ann, yo necesito…

—No. Nosotros… ¡Nosotros! —sisea mamá, señalando el espacio entre ellos—. Estamos juntos en esto. No te abandoné en esa montaña, y tú no puedes abandonarme ahora.

—No es eso.

—Por supuesto que es eso. Ese día. Ese día tan terriblemente espantoso, Finn murió. Oz murió. Tenías razón: no debí haber dejado a Oz con Bob.

—¿Por qué estás aquí? —gruñe papá, sintiendo como si lo pincharan con un bastón eléctrico para ganado ante las implicaciones de las palabras de mamá—. ¿Qué hizo ese bastardo?

—La jodió —dice mamá, sin sentirse intimidada en lo más mínimo por la bravuconería de papá—. Igual que tú la jodiste y yo la jodí. Y él la jodió —dice, señalando a Vance—. Y Chloe la jodió. Todos la jodimos, y no puedes culparme ni abandonarme por eso.

Papá entrecierra los ojos. Parece un oso grizzly rabioso. Su cabello largo y despeinado sobresale en todas direcciones, y sus ojos están rojos e hinchados por el alcohol y la falta de sueño.

Mamá se ve hermosa. Correr ha tonificado sus músculos haciéndola parecer más joven. Su cabello ha crecido y está ligeramente atado hacia atrás de su cara dejando al descubierto sus pómulos altos y sus grandes ojos. Se parece a Chloe y, a pesar de que papá está enojado y tiene los ojos entrecerrados, puedo ver cómo la recorre con la mirada de pies a cabeza.

Mamá respira profundamente para controlar sus emociones y luego, con voz entrecortada, continúa:

—Nosotros. Siempre hemos sido nosotros. Así es como hemos logrado llegar tan lejos, y no puedes renunciar ahora a eso.

—¿Qué hizo? —dice papá enfurecido, todavía hablando de Bob, y estoy agradecido de que esté a trescientos kilómetros de distancia.

Mamá lo ignora.

—Ese día, ¿sabes qué hizo que no me diera por vencida?

La nariz de papá se ensancha con sus resoplidos.

—Tú —dice mamá—. Tú y tu estúpida filosofía de las galletas de la suerte de la que siempre les hablas a las chicas. "Todo viaje comienza con un simple paso. Limpia tu mente del no puedo. El miedo es lo que te detiene; el coraje es lo que te mantiene en marcha".

Papá desliza la mirada hacia la ventana. Su ira ha quedado cegada por una emoción más grande que es difícil de definir. A través de la ventana, el amanecer brillante corta una cinta de cristal resplandeciente a lo largo de los montones de nieve helada que todavía quedan.

—No debería haber dejado a Oz. Ahora lo sé —continúa mamá, deteniéndose de repente, mientras deja escapar un pequeño jadeo y su mano sube hasta sus labios—. Eso no es verdad —murmura, más para sí misma que para papá, porque acaba de tener una revelación, y su mirada se mueve de un lado a otro—. Yo lo sabía. Por eso no me despedí.

Mamá retrocede un paso y se apoya contra el sofá.

—Lo sabía, pero fui de todos modos —dice.

—¿De qué diablos estás hablando, Ann? —dice papá, recuperando su atención y su enojo.

Mamá levanta la cara para mirarlo.

—Yo elegí —dice ella—. Como cuando le di las botas a Mo en lugar de a Natalie.

Su mano se abre y se cierra, y aunque no lo dice, sé que está pensando en Kyle.

Papá sacude la cabeza confundido y molesto.

—Yo elegí —repite mamá—. Sabía que no podía llevar a Oz conmigo, y sabía que no estaría seguro si lo dejaba, pero me fui de todos modos.

¡Y salvaste a todos los demás!, grito, pero nadie me oye.

Papá cierra los ojos, porque sus acusaciones acaban de ser confirmadas, y observo cómo se quema el último hilo que sostenía el matrimonio de mis papás. Pero quizá la seda no se quema, porque Vance interviene y dice:

—Y nos salvó a todos. Y, señor Miller, no se ofenda, pero ha perdido la cabeza —dice Vance, volteando hacia mamá —. Él ha perdido, ya sabe, la cabeza.

Mamá intenta sonreír, pero no lo logra.

—O sea, en serio, amigo, ¿tiene idea de lo impresionante que fue lo que hizo la señora Miller? Mire, siento mucho lo de Oz, pero no puede culparla en serio por dejarlo. O lo dejaba atrás y salía de allí, o todos habríamos muerto. Usted, yo, Chloe, todos. En serio, tiene que superarlo.

Papá lo mira con furia.

Vance lo ignora y se para frente a mamá, con una expresión de angustia en su rostro.

—¿Cómo está Chloe? —dice, haciendo que papá olvide su enojo por un segundo y que mire con la misma angustia a mamá, permitiendo que su preocupación por los vivos eclipse momentáneamente su remordimiento por los muertos.

Mamá pone su mano sobre la mejilla de Vance y sus ojos se llenan de lágrimas. Está increíblemente contenta de verlo vivo y frente a ella.

—Vengan a comprobarlo ustedes mismos. El próximo domingo es Pascua, y cocinaré un jamón —dice mamá mirando a papá—. Me gustaría verlos a los dos allí.

Papá no dice nada, pero puedo escuchar su resoplido.

—La cena es a las seis —comenta mamá, frunciendo el ceño a papá—. No lleguen tarde. Y rasúrate. Pareces una cabra vieja.

Mamá se da la vuelta y Vance la acompaña a la puerta. Solo yo veo cuando papá acaricia su cuello barbudo, y una leve sonrisa se dibuja en su rostro.

—¿Chloe está de acuerdo con que yo vaya? —dice Vance, con voz esperanzada y tensa.

Mamá vuelve a poner su mano en la mejilla de Vance.

—Ella estará tan aliviada como yo de ver lo bien que lo estás haciendo.

Y puedo sentir que las palabras de mamá lo llenan de esperanza. Su pecho se extiende y sus hombros se enderezan. Se forma un nudo en mi garganta, y no puedo creer lo mucho que deseo que Vance esté bien.

—No iremos —dice papá, tan pronto como se cierra la puerta.

Vance se gira para mirarlo.

—Oz todavía está allí fuera, y no nos iremos hasta que lo encontremos.

81

Una hora después de que mamá se marcha, el Capitán Burns llama a papá. Veinte minutos después, Burns está en el sofá de la cabaña explicando sus sospechas sobre Bob.

Vance se sienta en la mecedora frente a ellos, escuchando lo que dicen.

Mientras Burns habla, los antebrazos de papá se tensan, los músculos de sus hombros se ponen rígidos, su expresión se endurece y sus ojos se oscurecen. Igual que un león, se sienta enroscado, listo para saltar.

—Jack, deja que yo me haga cargo de esto —dice Burns, sintiendo el deseo de papá de salir en ese mismo instante de la cabaña y regresar a Laguna Beach para destrozar a Bob—la mandíbula de papá se contrae—. Piénsalo —continúa Burns—. Si haces algo estúpido como confrontarlo o, peor aún, agredirlo, perjudicarás las posibilidades de lograr una condena y terminarás metido en tu propio lío legal.

La cara de papá está roja, tan caliente que creo que podría encenderse en llamas, pero logra asentir. Aunque le encantaría desgarrar a Bob miembro por miembro, sabe que Burns tiene razón. También sabe que una condena por homicidio negligente destruirá a Bob mucho peor de lo que podría hacerlo una paliza.

La entrevista que tuvo Burns con Karen en el hospital embrolló las cosas en vez de aclararlas. Al igual que Natalie, el recuerdo de Karen es irregular y distorsionado. Solo recordaba que Oz estaba allí un momento, y al siguiente desapareció. Sí, tal vez la golpeó, pero no estaba segura. Se acordaba de que tenía mucho frío y miedo. No recordaba haber sentido miedo de Oz, pero tal vez sí. Karen le dijo a Burns que se esfuerza por no pensar en eso, y cuando lo hace, le duele el estómago. Karen le preguntó a Burns una y otra vez si ya habían terminado.

Vance se sienta congelado en su silla mientras Burns cuenta lo que sucedió tal como lo entiende a partir de las entrevistas con Mo y Karen. No exagera ni da su opinión, sino que presenta los hechos claramente y sin emoción, haciendo que la historia sea mucho más horrible de escuchar: Oz quería agua para el perro, y por eso, Bob lo manipuló para que se adentrara en la tormenta de nieve y fuera a buscar a su mamá, pero antes de enviarlo a la misión suicida, intercambió los guantes de Oz por dos paquetes de galletas.

—¿Recuerdas algo de esto? —Burns le pregunta a papá cuando termina.

Papá niega con la cabeza.

—Recuerdo que le pedí a Oz que cuidara de Bingo. Oz no causaba problemas si tenía un propósito. Se habría tomado la responsabilidad muy en serio.

—¿Qué tan en serio? —pregunta Burns.

—¿Qué quiere decir?

—Me refiero a que si Oz era peligroso.

—Tenía trece años —dice papá.

—Pero era corpulento para su edad, ¿no?

—Bob tiene cuarenta y cinco años y es hombre. Oz no era *tan* corpulento.

—Bob estaba herido, su tobillo tenía una lesión grave —dice Burns.

Papá se levanta súbitamente, incorporándose cuan alto es.

—Mi pierna está rota, ¿en verdad crees que no podría controlar a un niño de trece años?

Burns permanece sentado.

—Siéntate, Jack. No estoy intentando justificar lo que hizo Bob, solo trato de entenderlo.

—Bob tomó los guantes de Oz y lo envió a la muerte —dice papá, con los puños apretados a sus costados—. ¿Qué más hay que entender? Mi hijo tenía trece años. ¡Trece!

Burns asiente, pero repite su pregunta.

—¿Era peligroso?

Papá niega con la cabeza y se desploma sobre su silla.

—Oz solo estaba protegiendo a Bingo como se lo pedí. Lo único que Bob tenía que hacer era distraerlo.

—Porque de lo contrario, ¿qué pasaría? —pregunta Burns.

Vance habla por primera vez:

—Porque de lo contrario Oz se habría enfadado. Oz no era el típico chico de trece años. Oz era grande y muy fuerte, y cuando se enojaba, era difícil tranquilizarlo.

Vance tiene las manos apretadas sobre las rodillas, mientras sacude su cabeza como si quisiera borrar lo que tiene dentro.

—Y lo que pasó —continúa Vance—… Lo que hizo Bob… no es como si hubiera estado sentado aquí, como ustedes dos están ahora, pensando racionalmente y diciéndose a sí mismo, “solo necesito distraer a Oz y todo estará bien”. Está helando, estás asustado y empiezas a pensar: “Mierda, voy a morir, vamos a morir, los dos. No puedo salvarnos a los dos. No puedo salvarla a ella y a mí. Solo puedo esperar lograr salvarme a mí mismo”, y luego, al minuto siguiente, cambias de opinión, pero es demasiado tarde, porque cuando te das la vuelta, la nieve ya se ha tragado la decisión y no puedes cambiarla…

Vance se detiene, respirando con dificultad y temblando. Luego, su mirada recorre la habitación hasta que se topa con papá y Burns que lo están mirando.

—Apuesto a que Bob desearía haber actuado diferente, pero a veces, simplemente tomas la maldita decisión equivocada —dice Vance.

82

Los gatitos ya son lo suficientemente grandes para beber solos, por lo que hoy Chloe y Finn se despedirán de Brutus y de sus hermanas, a quienes Chloe llamó acertadamente Lindsay y Britney por las malas decisiones que toman constantemente. Las dos gatitas han usado cada una al menos tres de sus nueve vidas.

Finn maúlla sin parar cuando sus hermanos son sacados del contenedor y metidos en una caja de cartón. Chloe solloza un poco mientras los lleva al auto.

Y cuando los lleva al refugio, llora aún más.

El chico que la recibe no es mucho mayor que ella. Su cabello es largo, con rastas y color trigo viejo. Tiene ojos penetrantes y oscuros como el ónix. Alto y delgado, lleva puestas unas sandalias de cuero, dos docenas de brazaletes tejidos de colores y una camiseta que dice "Mi KARma atropelló a mi DOGma."

—¿Qué tenemos aquí? —dice, cuando Chloe pone la caja sobre el mostrador.

Chloe levanta la tapa, ondeando su deformidad como una bandera, fingiendo que no le importa y desafiando al chico a que reaccione, pero este apenas mira su meñique rechoncho.

—Ay, mira qué pequeños —dice, acariciando a Britney y luego la levanta. Britney se retuerce torpemente, casi escapando de las manos del chico y a punto de gastar otra de sus vidas.

—Shhh —dice para tranquilizarla, y sorprendentemente, Britney se queda quieta.

El chico es un encantador de gatos, o algo así. Britney golpea su mano con la nariz, y luego le lame la palma.

—¿Tú los cuidaste? —dice el chico.

—¿Cómo supiste? —pregunta Chloe.

—Porque, normalmente, los gatitos tan jóvenes no se adaptan a los humanos tan rápido —dice, apartando la mirada de Britney y mirando directamente a Chloe ofreciéndole una sonrisa torcida—. Es impresionante.

—Gracias —dice ella, mientras sus mejillas se ruborizan.

—¿Quieres trabajar aquí? —pregunta el chico.

—¿Perdón? —responde Chloe.

—Bueno, obviamente te gustan los animales porque salvaste a tres gatitos. Se ve que eres buena con ellos. Además, tuviste tiempo para cuidarlos, y es lunes y no estás en la escuela, y necesitamos ayuda durante la semana. Entonces, ¿estás buscando trabajo?

—No he dejado la escuela —dice Chloe, defendiéndose.

Técnicamente, es cierto. Chloe tiene hasta el final del verano para completar el curso y realizar sus exámenes, aunque todavía no ha abierto ni un solo libro.

—Eso no importa, solo estoy señalando los hechos —dice el chico, encogiéndose de hombros—. Es lunes a mediodía, y ahora que has terminado de cuidar a estos pequeños, probablemente tendrás algo de tiempo libre.

Chloe frunce el ceño haciendo que sus cejas caigan sobre sus ojos, y sintiéndose molesta porque el chico da por un hecho que no tiene vida. Puedo ver cómo se empieza a dibujar una sonrisa en su rostro y sus cejas se arquean, y cuando está a punto de decirle al chico que está equivocado, sorprendentemente, su ira se desvanece transformándose en una risita nerviosa.

El chico es encantador.

Lo miro más de cerca. Es bastante guapo, o lo fue alguna vez, y podría volver a serlo si se cortara el cabello y se rasurara los mechones de pelusa marrón en su cara que sobresalen como esporas de moho en sus mejillas y barbilla. Tiene un perfil agradable, con una larga nariz griega y pómulos altos. Es una de esas personas que no notas que son atractivas hasta que de repente lo haces.

Acepta el trabajo, digo, animándola. Chloe está aburrida, deprimida a ratos y constantemente sola, y esas malditas pastillas todavía están guardadas en el forro de su maleta.

—¿Cuánto pagan? —pregunta.

—Es un trabajo voluntario.

—¿No pagan *nada*? —repite ella.

—A menudo, un poco de imaginación y un poco de amabilidad son más valiosos que una gran cantidad de dinero.

—¿Estás citando a John Ruskin para convencerme de que trabaje por el salario de un esclavo? —dice Chloe.

—Tienes razón, eso fue horrible. Obviamente, eres demasiado inteligente para trabajar aquí —dice el chico, abriendo los ojos con respeto porque Chloe reconoció la cita y a su autor.

No tengo idea de quién es John Ruskin, pero no me sorprende que Chloe lo sepa. Mi hermana es increíblemente inteligente, y su memoria es de esas que atrapa fragmentos de información y no los suelta. La escuela nunca le ha interesado mucho, pero sabe más que nadie.

Brutus no está contento. Grita con toda la fuerza de sus pulmones de gatito. Chloe lo saca de la caja y lo acaricia, ocasionando que Lindsay se moleste por quedarse sola. Chloe también la levanta, sosteniéndola con la otra mano. Usando su barbilla, acaricia a uno y luego al otro.

—Bueno, creo que hemos terminado aquí —dice el chico, colocando a Britney de nuevo en la caja, pero ella comienza a llorar.

Chloe tiene las manos ocupadas. El chico voltea y empieza a caminar hacia la puerta.

—Déjalos allí, me ocuparé de ellos cuando termine de limpiar las jaulas.

—Tienen hambre —protesta Chloe.

—Sí. La fórmula está en el refrigerador —dice, señalando con la cabeza hacia el minibar en la esquina—. El microondas está al lado.

Luego, sin mirar atrás, continúa su camino. Solo yo veo cuando sus labios se curvan en una sonrisa de triunfo al escuchar que Chloe abre la puerta del refrigerador maldiciendo entre dientes.

83

Hoy es Pascua, y Vance y papá están discutiendo en la cocina. Ambos lucen tan desaliñados que comprendo por qué Dios creó a las mujeres. Un hombre sin una mujer es una criatura desorientada y patética. Hay bolsas y cajas de comida sin terminar, platos, cubiertos y ropa amontonados por todas partes, como si los gabinetes y cajones no tuvieran ninguna razón de ser. Ambos han usado la misma ropa desde hace más de un mes, y la única vez que fueron a la lavandería toda su ropa blanca se volvió de un tono grisáceo, como el agua del lavaplatos.

—Yo voy a ir, y usted también debería —dice Vance, con una actitud que me recuerda a su antigua personalidad arrogante—. Necesito ver a Chloe. Si quiere quedarse aquí sintiendo lástima por usted mismo, es su problema. Deme las llaves.

—Vete al infierno —dice papá.

—Estoy seguro de que ahí terminaré, pero todavía no. Ahora, deme las llaves, antes de que tenga que tomarlas por mí mismo.

—¿Crees que puedes conmigo? —dice papá, carcajeándose —. Aun con una pierna rota, puedo patear tu flaco trasero y darte una paliza que recordarás toda la semana.

—¿Eso es un desafío, anciano? —pregunta Vance.

—Es un hecho. Vamos. Inténtalo. Tengo un poco de energía reprimida que me encantaría descargar en tu patético y malagradecido trasero.

—¿Malagradecido? ¿Por qué diablos tendría que estar agradecido con usted?

—Deja de parlotear y pelea, o cállate —dice papá, sacando las llaves de su bolsillo y balanceándolas frente a él.

—¿Qué tal si lo hacemos más interesante? —dice Vance —. Si consigo las llaves, tiene que venir conmigo.

—¿Y qué pasará cuando no las consigas?

—Si no las consigo, me quedo —dice Vance, con voz atrapada por la idea de no ver a Chloe.

—Eso es una estupidez —dice papá—. Si no consigues las llaves, te quedarás de todos modos.

—No. Podría regresar pidiendo aventón —dice Vance —. Pero, el trato es que, si usted gana, me quedaré hasta que termine la búsqueda de Oz.

Papá considera la propuesta.

—Bien, trato hecho.

Mete las llaves en su bolsillo, y soltando una de sus muletas adopta torpemente una postura de lucha, aunque su aparato ortopédico y su muleta hacen que parezca más un ejercicio de rehabilitación.

Vance resopla por la nariz y camina de un lado a otro, tratando de averiguar el mejor ángulo de ataque. Definitivamente no sabe pelear. Tiene las manos cerradas en puños, pero sus pulgares están levantados, y siento pena de que no haya tenido un papá que le enseñara la correcta posición del puño.

Su ataque me sorprende y sorprende a papá también. Con los brazos extendidos, como si se lanzara por una pelota de tenis, se tira de frente y rueda, golpeando la pierna sana de papá y enviándolo al suelo.

Papá gira sobre su espalda como una tortuga. Su pierna herida está levantada en el aire y su muleta se agita salvajemente. Se ve ridículo. Ambos se ven ridículos.

Vance escapa del arma flotante, luego la coge y se la quita de las manos a papá, quien todavía está de espaldas, con los puños extendidos frente a él. Vance se pone de pie y vuelve a dar vueltas. Papá lo sigue con la mirada, girando sobre su espalda ayudándose con su pierna sana.

Cuando Vance salta, papá le da un fuerte golpe en la mandíbula, haciendo que la cabeza de Vance rebote hacia atrás, y antes de que pueda recobrarse, papá lo sujeta con una llave de estrangulamiento.

Mientras papá lo estrangula, Vance mete los dedos en su bolsillo, tratando de sacar las llaves. Su cara está roja y sus ojos empiezan a hincharse, pero sigue hurgando, y justo cuando está a punto de quedarse sin aire, es cuando me doy cuenta: el rostro de papá revela una ligerísima disminución en su fuerza al tiempo que hace un movimiento de cadera casi imperceptible para que Vance pueda sacar las llaves más fácilmente.

Papá quiere irse. Quiere *tener* que ir a casa para Pascua. Y yo aplaudo, celebro y vuelvo a aplaudir.

84

Vance llama por teléfono a mamá desde el baño de la gasolinera donde él y papá se detienen a cargar combustible para avisarle que van en camino, y mamá se sorprende tanto que casi deja caer el teléfono.

Las cosas que veo ahora que estoy muerta me asombran. Mamá es como una colegiala. Hace una pirueta, aplaude, y luego corre a su habitación y se cambia de ropa tres veces, decidiéndose por un suéter ajustado y una falda suelta arriba de las rodillas. Empuja hacia arriba sus senos y baja el cuello del suéter, y ver esto me causa risa.

Vuelve a la cocina, y la observo mientras machaca ajo y clavos para las papas. Luego corta las peras para la ensalada de manzana y pera. Mi boca fantasmal empieza a salivar y mi estómago imaginario gruñe.

Mamá saca el jamón del horno para agregar las zanahorias, y puedo imaginar su olor, el delicioso aroma del glaseado de ciruela y jengibre. Mamá se ríe, mientras sostiene suspendido el pincel de cocina sobre el jamón. Luego se ríe más fuerte, y sé que está pensando en mí y en nuestro jamón cubierto de plástico. Miro cómo se agita el plato de glaseado por el ataque de risa de mamá, y me río con ella, las dos nos partimos a carcajadas hasta que finalmente logra untar el glaseado en el jamón y vuelve a meterlo en el horno.

Cuando termina, va a la sala. Acomoda los cojines y se peina el cabello con los dedos. Se sienta y luego se pone de pie, mira por la ventana y vuelve al sofá. Está nerviosa como un potrillo recién nacido, y eso me hace sonreír.

La puerta se abre y mamá se levanta de un salto, sin saber qué hacer con su boca. Pone una expresión de alegría, pero sin que parezca demasiado alegre. Tal vez una que revele que todavía está un poco molesta, quizá un ligero puchero. Todo eso no es más que un intento patético para no revelar lo nerviosa y emocionada que está.

—Hola, mamá —dice Aubrey, entrando con un pastel. Ben está detrás de ella con un ramo de lirios en las manos y una bolsa con ropa colgada del brazo.

—¿Qué pasa? —pregunta Aubrey cuando ve la expresión fallida congelada en el rostro de mamá.

—Nada —dice mamá, borrando la mueca de su rostro y dando un beso a cada uno.

Chloe baja las escaleras cargando en sus brazos a Finn la Poderosa. Así se llama ahora. Se ganó ese nombre después de que mordisqueó su caja en la cocina mientras Chloe estaba en el refugio, y logró subir los escalones para buscar a Chloe y a sus hermanos.

—Aaay —dice Aubrey, mimando a la gatita—. ¿Puedo cargarla? —Aubrey toma a la pequeña gata en sus brazos, y continúa—: Mamá me contó que estás trabajando en el refugio.

Chloe se encoge de hombros, pero el orgullo se refleja en su rostro. Ha ido al refugio todos los días de esta semana, llega cuando abren por la mañana y se va hasta bien entrada la noche. Probablemente se quedaría toda la noche si la dejaran. Los últimos dos días, ha llevado con ella a Finn la Poderosa para hacerle compañía a Brutus, porque Britney y Lindsay ya fueron adoptadas.

La puerta se abre de nuevo, y esta vez mamá no tiene tiempo para posar ni para preocuparse por su sonrisa. Papá entra como una ráfaga de viento e inmediatamente es devorado por los abrazos y apretones de manos de Aubrey, Chloe y Ben.

Mamá retrocede, con una sonrisa real en su rostro y los ojos vidriosos al ver a nuestra familia junta. Sin embargo, el momento dura muy poco, porque detrás de papá está Vance, tan indeciso en el umbral de la puerta que desearía poder darle un empujón. Cuando Chloe lo ve abre los ojos enormemente, y luego una sonrisa idéntica a la de mamá aparece en su rostro. Pasando junto a papá de un salto, abraza a Vance, enterrándole su rostro en la clavícula. Vance la rodea con sus brazos, mientras sus manos dañadas se extienden sobre su espalda. Afortunadamente, Vance tiene los ojos cerrados, por lo que no ve que Aubrey y Ben reprimen un grito ahogado.

Chloe se aparta de él, coge su mano, sin notar en lo más mínimo la deformidad, y lo jala por la puerta principal, sin estar lista todavía para compartirlo.

Mamá se acerca a papá, levanta los brazos para abrazarlo, pero se detiene, indecisa. Papá tampoco sabe qué hacer. En un intento por parecer molesto frunce el ceño, pero sus ojos lo traicionan, porque empiezan a recorrer a mamá de pies a cabeza haciendo que mamá se sonroje. Mamá eligió muy bien su atuendo. Sus ojos se deslizan hacia el suéter y hacia sus senos levantados, y puedo sentir cómo se acelera su pulso. Aubrey y Ben pasan junto a ellos rápidamente y entran en la cocina. Bingo camina detrás de Ben, y Aubrey todavía sostiene en sus brazos a Finn la Poderosa, que maúlla como una loca.

Mamá palmea la mejilla recién rasurada de papá.

—Mucho mejor —dice ella.

Estoy orgulloso de él. No solo se afeitó su barba de hombre de las montañas, sino que él y Vance se detuvieron en una tienda y compraron camisetas nuevas. Casi se parece a su antiguo yo.

Quien no crea en la química está equivocado. Y quien se conforme con menos se está subestimando. El aire está absolutamente electrificado, las feromonas vuelan por todas partes. Esa es una gran palabra: *feromonas.* El simple hecho de decirla hace que quieras besar a alguien.

—Me alegro de que hayas venido —dice mamá.

Bésala, bésala, digo, animando a papá.

Y papá lo hace. Toma a mamá por la parte trasera de su cabeza, y acerca su boca a la de ella. Sus feromonas hacen a un lado todas las otras cosas que había entre ellos. *¡Bien hecho, feromonas!*

Papá la suelta, y dice:

—Solo regresé por tu comida.

La mano de mamá sale disparada y agarra la entrepierna de papá, sorprendiéndome.

—Mentiroso —dice, provocando que papá la vuelva a besar, esta vez más fuerte, casi violentamente. Mamá apoya su cuerpo contra el de papá, y sus labios sucumben a los de él abriéndose para dejarlo entrar.

—Mamá, creo que el jamón ya está listo —grita Aubrey desde la cocina, haciendo que se separen. Papá le guiña un ojo a mamá y ella le devuelve el guiño. El intercambio dura menos de un minuto, un destello del calor y del romance que alguna vez tuvieron, pero es grandioso.

Mamá camina hacia la cocina, con una sonrisa tan grande que creo que deben dolerle las mejillas, y aunque estoy feliz por ella, también estoy asustada. Las feromonas solo pueden posponer lo inevitable durante un tiempo. Papá ya no es quien era. Debajo de su apariencia casi normal, se gesta una ira oscura. Bob está a dos puertas de distancia, y en el aire persiste una necesidad de venganza que raya en la locura.

85

Chloe y Vance están sentados en la playa mirando el océano. Sus zapatos están junto a ellos y sus pies descalzos están hundidos en la arena. Ella examina los dedos de Vance y luego le muestra los suyos. Intercambian sus impresiones, y ambos coinciden en que el cirujano de Vance fue un mediocre que hizo un pésimo trabajo.

Vance lleva a sus labios la mano dañada de Chloe y le roza la piel con un beso.

—Lo siento —dice con los ojos vidriosos—. Traté de volver por ti.

Ella traga saliva, luego se pone de pie y le tiende las manos para ayudarlo a levantarse. Chloe no quiere hablar de eso. Lo abraza por la cintura y él la toma por el hombro. Chloe le cuenta sobre los gatitos y el refugio, y él le cuenta sobre la búsqueda de Oz y el tiempo que pasó con papá.

—Me sorprende que ustedes dos no se hayan matado —dice Chloe, deslizando sus ojos hacia el moretón en su mejilla por la pelea de esta mañana.

—Estuvimos a punto —dice Vance—. Tu papá está loco, ¿sabías? Jodidamente loco.

—Es una cosa de familia —dice Chloe, sonriéndole.

Ambos caminan en la orilla del agua, mientras la marea baña sus pies: los siete dedos de Chloe y los diez de Vance.

—Calcetines de seda —dice Vance, sabiendo que Chloe se está preguntando el porqué—. El doctor dijo que los calcetines que llevaba puestos estaban hechos de un tejido de seda, y eso fue lo que salvó mis dedos de los pies.

—Apuesto a que no tenías idea de la importante decisión que estabas tomando cuando compraste esos calcetines —dice Chloe.

—Nop. Ni la menor idea.

Vance se detiene, se vuelve hacia ella y apoya las manos sobre sus hombros.

—Te los habría dado —dice—. Si hubiera sabido que esos calcetines podían salvar los dedos de tus pies, te los habría dado.

Vance quiere creer que esto es cierto, y tal vez sí lo cree. Y pienso que, si el accidente sucediera hoy, estaría diciendo la verdad. Le daría sus calcetines a Chloe. Pero hoy es diferente a lo que era ese día. Yo fui testigo. Ese día, cuando se presentó el momento, Vance eligió su vida.

Chloe también lo sabe. Sonriendo débilmente, se vuelve para continuar caminando por la playa. Camina con la cabeza agachada y Vance camina a su lado, con los hombros encorvados y concentrado en la arena. Chloe vuelve a tomar su mano y luego se inclina para recoger un pequeño trozo de vidrio marino blanco guardándoselo en el bolsillo. Cuando llegue a casa, lo pondrá en el frasco de vidrio que tenemos en nuestro tocador compartido, en el que hay una colección de todos nuestros paseos por la playa.

—Eres increíble —dice Vance, mirando sus manos entrelazadas. No es tanto un cumplido sino una declaración. Ella lo perdona por lo imperdonable, y eso es casi insoportable.

Vuelven a casa justo cuando el jamón llega a la mesa.

—Pensé que íbamos a tener que enviar un grupo de búsqueda —dice Aubrey cuando entran, lo que hace que todos, excepto Ben, se congelen por su elección de palabras.

Aubrey no se inmuta en lo absoluto, o finge muy bien no haberse dado cuenta.

—¿Pueden creer que nuestra boda es en cinco semanas? —dice, y una vez más, milagrosamente, su normalidad restablece el equilibrio.

Los seis pasan un momento maravilloso durante la cena, y aunque me encanta también lo odio. Yo también quiero estar allí para divertirme con ellos.

Cuando están a punto de terminar el postre, Aubrey dice:

—Oye, Chloe, traje el vestido para que te lo pruebes.

Chloe sonríe a medias y gruñe al mismo tiempo, sin saber muy bien cómo reaccionar. La expresión *adolescente sarcástica* ya no le queda muy bien.

—¿De qué hablan? —pregunta mamá.

—Chloe ha aceptado ser mi dama de honor —responde Aubrey.

Mamá junta sus manos y grita de emoción, con los ojos humedecidos.

—¿Y vas a usar el vestido de dama de honor? —pregunta, como si esto fuera demasiado—. ¿Puedes probártelo? Por favor.

—¿Ahora? —dice Chloe, sonrojándose ligeramente.

Mamá parece una niña en Navidad que acaba de desenvolver la bicicleta que había deseado durante un año. Todavía tiene las manos unidas frente a ella, y está a punto de comenzar a saltar en su silla.

—De acuerdo —dice Chloe—. Tortúrame en Pascua. El hecho de que Aubrey trajera el vestido sabiendo que todos iban a estar aquí es un castigo cruel e inusual. Pero me vengaré por esto.

Se levanta y camina dando fuertes pisotones hacia el vestido que está colgado junto a la puerta.

—Yo te ayudo —dice papá, tomando el vestido para subirlo a su habitación—. La venganza es mi especialidad, y después de todo, tenemos que alegrar esa boda.

Papá le guiña el ojo a Chloe, y yo quiero llorar. Las bromas pesadas y las travesuras eran lo nuestro. Oz y yo éramos sus socios en el crimen. Ya estábamos tramando un plan cuidadosamente elaborado para la boda que haría que el evento fuera memorable, y ahora papá está conspirando con Chloe. Estar muerto apesta. Estoy atrapada aquí contemplando mientras todos los demás hacen las cosas que yo quisiera estar haciendo y las que iba a hacer.

—No arruines mi boda —dice Aubrey, asustada de que papá realmente arruine su día, y al mismo tiempo esperanzada de que su plan agregue un poco de ligereza y diversión a lo que parece ser un evento muy aburrido.

—Chloe y yo solo vamos a divertirnos un poco —dice papá, burlándose.

Me duele contemplar la escena, odio que nunca más podré tramar un plan con papá para hacer una broma en la boda de mi hermana, ni comeré el jamón de mamá, ni volveré a sentarme con mi familia alrededor de la mesa. Es tan injusto.

Chloe baja las escaleras con el vestido puesto, sus botas militares Doc Martens asoman por debajo del tafetán color limón que flota a su alrededor en una gigantesca nube esponjosa y verde, y hay una mueca en su rostro.

Cuando camina hace un ruido como de papel siendo arrugado. La cara de papá se mantiene inexpresiva, pero mamá no puede contener la risa, y estalla en carcajadas escupiendo el vino de su boca. Aubrey se ríe también, una pequeña risa que estalla en una histeria total y se esparce como un virus entre todos hasta que mamá jura que se va a orinar en los pantalones.

Chloe aprovecha el momento para levantar a Vance de su silla y empieza a bailar vals con él por la habitación. Aubrey y Ben se unen a ellos, Ben balancea a Aubrey mientras hacen como que rebotan en las ondas de tul verde. Bingo salta y aúlla como un cachorro. Papá está sentado con su aparato ortopédico extendido fuera de la mesa, sonriendo de oreja a oreja mientras contempla la escena. Mamá desliza sus ojos para mirarlo, y papá lo siente volviéndose hacia ella. Mamá aparta la mirada rápidamente, pero los ojos de papá se mantienen sobre ella. Es algo más que feromonas. Puedo verlo: es el amor de toda una vida, el amor de su vida.

Aubrey y Ben se ofrecen para lavar los platos y se marchan juntos a la cocina.

Chloe desaparece con Vance en el patio trasero.

Mamá y papá se acomodan en el sofá. La pierna de papá está apoyada en la mesa de café.

—Jack —dice mamá, pero el beso de papá la detiene.

—Esta noche no —dice papá—. Esta noche es buena y normal, y solo quiero que dure.

—¿Y mañana? ¿Seguirás aquí mañana?

—Mañana estaré aquí, y entonces lo resolveremos.

Mamá apoya la cabeza en su hombro, papá cierra los ojos y me pregunto si las cosas podrían permanecer así de simples.

Aubrey se seca las manos con la toalla de la cocina, la vuelve a doblar y la cuelga en la puerta del horno antes de decir:

—¿Crees que existe el cielo?

Ben niega con la cabeza y la abraza. Es mucho más cariñoso de lo que pensaba. Cuando están solos, Ben no puede apartar de Aubrey sus manos ni su boca. Todo el tiempo la abraza, la besa y le dice que la ama, maravillándose de tener derecho a hacerlo, como si no pudiera creer que Aubrey fuera realmente suya.

Ben me gusta mucho desde esta perspectiva.

—Cuando te mueres, te mueres, y ya —dice Ben.

—Eso es triste —dice ella, apoyando su cuerpo contra el de Ben mientras él besa su cabello.

—¿Más triste que existir en un mundo separado de todos los que dejaste atrás? —pregunta Ben.

Aubrey se queda pensando en la respuesta de Ben.

—Es que el otro mundo es tan permanente.

De todas las personas que amo y que siguen vivas, siento que Aubrey es la que menos me siente, como si nuestra conexión se hubiera cortado casi instantáneamente después de mi muerte.

Pero eso no significa que no piense en mí. Esta noche Aubrey me extraña, y extraña a Oz.

—A mi hermano le encantaban los días festivos —dice, con su boca apoyada en la camisa de Ben.

—Sí, me acuerdo —dice Ben—. Nunca en mi vida he visto a nadie tan emocionado por la Navidad.

Aubrey sonríe y asiente. Oz tenía su propio traje de Santa, y empezaba a pensar en sus regalos desde Halloween. Le encantaban las decoraciones navideñas, la comida, las tradiciones, pero lo que más le gustaba era que nuestra familia conviviera tanto esos días. Lo decía todo el tiempo: "Ya viene Navidad. Eso significa que Aubrey estará en casa y mamá no tendrá que trabajar".

—Está en paz —dice Ben, elevando la mirada hacia el cielo nocturno a través de la ventana como si lo estuviera imaginando —. Finn también.

Aubrey mira hacia la oscuridad junto con él, luego vuelve a mirar a Ben y se dibuja una sonrisa en su rostro.

—Cinco semanas —dice ella—. No puedo creerlo.

Ben la levanta y la hace girar.

—Sí. En cinco semanas, serás toda mía.

Dejándola en el suelo, la apoya contra el fregadero y sus dedos se enredan en su cabello mientras la besa.

No puedo creer que no me agradaba este tipo.

—¿Debería quedarme? —pregunta Vance, más en un tono de súplica de que optimismo—. ¿O debería volver a Big Bear?

Chloe pone la mano en su mejilla y le sonríe tristemente. En sus ojos está el deseo de que las cosas hubieran sido diferentes, junto con la dolorosa verdad de que ese día Vance perdió algo mucho más grande que sus dedos.

—Estoy tan contenta de que estés bien.

—Desearía poder repetir las cosas y actuar diferente.

—Yo no —dice Chloe—. Yo desearía que nunca hubiera sucedido.

—Bueno, sí, pero si volviera a suceder, desearía poder actuar de modo distinto.

Se hace un silencio entre ellos.

—Y ahora, ¿qué sigue? —dice ella—. Cuando llegue el otoño, ¿irás a la Universidad de California en Santa Bárbara?

—La escuela no es lo mío —dice Vance, negando con la cabeza—. Quiero seguir buscando a Oz. Casi hemos terminado de recorrer el área y quiero llegar hasta el final.

—¿Y luego? —pregunta Chloe.

—Luego, no lo sé. Quizás me quede allí un tiempo. Hay mucho trabajo y me gusta estar en la montaña.

—¿No más tenis? —pregunta Chloe con tristeza.

Vance levanta sus manos dañadas y luego las deja caer sobre su regazo.

—La verdad es que yo era un jugador de segunda clase. No era lo suficientemente bueno como para convertirme en profesional.

—Eras bueno.

Vance se encoge de hombros.

—Tiempo pasado. Lo raro es que no lo extraño para nada, como si me hubiera quitado de encima el peso de las expectativas. Vivir con tu papá me ha hecho bien. Es un desastre, igual que yo.

El rostro de Chloe se oscurece.

—No en un mal sentido —dice Vance rápidamente—. Sino que él tampoco fue a la universidad, estuvo vagabundeando por un tiempo, sin seguir un camino claro, pero de algún modo hizo bien las cosas, porque terminó con tu mamá y con una familia. Por eso dije que me gustaría repetirlo, para actuar diferente. No porque quiera que el accidente vuelva a suceder, jamás desearía algo así, sino porque sé que lo haría mejor, sería más como tu papá.

Los ojos de Chloe se llenan de lágrimas y los míos también. Papá no se propuso salvar a Vance, pero lo salvó de todos modos.

Ha sido una buena noche, y ahora que llega a su fin Chloe y Finn la Poderosa duermen pacíficamente en la habitación al lado del dormitorio de mis papás, y papá está acostado en la misma cama que mamá, con sus dedos tocando los de ella.

86

Laguna Beach es una ciudad pequeña, un lugar que conserva una avenida principal con lindas tiendas y un desfile anual. Es una comunidad donde las familias han vivido durante generaciones. La familia de papá ha vivido en Laguna Beach desde principios de 1900, y los padres de mamá se mudaron aquí antes de que ella naciera. Todos se conocen y, como sucede en todos los pueblos pequeños, las noticias se difunden rápidamente. Dos periódicos locales, una sección de noticias en línea y una revista de moda son los encargados de cubrir todos los acontecimientos locales.

Las noticias en línea son las primeras en reportar la historia, difundiéndola por todo internet el martes por la tarde, una hora después de que Bob pagara la fianza. El encabezado dice: "Dentista local arrestado por homicidio negligente de un ñiño de 13 Años".

El jueves, ambos periódicos publicaron la historia en sus portadas, y esa tarde sonó el teléfono en nuestra casa para pedirle a papá una entrevista para la revista, pero papá se negó.

Hoy es jueves por la noche, y decido ir a casa de Bob y Karen para ver cómo están manejando su nuevo estatus de celebridades.

No lo están manejando nada bien.

Bob está sentado en el sofá en un estupor alcohólico, con un vaso de whisky en la mano y la mirada fija en los periódicos esparcidos en la mesita de café frente a él. A juzgar por el licor que queda en la botella a su lado y el brillo de sus ojos, lleva allí bastante tiempo.

Karen y Natalie están en la cocina. Karen parece al menos diez años mayor que hace una semana, y veinte años mayor que antes del accidente. Su ropa está arrugada, su cabello sin cepillar, y tiene los ojos hinchados y enrojecidos. Natalie está sentada en la barra de la cocina comiendo helado de malvaviscos y chocolate bajo en grasa, y con su misma apariencia aturdida de siempre.

Hay platos sucios en el fregadero, y la barra está llena de líquidos derramados y manchas. Karen está sentada junto a Natalie, mirando por las puertas francesas que conducen al patio trasero, cuando de pronto suena el teléfono asustándola. Cierra los ojos con fuerza y se tapa los oídos para bloquear su molesto estruendo.

Natalie levanta la cara para mirar el teléfono, y luego mira a su mamá. Una sombra de culpa atraviesa su rostro e inmediatamente después regresa su mirada vacía. Mientras la miro pienso que está teniendo una sobrecarga en su sistema; es incapaz de hacer frente a todo lo que está sucediendo.

El contestador automático se activa al cuarto timbre, luego de lo cual se escucha una voz alegre que se presenta como una reportera del periódico *Orange County Register*. Karen escucha atentamente, con el cuerpo rígido mientras espera a que termine, y cuando la mujer cuelga, se pone de pie y camina pesadamente hacia la sala.

—¿Necesitas algo? —le pregunta a Bob.

Bob mira hacia arriba, con un rostro tan lleno de confusión y desesperación que mi respiración se entrecorta por la lástima.

—¿Cómo? —dice, mientras sus ojos se deslizan de Karen hacia la mala fama que destruye su vida frente a él.

Ambos periódicos informan que el juicio está programado para fines de septiembre, aunque parece que las cosas no llegarán hasta ese punto. El fiscal de distrito ya ha ofrecido reducir la sentencia a cambio de una declaración de culpabilidad: seis meses de libertad condicional sin pasar tiempo en prisión. El abogado de Bob le ha sugerido que acepte la oferta. Aunque eso significa una condena por delito grave y la destrucción virtual de la práctica odontológica de Bob, está convencido de que es su mejor opción. El abogado no cree que Bob pueda ganar en un juicio contra Mo y mi familia, y si pierde, podría enfrentarse hasta a diez años de prisión.

Karen mira la alfombra a sus pies.

—Están equivocados —dice—. Eres inocente de lo que te están acusando.

Pero su voz vacila, confirmando que sería una terrible testigo en un juicio.

Bob se vuelve hacia ella y dice, con odio entrelazado en su voz:

—Lo hice por ti.

Al otro lado de la pared, Natalie se sobresalta al escuchar estas palabras. Oz está muerto. Ella tenía sus guantes. Luego le dijo a Mo lo que su papá había hecho. Empieza a mecerse en el taburete y su mirada se pierde en la nada. Es terrible descubrir lo que es la conciencia cuando tienes dieciséis años y has vivido todo ese tiempo sin haberla reconocido.

Karen mira hacia atrás, ve a Natalie meciéndose y se vuelve hacia Bob, con el rostro angustiado por el estrés y la preocupación.

—Creo que sería mejor —dice— si Natalie y yo nos vamos a San Diego por un tiempo… Ya sabes, para quedarnos con mis padres… Solo por un tiempo, tal vez hasta después del juicio… Están equivocados… Sé que están equivocados… pero hasta que todo esto se calme…

—¡Lárgate! —ruge Bob, lanzando la botella de whisky hacia la pared a espaldas de Karen, y haciendo que esta salga corriendo de la habitación.

87

Chloe está en el refugio. Últimamente parece que vive allí: sale de casa al amanecer y regresa hasta que se pone el sol. Tener un propósito en la vida, los animales y Eric, el chico que le dio el trabajo, han resultado ser una combinación irresistible.

En este momento, Eric está bañando a un hosco pastor alemán. El perro, a quien Eric llamó Hannibal debido a su personalidad psicópata, fue traído al refugio hace una semana por Control Animal. Lo encontraron casi muerto de hambre y sin collar en un barranco junto a la carretera Laguna Canyon. Las probabilidades de que aparezca su dueño o de que alguien lo adopte son escasas, pero el refugio le da a cada animal un mes antes de sacrificarlos. El perro debe estar sedado y con bozal para que puedan atenderlo, e incluso con esas precauciones, Chloe deja un amplio margen entre ella y el animal.

Cuando Chloe pasa caminando, Eric levanta la cabeza. Hannibal, que incluso estando sedado ha sentido algo, refunfuña. Eric ignora el estruendo y la saluda desde lejos con la mano enguantada. Es tan poco genial, que al mismo tiempo es increíblemente genial. Amo a este chico. Hoy lleva puesta una camiseta que dice “TENGO EL CUERPO DE UN DIOS” debajo de un dibujo de Buda, lo cual es gracioso, tomando en cuenta que se parece a Gumby.

Chloe se sonroja mientras su mano apenas se levanta de su muslo para devolver un pequeño saludo. Así han sido las cosas entre ellos, vacilación por parte de ella y seguridad por parte de él: una amistad creciente, una química innegable y una renuencia cautelosa. Las cicatrices de Chloe tienen menos de tres meses y sus heridas internas son mucho peores que las que se pueden ver. Eric siente esto y es adorablemente delicado, pero eso no impide que su rostro se ilumine cada vez que ella pasa o que la siga con la mirada cuando ella continúa su camino.

Chloe intenta demostrar a todas luces que no se percata de lo que sucede, pero está fingiendo. Hoy lleva puestos unos pantalones de mezclilla negros y rotos, una camiseta de Metallica desteñida y unos tenis Converse gastados. Solo yo sé que pasó casi una hora peinando su cabello para conseguir esa encantadora apariencia despeinada como si se acabara de levantar de la cama, y puso gloss en sus labios para hacerlos brillar.

Chloe está sentada en la recepción, ingresando el libro de contabilidad de esta semana en la computadora. Su postura se endereza cuando escucha que Eric tira una bolsa de comida y los pasos de sus botas sobre el cemento se oyen cada vez más cerca. Su cabeza permanece inclinada cuando él entra por la puerta, pero siento que su pulso se acelera.

Eric apenas se detiene cuando pasa frente a ella, pero se las arregla para quitarle el lápiz de la oreja. Cuando Chloe gira, Eric lanza el lápiz y este aterriza en el lomo del libro de contabilidad, y luego continúa caminando, tarareando algo para sí mismo. Parece que no es nada, pero definitivamente es algo. Chloe vuelve a sus números, leyendo la misma columna tres veces, con una sonrisa tonta en su rostro.

88

Han pasado cinco días desde Pascua y las cosas están peligrosamente tranquilas, como si todos estuviéramos aguantando la respiración.

Papá ha retomado la terapia física y está enfocado en su rehabilitación con más fuerza que nunca. Su terapeuta, una anciana alta y gruesa, no es muy misericordiosa cuando tortura la pierna de papá durante los ejercicios. A diferencia de lo que sucedía con la enfermera a domicilio, no hay el menor intento de flirteo con esta mujer, lo que hace refunfuñar a papá y a mí me hace sonreír.

Cada mañana, después de que la terapeuta se marcha, papá va a la cochera a levantar pesas y luego recorre el vecindario cojeando hasta que le tiembla la pierna por el cansancio. Su determinación está impulsada por el deseo de recobrar la fuerza, pero también por las ganas de volver al trabajo, para recuperar la vida que alguna vez tuvo, no solo antes del accidente, sino antes de que tuviera que renunciar a un amor por otro.

Cuando Oz tenía tres años, papá renunció a su trabajo como capitán de yate, una decisión motivada por la necesidad cuando se hizo evidente que Oz era demasiado difícil de controlar para una niñera. Antes de que papá conociera a mamá, fue un montón de cosas: guía de rápidos en ríos, guardabosques, minero de plata, pero fue en el océano donde encontró su vocación. El agua salada corre por sus venas, como solía ser también mi caso.

Solía decirme que el océano es la última frontera, la única parte de la tierra que no se conoce del todo. Sus ojos brillaban cuando hablaba de lo poco que se sabe sobre sus áreas más profundas, que dos tercios de las especies del océano aún no han sido descubiertas, y que ni toda la tecnología del mundo puede predecir una borrasca. Le encantaba: la aventura, la camaradería entre la tripulación, la libertad ilimitada, y cuando se vio obligado a renunciar, algo se apagó en él. Lo extrañaba tanto que se podía sentir. Cada vez que estábamos en la playa, sus ojos se entrecerraban mirando el horizonte y se lamía los labios. Si se enteraba de una tormenta en algún océano distante, su mandíbula se ponía rígida y sus músculos se tensaban, ansiosos por entrar en acción.

Papá se despide de su terapeuta, luego va a la cochera y coloca las pesas en el banco.

La cochera es una especie de santuario, un lugar que no ha sido tocado por el gigantesco borrador de mamá. Hay fragmentos de Oz y míos por todas partes, apilados en los estantes y colgando de las vigas: bates, manoplas, uniformes viejos, bicicletas, tablas de *boogie*, raquetas de tenis y palos de golf; un millón de recuerdos acumulando polvo mientras papá gruñe y suda llevándose a sí mismo hasta su límite.

Entre una serie de ejercicio y otra, sus ojos vagan por los remanentes mientras se obliga a recordarnos y se niega a dejarnos ir, una autoflagelación digna de un santo o un demonio. Y mientras miro, me pregunto si mamá no hizo bien en tirarlo todo. Este lugar es como arenas movedizas, y cada vez que papá está aquí, lo empuja hacia abajo, lo ahoga y le impide seguir adelante.

La esquina trasera es particularmente horrible. Mi bolsa de softbol y la manopla de mi último juego todavía están arrumbados en la esquina. Y mi camiseta, con el número nueve, el mismo que usaban mi papá y mi abuelo, está hecha una bola en la parte superior. Miro mi camiseta, con el color cada vez más deslucido y una capa de polvo encima, y luego lo miro a él, derrotado, enojado y miserable, y entonces decido que, si pudiera, incineraría hasta el último trozo de ella con un calor tan ardiente que no quedaría ni una pizca de ceniza.

Cuando papá termina de destruirse física y emocionalmente, entra en la casa tambaleándose. Me intriga saber por qué hoy no ha salido a caminar, y descubro, cuando entro con él a la cocina, que los Ángeles tienen un juego diurno.

Los Ángeles son nuestro equipo, de papá, Oz y mío, y los tres teníamos una rutina muy específica antes de cada juego, principalmente para beneficio de Oz, que amaba los rituales y creía en la superstición. Antes de cada juego, nos tomábamos de la mano, cerrábamos los ojos y decíamos: "Que la Fuerza esté con los Ángeles". Lo repetíamos una y otra vez hasta que estábamos gritando con fervor religioso. Solo comíamos alitas de pollo y palitos de apio con aderezo ranch de Hidden Valley, y teníamos que comer nueve de cada uno: una alita y una pieza de apio antes de cada entrada. Oz estaba a cargo del control remoto, y no teníamos permitido tocarlo durante el juego, o definitivamente arruinaría el resultado.

La casa está vacía. Quizá por eso lo hace. Con mucha paciencia y cuidado, papá prepara las alitas de pollo y el apio. Habla con Oz mientras vierte el aderezo en un tazón.

—Justo como te gusta, amigo —dice, haciendo que Bingo levante la cabeza con gran interés—. Los Ángeles contra los Gigantes. Se va a poner dura la cosa.

Observo mientras coloca la comida, nueve alas y nueve palitos de apio, en un plato. Solo un plato. Lo lleva al sofá, enciende el televisor y me coloco a su lado, imaginando el olor y el sabor de las alas de pollo y sintiendo mucha lástima por mí.

En la octava entrada es cuando sucede. Albert Pujols batea un cuadrangular impulsando dos carreras y empatando el juego, y papá lanza un puñetazo al aire en señal de victoria. Por un instante milagroso, se olvida de nosotros, y mi corazón celebra el gran avance. Papá baja su puño mientras un destello de culpa atraviesa su rostro, haciendo que mi propia culpa se enfurezca. *¡No!,* grito. *Sé feliz.*

Y tal vez Dios está escuchando porque en la siguiente entrada, con dos *outs*, Kole Calhoun lanza un doble contra la pared, y nuevamente papá no puede evitar sentirse vivo y aplaude con el público. Se inclina hacia adelante y yo me inclino con él mientras Mike Trout se acerca a la plancha. No hay ningún otro jugador que quisiera en la plancha en este momento.

—Vamos, Trout —dice papá. Es una cuenta de tres bolas, dos *strikes*.

Por favor, no intentes hacer una base por bola.

Lanza.

La pelota está baja y afuera.

Trout batea y conecta, un *blooper* entre primera y segunda bases. Calhoun sale corriendo, bombeando alrededor de las bases.

Joe Panik regresa mientras Andrew McCutchen corre desde el jardín derecho.

Panik se lanza y no llega, y la pelota cae a centímetros de su manopla.

McCutchen la lanza a casa, pero ya es demasiado tarde.

Las alitas de pollo y los palitos de apio se han terminado. Nuestro hechizo funcionó. Ganaron los Ángeles.

—Lo logramos, Oz —dice papá dando otro puñetazo al aire cuando se abre la puerta y entra mamá.

Bingo se levanta de un salto mientras papá se da vuelta para mirarla.

Mamá escanea la escena, observando el plato vacío en la mesita de café y el control remoto a un lado de donde solía sentarse Oz, y sus ojos se deslizan hacia los de papá.

—Voy a correr —dice mamá, pasando frente a él, con la mandíbula apretada. Papá baja el puño, mientras yo deseo desesperadamente que mamá hubiera entrado un minuto después.

Cuando mamá baja con su ropa de correr, papá ya no está. Está en la cochera hablando con mi camiseta y contándome sobre el juego. Mamá mira hacia la puerta y lo escucha murmurar, y suspirando profundamente, se pone en marcha, corriendo por las calles hasta que no puede recuperar el aliento.

Una hora después, vuelve a casa tambaleándose y encuentra a papá en la cocina lavando los platos que utilizó para preparar sus alitas de pollo.

—Se han ido —dice mamá.

Papá no voltea, y la única señal de que la escuchó es la tensión en sus hombros.

—Tienes que superarlo —continúa—. Si insistes en arrastrarlo contigo constantemente, nunca podremos dejarlo atrás.

El plato de vidrio que está lavando chirría cuando papá presiona la esponja con demasiada fuerza.

Mamá inhala profundamente y luego suspira.

—Si quieres que limpie la cochera, lo haré —dice.

Papá gira, haciendo que el agua se derrame del fregadero.

—Mantente alejada de allí —dice papá, con una mirada sombría—. Sí, se han ido, pero no han sido olvidados, y no necesito *superarlo*. A diferencia tuya, yo no puedo simplemente olvidarlos. No los olvidaré, y nunca los *dejaré atrás*.

Mamá voltea y se aleja, con las manos cerradas a sus costados, y yo me quedo temblando. Cinco días. Eso es lo que lograron aguantar antes de que todo se derrumbara de nuevo.

89

Es domingo. El refugio está cerrado y no hay nadie además de Chloe, Eric y los animales. Chloe y Eric están completamente concentrados limpiando las jaulas y cuidando a los animales, ambos fingiendo que estar solos no es gran cosa.

A media mañana, Chloe da el primer paso. Probablemente dirá que fue Eric quien hizo la primera movida, pero definitivamente fue ella. Eric coloca una caja contra la pared, y ella camina hacia él con una sonrisa traviesa en el rostro.

—¿Qué pasa? —dice Eric.

Con una falta de inhibición que me asombra, Chloe lo apoya contra la caja, haciendo que Eric se siente, y luego se coloca entre sus piernas y lo besa. No parece un chico con mucha experiencia, y al principio se queda un poco congelado y conmocionado. Afortunadamente, aprende rápido y sus brazos se envuelven alrededor de la cintura de Chloe, atrayéndola hacia él. Es un hombre hambriento frente a un festín, y su boca se abre para devorar la de ella.

—Vayamos despacio —dice ella, con una risita mientras se aparta de él, y luego sonríe tímidamente—. Tenemos todo el día.

Casi se me sale el corazón del pecho. No tenía idea de que mi hermana fuera tan *sexy*.

Chloe se quita la camiseta, revelando un sujetador azul índigo tan oscuro que su piel brilla contra él y, a pesar de su advertencia, Eric la devora, primero con los ojos y luego con sus labios, haciéndola reír encantada.

Haciendo gala de una fuerza impresionante, Eric se pone de pie levantándola con él. Y mientras Chloe tiene las piernas envueltas alrededor de sus caderas y sus bocas están unidas, Eric la lleva al catre junto a las pilas de comida para perros. Le quita los tenis y luego los calcetines. Chloe se pone tensa cuando los dedos de sus pies quedan al descubierto, pero Eric no se da cuenta. Él ve sus heridas, pero no les da importancia, su atención está completamente enfocada en el cuerpo de Chloe y su boca ya está nuevamente sobre los labios de ella.

90

Había pasado una semana desde que mamá y papá discutieron: siete noches en las que mamá ha dormido en la antigua habitación de Aubrey en lugar de dormir en la suya. Pero ayer mamá decidió que ya había tenido suficiente. Vestida con pantalones cortos de pijama y una camiseta delgada que dejaba ver sus pezones, caminó desde la habitación de Aubrey hasta la suya, se detuvo en el umbral para alisarse el cabello y entró.

Esta mañana, cuando se despiertan, mis papás están abrazados.

Mamá rueda hacia papá, y cuando él siente su mirada, parpadea hacia la luz de la mañana mientras una sonrisa arruga su rostro. Mientras los miro, imagino cuando se conocieron y lo asombrosos que debieron ser, el tipo de pareja que hacía voltear cabezas y conmovía los corazones, audaces e implacables, tan maravillosos como Scott y Zelda Fitzgerald.

Cuando yo era niña, fui testigo de lo maravillosos que eran, de la increíble atracción entre ellos, de su energía y pasión. Por las noches, Chloe y yo los oíamos a través de nuestra pared: risas, gemidos ahogados, el crujir de su cama. Solíamos pellizcarnos la nariz y taparnos la boca para contener nuestras risitas. Por la mañana, mamá bajaba las escaleras vestida con la sudadera de papá y unos de sus calzoncillos, y él sonreía, miraba sus piernas y levantando y bajando las cejas. Entonces mamá decía en tono de broma: "Papi está de muy buen humor esta mañana". Cuando pasaba junto a él, le tocaba el trasero. "De muy, muy buen humor", contestaba él, y mamá se sonrojaba.

A medida que fuimos creciendo, nuestro sueño era interrumpido con menos frecuencia, hasta que, con el tiempo, las interrupciones cesaron por completo.

Han pasado años desde la última vez que los escuché. Pero anoche, mientras estaba sentada en mi antigua cama junto a Chloe, las paredes resonaron con los sonidos de esa pasión de hace tantos años. Chloe puso los ojos en blanco, y luego se colocó los auriculares para ahogar el ruido, con una sonrisa en el rostro.

Esta mañana, ambos disfrutan el resplandor crepuscular, agotados y completamente enamorados. Mamá tiene la cabeza apoyada en el hombro de papá mientras peina con sus dedos los vellos en su pecho.

Frente a ellos, en la cómoda, hay una foto de nuestra familia: nuestro retrato anual de Navidad. Como siempre, estamos vestidos con trajes a juego, todos en pantalones de mezclilla y blusas negras, los seis estamos sentados en una gran roca frente al océano.

—¿Ann? —dice papá.

—¿Sí?

—¿Puedo decirte algo?

La mano de mamá deja de peinar sus rizos y su cuerpo se tensa, porque sabe, por la rigidez en la voz de papá, que sus próximas palabras probablemente romperán el encanto.

La mandíbula de papá está apretada hacia adelante y su mirada se mantiene fija en la foto. Entonces, cierra los ojos y dice:

—A veces me siento aliviado de que Oz ya no esté.

Papá cierra los ojos con fuerza por la espantosa confesión que acaba de hacer, mientras mamá le dice:

—Shhh.

Mamá lo abraza y levanta su rostro para besar la lágrima que ha escapado de su ojo.

—Eso no disminuye tu amor por él. Simplemente así era.

Y tiene razón. Porque lo que pasa con un chico como Oz es que no importa cuánto lo ames, también odias lo que le hace a tu vida, la forma en que absorbe la energía y consume todo el aire, tan implacable y exigente que a veces sientes que no puedes respirar. Ninguno de nosotros lo admitió cuando Oz estaba vivo, pero todos lo sentíamos.

Papá tiembla por la culpa y el dolor. Son emociones que había guardado en su interior desde que se despertó en el hospital y que ahora revelan la terrible verdad, y mamá continúa abrazándolo, porque la confesión que papá acaba de hacer solo ella puede entenderla y perdonarla.

91

Finn la Poderosa está en el refugio con Chloe, aunque hoy es el último día que Chloe la traerá. Brutus fue adoptado esta mañana, por lo que Finn la Poderosa ya no tiene compañeros de juego y detesta estar encerrada en una perrera sin amigos.

Finn gruñe sin parar expresando su infelicidad hasta que finalmente Chloe cede y la deja salir de su jaula. La gatita corre en círculos por la oficina, tropezando con ella misma y divirtiéndose a lo grande con una bola de pelusa que y gira y vuela en el aire fuera de su alcance. Chloe está sentada en el escritorio, revisando las listas de los nuevos cargos y tomando notas para el personal nocturno.

La bola de pelusa sale volando, rebota, y flota a través de la puerta holandesa que conduce a las perreras, y observo con horror cómo Finn salta intentando atraparla con fuerza suficiente para abrir la puerta. Chloe no se da cuenta, porque su atención está enfocada en su trabajo.

La gatita se enrosca y se abalanza, sin lograr atrapar el escurridizo trozo de pelusa y haciéndolo girar por el camino hasta llegar directamente a la perrera de Hannibal, el pastor alemán. Finn va tras ella, deslizándose fácilmente entre los postes.

Gruñido.

Chillido.

El pelaje de Finn se eriza, haciendo que crezca al doble de su tamaño, aunque todavía no es más grande que una pelota de softbol. Hannibal muestra los dientes y los otros perros, que se han dado cuenta de lo que está pasando, empiezan a ladrar salvajemente.

Al siguiente instante, Chloe está allí, con la mano en la reja.

—¡No! —grita Eric, corriendo desde el patio.

Chloe lo mira, y veo que una expresión peligrosa atraviesa su rostro. Luego abre la puerta y entra.

Coge a Finn la Poderosa en sus brazos y se gira para mirar al pastor alemán, entrecerrando los ojos como si desafiara a la bestia, y el perro se agacha mientras los pelos de su cuello se levantan.

Un cubo choca a su lado, haciendo que el perro se dé vuelta.

—Aquí, Lecter —dice Eric, mientras entra en la perrera. Rodea a Chloe alejándose de ella, mientras Hannibal se mueve y gruñe.

—Vete, Chloe —sisea Eric, y luego agita sus manos frente a Hannibal para mantener la atención del perro—. Eso es. Vamos, grandote, ¿quieres un pedazo de esto?

Eric mueve los dedos a modo de invitación.

Chloe sale corriendo por la reja con Finn la Poderosa y la abre de par en par, manteniéndose detrás de ella a modo de escudo. Los ojos de Hannibal miran a Eric y luego se desvían hacia su oportunidad de libertad: el patio del refugio brilla a través de la puerta abierta al final de las perreras, y afortunadamente Hannibal elige su libertad. Sale corriendo a través de la puerta abierta y directo al aire libre.

Chloe corre detrás de él y cierra la puerta de golpe en cuanto sale. Luego corre de regreso a la perrera.

Eric cae de rodillas.

—Mierda —dice, mientras se inclina sobre sus muslos e inhala profundamente.

Chloe sigue sosteniendo a Finn con una de sus manos. Con la otra, ayuda a Eric a ponerse de pie. Cuando se levanta, ella le rodea la cabeza con sus manos y jala su frente hacia abajo para tocarla con la suya.

—Gracias —dice Chloe.

Eric se aparta, con el rostro enrojecido, y le levanta barbilla para poder mirarla.

—No vuelvas a hacer eso —dice.

—¿Decir "gracias"?

—Ponerme a prueba —contesta él.

Chloe intenta retroceder desafiante, pero él no se lo permite. Su brazo la sostiene con fuerza mientras sus ojos se clavan en los de ella.

—Siempre voy a saltar —dice Eric—. Pero puede que no siempre tenga tanta suerte. Así que no vuelvas a hacerlo.

Chloe baja los ojos y asiente con la cabeza, y luego deja que él la abrace.

Chloe sale del refugio, deja a Finn la Poderosa en casa y luego conduce al centro. Compra un *frappé* de caramelo en Starbucks y lo lleva a la playa.

El pueblo sigue prácticamente igual, pero puedo notar las diferencias. Hay una nueva tienda de sándwiches donde solía estar la Pizzería Angelinos, y la tienda Hurley Surf ahora es una galería de arte. Los trajes de baño exhibidos en los escaparates de las tiendas son un poco más cortos este año que el anterior, y los bikinis tienden hacia los tonos rosa neón y azules. La vida continúa.

Chloe pasa frente a la heladería, y yo imagino el olor de los waffles recién horneados y el sabor del helado de menta. Un adolescente que sostiene un plátano bañado en chocolate nota la mano deformada de Chloe y se le queda mirando fijamente. Chloe lo saluda con la mano, haciendo que el chico se ruborice y se aleje apresuradamente. Es un día extraordinariamente hermoso. Las enormes nubes de primavera que te hacen pensar en palomitas de maíz flotan en el cielo, el sol brilla en el agua y una cálida brisa susurra con la promesa del verano. En el océano, hay una docena de veleros navegando hacia el sur, y en la playa hay cientos de turistas poniéndose protector solar, relajándose en sus toallas y jugando con las olas.

Chloe camina por el malecón, se sienta en la arena, mira las olas con los ojos entrecerrados y luego levanta la cara hacia el sol, dejando que el brillo y el calor penetren en su piel.

Y ahí es cuando lo siento: me ha soltado, el vínculo entre nosotras se debilita a medida que ella me va soltando delicadamente. Una delgada sonrisa se dibuja en su rostro y una lágrima escapa de su ojo mientras se lleva los dedos a los labios para soplarme un beso de despedida.

92

Está de pie justo afuera de la puerta principal. Su incomodidad es evidente. Sus ojos miran al suelo mientras cambia su peso de un pie a otro. Su suéter de cachemira y sus pantalones de tejido de espiga pertenecen a otro tiempo y lugar.

—¿Joyce? —dice mamá mientras mira con curiosidad a la Sra. Kaminski.

La mamá de Mo sostiene un sobre manila entre sus manos, de esos que tienen plástico burbuja por dentro. La forma en que lo sujeta me hace creer que es importante, y me pregunto qué hay dentro.

—¿Quieres pasar? —dice mamá, abriendo más la puerta.

La Sra. Kaminski niega con la cabeza y sujeta con más fuerza el sobre, haciendo que se doble.

—No sabía —dice, mientras sus ojos se mueven de un lado a otro como los de un pájaro, evitando los de mamá. Está hablando en una voz tan baja que mamá necesita inclinarse para escucharla.

Mamá se endereza e inclina la cabeza, y la Sra. Kaminski empuja el sobre hacia ella. Mamá no lo toma, sino que da un paso atrás, dejando el paquete maldito suspendido torpemente entre ellas.

—En el hospital —continúa la Sra. Kaminski— me preguntaron qué quería hacer con la ropa que Maureen llevaba puesta.

El cuerpo de mamá se pone rígido, pero la Sra. Kaminski no se da cuenta. Su atención está centrada únicamente en entregar su pesada carga.

—No estaba poniendo atención —dice—. Y no me di cuenta —repite.

El sobre es demasiado pequeño para contener ropa, no es más grande que una hoja de papel tamaño carta y apenas más grueso que un dedo.

—Así que les dije que se deshicieran de ella —dice—. Que la tiraran a la basura.

Su voz se quiebra y me doy cuenta de que está a punto de llorar.

—No quería que nada relacionado con esos horribles días estuviera cerca de Maureen otra vez.

Mamá ahora tiene sus brazos cruzados frente a ella. Hay una expresión sombría en su rostro, y puedo sentir su intenso deseo de que la Sra. Kaminski se marche.

Una lágrima escapa del ojo izquierdo de la Sra. Kaminski y rueda por su mejilla. La limpia con su mano que no sostiene el sobre.

—Acabo de encontrar esto —dice, mientras extiende el sobre medio centímetro más. Sus ojos continúan mirando a todas partes menos a mamá.

—Mi esposo lo trajo a casa desde el hospital. Estaba en su oficina…

Su voz se apaga y su brazo comienza a temblar.

Después de un largo segundo, cuando está claro que mamá no lo aceptará, la Sra. Kaminski retira el sobre y lo abre. Saca una sola hoja de papel junto con mi teléfono celular, y mamá retrocede. Sus ojos se congelan sobre la funda azul marino y las letras fosforescentes que dicen: "Todos somos gusanos. Pero creo que yo soy una luciérnaga".

La funda del teléfono fue un regalo que me hizo Aubrey de su viaje de fin de curso a Londres. La cita es de Winston Churchill. Aubrey me dijo que le recordó a mí, y eso fue una de las cosas más bonitas que alguien me dijo. Me encantaba esa funda y solía repetir esa frase todo el tiempo.

Mamá niega con la cabeza, pero los ojos de la Sra. Kaminski están fijos en el papel mientras lee en voz alta:

—"Inventario de artículos desechados de la paciente Maureen Kaminski —respira hondo para controlar sus emociones y luego continúa—. Botas de cuero marrón. Mallas negras. Pantalones de mezclilla. Suéter rojo. Sudadera de futbol de la preparatoria Laguna Beach. Chamarra azul marino con capucha. Pantalón deportivo gris. Calcetines negros. Calcetines de lana a rayas".

La Sra. Kaminski se detiene, solloza, enjuga otra lágrima, y luego fuerza su mirada a encontrarse con la de mamá, aunque solo por un segundo, porque el reflejo de mirar a una madre que perdió lo que a ella tanto le aterrorizaba perder es demasiado para soportar.

—Hasta que encontré esto —dice ella, con palabras indecisas — entendí lo que habías hecho.

La mandíbula de mamá se desliza hacia adelante, y me preocupa que vaya a cerrar la puerta en la cara de la Sra. Kaminski. Pero no lo hace. Permanece extraordinariamente inmóvil mientras la Sra. Kaminski termina su flagelación involuntaria.

—Lamento no haberme dado cuenta antes y que me haya tomado tanto tiempo reconocerlo.

Vuelve a colocar la hoja de papel y el teléfono dentro del sobre y pasa la mano por delante de mamá para dejarlo sobre la mesa junto a la puerta. Baja la mirada mientras da un paso atrás.

—Gracias —murmura, aunque esa palabra es insuficiente para expresar lo que siente.

Mamá asiente con la cabeza forzadamente, y la Sra. Kaminski se da la vuelta y se marcha.

La puerta se cierra, y un segundo después, algo choca contra ella. La Sra. Kaminski mira hacia atrás, y su barbilla comienza a temblar cuando se da cuenta de que lo que acaba de escuchar es el sonido del paquete al ser arrojado contra la madera.

93

Papá observa desde las sombras de la cocina mientras mamá sube corriendo las escaleras y cierra la puerta de su habitación detrás de ella.

La expresión de papá es sombría, y lo observo mientras camina hacia la entrada y recupera el sobre. Lo lleva a la cocina, saca el teléfono e intenta activarlo, pero la batería está agotada.

Lo conecta y, mientras espera a que se cargue, mira la hoja de papel. Sus ojos recorren las palabras, y poco a poco va comprendiendo su significado, haciendo que su expresión cambie de curiosidad a vergüenza cuando se da cuenta de lo que mamá vivió mientras él estaba inconsciente.

Suelta la hoja de papel, toma mi teléfono y lo enciende. La imagen del protector de pantallas es una foto mía donde aparezco colgada de la boca de la enorme estatua de león frente al zoológico de San Diego. Papá fue quien me alzo y luego se echó rápidamente hacia atrás para tomar la foto mientras yo colgaba. El personal de seguridad salió inmediatamente y me gritó que bajara, y papá, Oz, y yo nos alejamos corriendo y riendo histéricamente. Es una foto que no tiene precio.

Sonríe y vuelve a mirar la hoja, leyendo las palabras con atención, y sé que está analizando cada prenda de ropa, descifrando cuáles eran mías y cuáles de Mo.

Vuelve al teléfono, abre mis fotos y se desplaza entre ellas. Cientos y cientos de imágenes de mi extraordinaria vida. Montañas, bosques y ríos. El océano y la playa. Parques y canchas deportivas y otros mil lugares en los que he estado. Familia, amigos y compañeros de equipo. Tanta risa, amor y diversión que es imposible estar triste cuando las miras.

Cuando escucha a mamá salir de su habitación, apaga el teléfono y lo guarda en su bolsillo. Luego arruga el sobre y el papel y los entierra en la basura.

Mamá asoma la cabeza por la puerta.

—Voy a trabajar un rato —dice ella, mintiendo y sin mirarlo a los ojos.

Papá finge no darse cuenta.

No sé a dónde va, pero no es al trabajo. Supongo que irá a algún lugar ruidoso donde haya mucha gente, un sitio donde pueda sentarse y fingir que es parte de él, donde pueda olvidar quién es y fingir que es la persona que creía que era.

Papá se pone de pie y da un paso hacia ella, pero mamá retrocede.

—Está bien —dice papá—. Yo me ocuparé de la cena.

Mamá asiente y se aleja arrastrando los pies, y mientras papá la observa, sus músculos se contraen. Tan pronto como su auto se marcha, papá camina hacia la cochera.

Comienza con el equipo deportivo, arrojando sin miramientos en la parte trasera de su camioneta todo lo que nos pertenecía a Oz y a mí. Me estremezco cuando arroja mi patineta sobre la pila y necesito hacer un esfuerzo para no llorar cuando quita mi tabla de *surf* de su soporte.

—Es hora de limpiar este desastre —le dice a Bingo, que camina detrás de él, olfateando cada artículo y meneando la cola al recordar nuestro olor.

Es sorprendente lo mucho que la gente habla con sus mascotas cuando no hay cerca nadie más. Chloe habla sin parar con Finn la Poderosa, mamá y papá hablan con Bingo, y Eric le cuenta todos sus secretos al animal que esté cuidando.

—Debería conseguirte un esmoquin de perro para la boda —dice papá—. Si yo voy a usar un traje de pingüino, tú también tendrás que hacerlo.

Se detiene un minuto para secarse el sudor de la frente, piensa en algo, se toca el bolsillo donde está mi teléfono y luego aparta la mano.

—Ah, qué diablos, si eso hace feliz a Aubrey —dice— me pondré el maldito esmoquin.

Agarra la colección de pelotas Nerf de Oz y las arroja a la camioneta.

—Apuesto a que se embarazarán muy rápido. Aubrey no es nada paciente. Pobre Ben, no tiene ni idea de lo que le espera.

Raqueta de tenis. Palos de golf. Bicicleta.

—Sí sabes que vamos a tener que cuidar al niño, ¿verdad? —dice papá—. Tendremos que conseguir una cuna, un cambiador, uno de esos columpios. Los bebés ocupan muchísimo espacio para ser tan pequeños.

Sonrío mientras lo escucho hablar, comprendiendo que así es como debe ser para él, una tarea, una responsabilidad y una obligación de hacer lo que sea para proteger a los que quedan, motivado por esa delgada hoja de papel y lo que reveló su contenido. Puedo sentir su determinación y su amor cegador, su deseo de hacer cualquier cosa por Aubrey, aunque eso signifique dejarnos ir.

—Chloe ya tiene otro condenado novio. Espero que sea mejor que el anterior —dice papá, pero inmediatamente duda de sus palabras—. Ah, qué rayos, Vance no estaba tan mal. Hay que admitir que ese condenado chico tiene pelotas.

Bingo inclina la cabeza a un lado y golpea el suelo con la cola.

Sólo cuando coge mi camiseta duda un poco. Su mano aprieta con fuerza el satén antes de forzar sus dedos a abrirse para soltarla encima del montón.

Conduzco con él a la tienda de segunda mano y observo cómo tira la carga en el contenedor de donaciones, cada artículo que tira es un peso que se quita de encima, hasta que finalmente lanza la última cosa, y yo soy libre. Soy liberada como un globo en el cielo, el brillo está tan cerca que lo siento, cálido y magnético mientras floto sobre papá. Veo cómo sube a su camioneta y conduce de regreso al único hilo que todavía queda.

94

Aubrey es una novia radiante y Ben sonríe a su lado. Cuando se arrodillan para recibir la bendición las lágrimas brotan de mis ojos; una risa histérica me cosquillea el estómago y me hace llorar. El público se ríe conmigo. Aubrey, Ben y el anciano sacerdote no tienen idea de lo que sucede y miran a su alrededor, desconcertados.

En la banca delantera, la señora Kinsell le da un codazo a su esposo para que haga algo, aunque en realidad no hay nada que pueda hacer. En las suelas de los zapatos de Ben, frente a los doscientos testigos de este bendito evento, está escrita en esmalte de uñas color rosa brillante la palabra *Auxilio*.

Chloe, que está al lado de Aubrey, con su ridículo vestido de tafeta verde, mira por encima del hombro y le hace un guiño a papá. Es la venganza. Lo lograron, planearon la mejor broma para una boda.

A excepción de ese momento divertido, la ceremonia transcurre sin problemas, y Aubrey termina enganchada a la persona con la que estaba destinada a ser enganchada. Celebro, aplaudo, bailo y canto.

La recepción es en el Ritz a pocos kilómetros de nuestra casa. Mamá y papá sonríen cuando anuncian a la pareja. Hace veinticuatro años, su propia boda fue una cosa de lo más simple en un juzgado, y a papá le gusta decir: "Me costó cien dólares y toda una vida en libertad". Luego, siempre agrega con una sonrisa y un guiño: "Y hubiera pagado doscientos si hubiera sabido que todos ustedes serían parte del contrato".

Mamá se ve exquisita. Su vestido de seda verde esmeralda está bordado con rosas plateadas y rosas y llega ocho centímetros por encima de sus rodillas, dejando ver sus atléticas piernas. Su cabello está peinado suelto sobre su cabeza y adornado con un pequeño broche de joyas. Unos aretes de oro enmarcan su rostro y una gargantilla de perlas rodea su cuello. En cierto momento, mamá se inclina para ajustar un listón en el borde de una mesa, lo que hace que su falda se frunza sobre su cadera y, desde el otro lado de la habitación, el calor de la mirada de papá la hace levantar la cabeza. Papá le lanza una mirada completamente eléctrica que la hace sonrojarse.

Mo y Kyle también están aquí y no se separan ni un instante: manos, dedos, labios, hombros, caderas, alguna parte de sus cuerpos siempre está tocándose. Ambos se ven tan bien y hacen tan buena pareja que quiero aplaudir. Y como nadie puede oírme, eso es lo que hago. Grito, chillo, bailo y aplaudo. *Tú, Maureen Kaminski, eres hermosa, y tú, Kyle Hannigan, eres guapísimo, y ahora los declaro rey y reina de la belleza deslumbrante.*

Chloe trajo a Eric, y papá cayó rendido a sus encantos como un oso ante un frasco de miel. Tal vez se debe a que Eric es tan diferente de Vance, pero creo que más bien es porque Chloe es una persona completamente diferente con Eric. Sigue teniendo la misma devoción abyecta, igual que con Vance, pero Eric no es demandante ni posesivo en lo más mínimo, y Chloe parece transformarse en la mejor versión de sí misma cuando está con él, segura, despreocupada, boba y divertida. Su cabello cobrizo brilla salvajemente mientras baila y su sonrisa ilumina la habitación mientras la música que eligió añade el acompañamiento perfecto a la noche.

En cierto momento en que Eric está sin aliento y sudoroso, la lleva al patio para tomar un poco de aire. Chloe mira el océano y luego voltea hacia él.

—Nunca me preguntaste —dice Chloe.

—¿Preguntarte qué?

—Sobre el accidente —contesta ella, levantando su mano con el meñique amputado como para aclarar el tema.

Eric la toma y besa su dedo.

—¿Quieres contármelo?

Chloe inclina la cabeza a un lado, pensando en lo que Eric acaba de decir.

—No realmente, pero me da curiosidad saber por qué nunca me preguntaste.

—No cambiaría nada. Te seguiría amando igual —dice Eric sonriendo más ampliamente.

—¿Pero no tienes curiosidad?

—Al principio, tal vez un poco, pero luego ya no.

—¿Y si quisiera contártelo?

—Entonces te escucharía.

—¿Pero no quieres que te lo cuente?

Eric mira a Chloe fijamente. En su rostro se vislumbra la promesa del hombre fuerte que algún día será.

—Sinceramente, no.

—¿Por qué?

—Porque te amo —dice Eric, suspirando por la nariz —. Verás, ese es el problema. Te amo, así que, si quieres contármelo, te escucharé, pero al mismo tiempo, sé que la historia va a ser horrible, realmente espantosa, y sé que debería sentirme mal al escucharla, pero la verdad es que en mi interior no me sentiría lo suficientemente mal, porque una parte egoísta de mí estaría agradecida de que haya sucedido.

Chloe se paraliza.

—¿Ves lo terrible que es? —dice Eric—. Así que, prefiero mirar hacia adelante, no hacia atrás, y estar agradecido de que Dios o Buda o quien demonios dirija el universo te haya perdonado y traído a mi vida.

Abre la boca para seguir hablando, pero no puede porque los labios de Chloe están sobre los suyos, y me pregunto si tiene razón, si algún extraño destino kármico está en marcha. Oz y yo estábamos perdidos, pero Chloe, mamá y papá se salvaron y sus destinos cambiaron. No sé si creo que fue la providencia, pero mirando a Chloe y a Eric parados en el balcón bajo las estrellas, completamente enamorados, sé que a pesar de todo lo que se perdió ese día, también se ganaron cosas.

Chloe se aparta de Eric, con una mirada perpleja en el rostro.

—¿Algo más que quieras decirme? —pregunta Eric.

—¿Por qué me amas?

Eric se ríe. Tiene una risa maravillosa, un estruendo profundo y continuo.

—Estás bromeando, ¿verdad?

Chloe niega con la cabeza y le lanza una mirada furiosa, sin pensar que su pregunta sea graciosa en lo más mínimo.

—Creo que es por la forma en que me miras cuando estás enojada.

—No estoy bromeando —dice ella, golpeándolo en el pecho —. Responde en serio.

Eric la acerca a él, mientras sus ojos todavía sonríen con humor.

—Fue tu boca la que llamó primero mi atención.

—¿Mi boca?

—Sí. Cuando llegaste por primera vez con los gatitos, tu boca fue lo primero que noté, la forma en que se inclinaba hacia la izquierda. Actuabas muy ruda y con seguridad, pero tu boca te delató.

Chloe lo besa de nuevo, y luego se aparta.

—¿Todavía te gusta mi boca?

—Sip. Debo decir que soy bueno para juzgar bocas a primera vista. Pero no fue eso lo que enamoró de ti; eso es solamente lo que noté primero. Fueron tus ojos los que me volvieron loco, la forma en que los mueves cuando alguien te dice algo agradable, como cuando te digo que eres hermosa.

Chloe pone los ojos en blanco.

—Exacto —dice Eric—. Son de un color extraño, casi siempre son verdes, pero cuando estás feliz o… ya sabes… en el momento —dice, moviendo su cadera ligeramente, provocándome una mueca de desagrado— son de un gris suave.

Chloe se sonroja.

—Pero en realidad, ¿quién sabe por qué nos enamoramos? —dice Eric, tomando las manos de Chloe y besándolas. Luego las baja para sostenerlas contra su corazón—. Lo único que sé con certeza es que mi corazón late con más fuerza cuando entras en una habitación o cuando me miras o cuando sonríes.

Vance estuvo con Chloe más de un año, y en todo ese tiempo dudo mucho que le haya dicho algo así. No sé si es el destino kármico o simplemente un destino aleatorio; lo único definitivo es mi gratitud de que los dos se hayan encontrado y mi certeza de que estaban destinados a estar juntos.

Los dejo besándose en el patio trasero y regreso a la fiesta, donde la lista de canciones de Chloe tiene a todos bailando sin parar. Todos excepto papá, que todavía no está listo para bailar, y mamá, que no tiene pareja.

Mo está bailando con Kyle al ritmo de *Into the Groove* de Madonna, y cuando se da cuenta de que mamá está en el banquillo le susurra algo al oído a Kyle, que hace que este se dirija hacia donde está mamá.

Hace un rato, en la fila para la recepción, mamá y Kyle se saludaron. Fue incómodo y breve, los ojos de mamá miraban a todas partes, y Kyle no sabía cómo actuar.

—¿Quiere bailar? —dice Kyle, extendiendo la mano a modo de invitación.

Los ojos de mamá se agrandan cuando mira su palma extendida, y su corazón comienza a acelerarse.

Kyle continúa sosteniendo su mano frente a ella, sin pestañear, con una sonrisa franca en el rostro.

Sin frío, sin hambre, sin sed.

Él lleva puesto un esmoquin. Ella, un vestido.

Chloe no está perdida en la nieve con Vance. Papá no está herido ni sangrando. Nadie está esperando a que mamá los salve.

La mano de Kyle está desnuda, y también la de ella.

Los dedos de mamá tiemblan cuando extiende su mano, y en ese momento lo siento: el último hilo dorado se disuelve cuando Kyle toma la mano de mamá y la ayuda a ponerse de pie.

Con el mismo atletismo que los salvó, se deslizan por la pista de baile, y veo cómo el mundo se ilumina y los bordes comienzan a brillar, mamá y Kyle están en el centro, bailando en el resplandor, hasta que lo único que queda es la luz.

NOTA DE LA AUTORA

Querido lector:

Esta historia está inspirada en un evento que sucedió cuando tenía ocho años. En ese entonces, vivía en el norte del estado de Nueva York. Era invierno, y mi padre y su mejor amigo, "tío Bob", decidieron llevarnos a mi hermano mayor, a mí y a los dos hijos de tío Bob a dar un paseo por las montañas de Adirondack. Cuando salimos esa mañana, el clima estaba fresco y despejado, pero en algún momento cerca de la parte superior del sendero, la temperatura disminuyó abruptamente, el cielo se cerró y nos encontramos atrapados en una tormenta de nieve helada y torrencial.

A mi padre y a tío Bob les preocupaba que no lo lográramos recorrer el camino de regreso. No llevábamos la ropa adecuada para ese frío y estábamos a horas de distancia del pie de la montaña. Con ayuda de una piedra, tío Bob rompió la ventana de una cabaña de caza abandonada para protegernos de la tormenta.

Mi padre se ofreció como voluntario para buscar ayuda, dejándonos a mi hermano Jeff y a mí esperando con tío Bob y sus hijos. Mi recuerdo de las horas que pasamos esperando a que llegara la ayuda es algo vago salvo por el recuerdo visceral del frío: mi cuerpo temblaba incontrolablemente y mi mente no podía pensar con claridad.

Los cuatro niños estábamos sentados en una banca de madera que se extendía a lo largo de la pequeña cabaña, y tío Bob arrodillado en el suelo frente a nosotros. Recuerdo que sus hijos estaban asustados y llorando, y él no paraba de hablarles, diciéndoles que todo iba a estar bien y que "tío Jerry" regresaría pronto.

Mientras intentaba tranquilizarlos, se movía de un lado a otro entre ellos, quitándoles los guantes y las botas y frotando a cada uno sus dedos de manos y pies.

Jeff y yo estábamos sentados a su lado, en silencio. Yo seguía el ejemplo de mi hermano. Él no se quejaba, así que yo tampoco lo hacía. Quizá por eso tío Bob nunca pensó en frotarnos los dedos de las manos y los pies. Quizá no se dio cuenta de que nosotros también estábamos sufriendo.

Es una opinión generosa; sin embargo, como adulta que soy, y ahora que tengo mis propios hijos, me cuesta mucho trabajo aceptarla. Si la situación hubiera sido al revés, mi padre nunca habría ignorado a los hijos de tío Bob. Tal vez incluso hubiera cuidado de ellos más que de sus propios hijos, sabiendo lo asustados que se sentirían al no tener cerca a sus padres.

Cerca del anochecer, llegó un *jeep* de rescate y nos llevaron al pie de la montaña donde los paramédicos nos esperaban. Los hijos de tío Bob estaban bien: con frío y exhaustos, hambrientos y sedientos, pero por lo demás estaban ilesos. A mí me diagnosticaron congelación leve en los dedos, que resultó no ser nada grave. Me dolió cuando calentaron mis manos para regresarlas a la vida, pero tan pronto como se restableció la circulación, yo estaba bien. Jeff, por otro lado, tenía congelación de primer grado. Tuvieron que cortar sus guantes para poder sacarlos de sus dedos y la piel debajo estaba irritada, blanca y con ampollas. Se veía horrible, y recuerdo haber pensado cuánto debió haberle dolido, ya que sus lesiones eran mucho más graves que las mías.

Nadie, ni siquiera mis padres, nos preguntaron jamás a Jeff ni a mí qué había sucedido en la cabaña, ni por qué nosotros estábamos heridos y los hijos de tío Bob no, y tío Bob y tía Karen siguieron siendo los mejores amigos de mis padres.

El invierno pasado, fui a esquiar con mis dos hijos y, mientras viajábamos en el telesilla, volví a recordar ese día. Me sorprendió lo insensible e indiferente que se portó tío Bob, un hombre al que había conocido toda mi vida y que creía que nos amaba, y también su actitud desvergonzada después del incidente. Lo recuerdo riendo con el *sheriff*, como si todo hubiera sido una gran aventura que afortunadamente había salido bien. Creo que incluso se consideraba una especie de héroe, pues alardeaba de cómo había roto la ventana y de su inteligente idea de llevarnos a la cabaña. Cuando llegó a casa, probablemente le contó a Karen cómo había frotado las manos y los pies de sus hijos y cómo los había consolado sin dejar que tuvieran miedo ni un segundo.

Miré a mis propios hijos que estaban a mi lado, y un escalofrío recorrió mi espalda al pensar en todas las veces que los he confiado al cuidado de otras personas de la misma manera que papá nos confió al cuidado de tío Bob, creyendo con esa misma ingenua presunción que existía un acuerdo tácito de que cuidarían de mis hijos como si fueran suyos. Parques de diversiones, playas, centros comerciales, vacaciones a lugares cercanos y lejanos, siempre asumiendo que cuidarían de mis hijos y que estarían en buenas manos. Este libro trata sobre una catástrofe, pero la historia real tiene lugar después del catalizador, como consecuencia de la calamidad, cuando las ramificaciones de las decisiones que tomó cada uno de los sobrevivientes regresan para atormentarlos. Siempre he creído que el remordimiento es la emoción más difícil de enfrentar, pero para sentir remordimiento es necesario tener una conciencia: una paradoja interesante que permite que los peores de nosotros sean los que menos sufren después de haber actuado mal.

Elegí contar la historia desde el punto de vista de Finn para tener una perspectiva capaz de verlo todo y que permitiera una visión honesta de los personajes, incluso cuando creían que estaban solos. Escribir la historia a través de los ojos de Finn resultó ser un regalo. Aunque no soy Finn, en muchos sentidos desearía ser más como ella. Muy pocas veces se tiene la oportunidad de escribir un personaje de espíritu tan puro. Finn ocupa un lugar especial en mi corazón, y espero que hayan disfrutado leyendo su historia tanto como yo disfruté contándola.

Atentamente,

Suzanne

AGRADECIMIENTOS

Quiero agradecer enormemente a las siguientes personas, sin las cuales este libro no habría sido posible:

Kevan Lyon, mi agente, que mantuvo la fe y me ofreció una guía invaluable.

Alicia Clancy, mi editora, por entenderlo y proporcionarme información y comentarios que llevaron la historia al siguiente nivel.

A mi familia, simplemente por ser ellos y por creer en sueños y milagros.

A mi hermano Jeff, por ese día en la montaña olvidado hace tanto tiempo y por su valentía, y a mi papá, que bajó heroicamente la montaña en busca de ayuda.

A todo el equipo de Lake Union, incluidos Riam Griswold, Bill Siever y Nicole Pomeroy, por transformar un humilde manuscrito en el hermoso trabajo en el que se convirtió.

A Sally Eastwood, por leerlo primero. A Halle y a Cary, por leerlo en segundo lugar. A Lisa Hughes Anderson y a mis hermanas artísticas, Amy Eidt Jackson, Helen Pollins-Jones, Cindy Fletcher, Lauren Howell, Nancy Deline, Lisa Mansour, Jacquie Broadfoot, April Brian y Sharon Hardy, por la magia mística de nuestro círculo que continúa dando vueltas.

TEMAS DE DISCUSIÓN

1. ¿Tienes hijos? Si es así, ¿con qué frecuencia los has confiado al cuidado de otra persona? ¿Alguna vez has considerado la posibilidad de que ocurra un evento catastrófico y, si esa persona se enfrentara a una decisión desesperada, tus hijos estarían en buenas manos? ¿Y si la situación fuera al revés? ¿Cuidarías del hijo de un amigo tanto como del tuyo en una situación de desastre? ¿Hasta qué grado crees que deberíamos confiar en los demás en lo relativo al cuidado de nuestros hijos?
2. Considera a Ann en su papel de madre. ¿Crees que fue una buena madre? ¿Qué tal al comienzo de la historia? ¿Crees que fue demasiado dura cuando Finn tuvo el accidente? ¿Qué opinas de su relación con Oz? ¿Simpatizas con ella?
3. Chloe siguió a Vance en la tormenta, y cuando ella no pudo continuar, Vance la dejó. ¿Qué opinas de que la haya abandonado? ¿Estás de acuerdo con su decisión? Si la elección era que ambos murieran o que él la dejara para tener la oportunidad de vivir, ¿tiene sentido que haya hecho lo que hizo? ¿Crees que tomaría una decisión diferente si estuviera en una situación similar posteriormente?
4. Ann le dio las botas de Finn a Mo en lugar de a Natalie. ¿Por qué crees que tomó esa decisión? ¿Cómo te sentirías si tu mejor amiga hiciera lo que Ann hizo? Es decir, ¿si eligiera al hijo de otra persona en lugar del tuyo?

5. Cuando Kyle se cayó, Ann tomó la decisión en una fracción de segundo de soltar la bufanda que lo sujetaba para que ella no cayera también por el borde. ¿Cómo te sientes con la decisión que tomó? ¿Y si Kyle hubiera muerto? ¿Te sentirías diferente?
6. ¿Cuáles son tus sentimientos respecto a Oz y el efecto que tenía en la familia? Jack admitió que a veces se sentía aliviado porque Oz ya no estaba. ¿Eso cambia la opinión que tienes de Jack? Considera en dónde estaría la familia Miller si no hubiera ocurrido el accidente. ¿Crees que algo se salvó ese día además de todo lo que se perdió?
7. ¿Qué opinas de que Kyle haya sido parte del accidente? Nadie se molestó en preguntarle si estaba bien. ¿Cuáles son nuestras obligaciones con un extraño?
8. Después del accidente, Bob estaba ansioso por ayudar. Se ofreció a dar la conferencia de prensa y fue el pilar de Ann durante toda la recuperación. ¿Qué opinas de Bob? En tu opinión, ¿cruzó la línea criminal? Si es así, ¿dónde estaba esa línea? ¿Cuando envió a Oz a buscar a Ann? ¿Cuando intercambió sus guantes por dos paquetes de galletas saladas? ¿Cuándo envió a Burns en la dirección equivocada durante la búsqueda de Oz para encubrir su mentira? ¿Qué opinas de que se haya atribuido el crédito de las ideas de supervivencia de Mo (cerrar el vehículo con nieve y derretir el agua)? ¿Crees que es importante quién recibiera el crédito? ¿Crees que la forma en que terminó la historia de Bob fue justa, o sientes pena por él? ¿Crees que

se merecía algo peor? ¿Cambiaría tu opinión si supieras que lo que hizo fue para proteger a su esposa y su hija?

9. Finn murió, y la historia es narrada desde su visión omnisciente. ¿Crees que tu percepción de los personajes se alteró debido a su perspectiva? Si leyeras la historia desde el punto de vista de los personajes, ¿cómo cambiaría tu opinión sobre ellos? Por ejemplo, Bob tenía buenas razones para estar aterrorizado de Oz, y tú podrías sentir su miedo; entenderías lo que Vance pensó cuando dejó a Chloe, al creer que la única oportunidad para cualquiera de los dos era conseguir ayuda.

10. ¿Te gustaría presenciar tu propio funeral? ¿Qué te parecería poder ver a aquellos que has dejado atrás después de tu partida?

11. La historia habla mucho sobre la muerte y la forma en que las personas enfrentan la pérdida. El enfoque de Ann fue "limpiar" la casa de todos los restos de Finn y Oz. Jack hizo lo contario: se torturaba constantemente con su recuerdo para no olvidarlos. ¿Cómo lidiarías tú con una pérdida así? Finn no quería que las personas que amaba estuvieran tristes cada vez que pensaban en ella. ¿Cómo crees que deberíamos honrar a los muertos? ¿Crees que deberíamos sentirnos felices cuando pensamos en ellos en lugar de sentirnos tristes?

12. ¿Crees que nuestra humanidad está determinada más por las circunstancias que por la conciencia, y que, si estamos entre la espada y la pared, nuestro comportamiento cambiará? ¿Crees que en todos nosotros existe un instinto básico de autoconservación que nos hace capaces de cosas de las que nunca nos creímos capaces? Bob no se propuso ese día matar

a Oz ni ser negligente con Mo. Su intención era disfrutar de un viaje de esquí de fin de semana con su familia y amigos y, sin embargo, por su culpa, Oz murió. Oz no regresó a la casa rodante y Mo no fue tras él. ¿Es esto lo mismo que hizo Bob? Y si ella no tiene la culpa de su debilidad, ¿Bob sí es culpable de la suya? ¿Tiene Ann la culpa de haber abierto la mano cuando la vida de Kyle dependía de ella? Vance abandonó al amor de su vida dejándola morir congelada y sola. Karen solo se preocupó por Natalie. Natalie no hizo nada. Bob tomó los guantes de Oz y lo envió al frío. ¿Se debe culpar a las personas por su cobardía o por ser egoístas cuando tienen miedo? ¿Nacemos con nuestra fuerza? Si es así, ¿deberíamos condenar a quienes no la tienen?

13. ¿Algunas vidas valen más que otras? Si tuvieras que elegir entre salvar Mo o a Oz, ¿lanzarías una moneda al aire o influirían otros factores en tu decisión? ¿Y si tuvieras que elegir entre Mo y Natalie? ¿Y entre Kyle, un completo extraño, y Oz?

14. ¿Has estado alguna vez en una situación cercana a la muerte? Si es así, ¿estás orgulloso de cómo reaccionaste o te arrepientes de algo?

15. Después de leer esta historia, ¿cambió tu forma de ver la muerte, el duelo o los preciosos hilos que te atan a esta tierra?

16. ¿Quién fue tu personaje favorito? ¿Por qué?

17. Hora de la película: ¿Quién te gustaría que interpretara cada papel?

Este libro se imprimió en noviembre de 2020
en los talleres de Litográfica Ingramex, S.A. de C.V.
Centeno 162-1, Col. Granjas Esmeralda,
Ciudad de México C.P. 09810
ESD 1e-20-6-M-3-11-2020